Zone érogène

PHILIPPE DJIAN

1

Je l'ai vue tout de suite en ouvrant la porte, elle était allongée en travers de mon fauteuil et elle avait visiblement trouvé ma dernière bouteille, elle la tenait coincée entre ses jambes.

Je l'ai secouée pour qu'elle ouvre un œil, j'avais pas du tout envie de parler à quelqu'un, mais il fallait que je tire cette histoire au clair. Cécilia c'était la pire de toutes, enfin c'était une des meilleures, elle avait le don pour attirer des tas d'histoires, par moments ça m'arrivait de penser à elle, quand j'avais rien de mieux à faire.

— Hé, j'ai dit, hé, qu'est-ce que tu fous là ?

Elle a pas ouvert les yeux mais elle a repoussé ma main.

— Ça va, arrête de me secouer... !

J'ai traversé la pièce au pas de course, j'ai envoyé toute la lumière, j'étais fatigué, peut-être qu'il était deux heures du matin, j'essayais de pas m'énerver.

— Bon, y'a un truc que je voudrais savoir. Comment t'as fait pour rentrer ici, qu'est-ce qu'il t'arrive encore ?

Elle s'est redressée, elle a fait glisser ses fameuses jambes, j'ai pensé de deux choses l'une, ou elle connaît pas sa force ou elle a découvert mon point faible, l'été les filles se mettent des

5

trucs tellement légers, des morceaux de tissu dans les pastel, tendus comme des arcs et parfumés.

– C'est rien, elle a dit. Je suis passée par la salle de bains.

Je suis allé voir ça, j'ai piétiné un moment dans les éclats de verre, je tenais la poignée de la porte serrée dans ma main, évidemment, qu'est-ce que c'était pour cette fille de déglinguer un carreau, elle descendait tous les mecs un par un. J'ai respiré un bon coup dans l'air tiède qui passait au travers, j'ai refermé la porte sans dire un mot, je me suis répété deux ou trois fois c'est rien, C'EST RIEN, c'est juste un verre de 40 × 70.

J'ai enfoncé mes mains dans mes poches et je suis retourné près d'elle en serrant les dents. Je sortais juste d'une période de travail délirant, j'avais dû noircir au moins une centaine de pages sans lever pratiquement les yeux de ma table pendant plusieurs jours et j'avais passé l'après-midi à essayer de me détendre. J'avais presque réussi. Je me suis mordu les lèvres.

– Ah ce que t'es chiant, elle a fait. Je te le paierai ton petit carreau.

– Bon, j'ai dit, j'espère que tu m'en as laissé une goutte ?

Elle m'a tendu la bouteille et s'est levée, elle se retrouvait d'un seul coup en pleine action, agitant ses bras dans tous les sens. Toute cette énergie, ça me sciait en deux, toutes ces filles me rendaient malade, je me demandais ce qu'elle avait encore inventé, si j'allais pouvoir dormir un peu.

– Je me suis barrée, elle disait, je me suis barrée pour de bon. Il se prend pour je sais pas quoi mais demain il commencera à me chercher partout, il me retrouvera jamais !

Elle continuait à s'agiter en regardant par la fenêtre, les poings sur les hanches, excitée comme un papillon de nuit.

— Tu portes des bas ? j'ai demandé.

Elle s'est retournée doucement en croisant les bras.

— Qu'est-ce que tu chantes... ? elle a dit.

— Je sais pas, c'est tes jambes. Elles brillent.

Elle a laissé un peu de silence s'installer entre nous puis elle a eu un petit haussement d'épaules :

— En tout cas, il me trouvera jamais ici.

— COMMENT ÇA ? ? j'ai couiné.

— Ben oui, il te connaît pas, comment veux-tu qu'il trouve ton adresse ?

J'ai pas répondu tout de suite, j'ai bu une longue gorgée, c'était du fort, en pleine nuit il faut toujours faire attention à ce qu'on dit. Le soleil arrive presque toujours ensuite et le jour se lève sur un sac d'embrouilles.

— Écoute, j'ai dit, je suis pas un type marrant, c'est pour ça que je vis tout seul. Je suis désolé mais c'est vraiment trop petit...

J'ai baissé mon nez sur la bouteille. Il en reste encore une gorgée, je me suis dit, est-ce que je peux y aller ou est-ce que ça peut devenir encore plus dur ? J'étais pas très vieux, juste l'âge de J.-C. quand on l'a grimpé sur sa croix, mais j'en avais assez vu pour savoir qu'il valait mieux attendre. J'ai gardé la bouteille tout près de moi. Elle s'est approchée, elle s'est penchée vers moi avec son odeur, son parfum, ses jambes, elle a mis tout le paquet, merde, te laisse pas faire, elle a même pas dix-huit ans, même pas. J'ai enfoncé ma tête dans mes épaules, j'ai entendu des mouettes qui criaient dans la nuit.

— N'aie pas peur, je vais me faire toute petite, c'est pas pour longtemps. C'est pas la mort...

— Comment ça, c'est pas la mort ? Merde, ça poserait des tas de problèmes ! Pourquoi chez moi ? Tous ces types que tu t'envoies, ils peuvent pas servir à quelque chose ?

Elle a rien dit, elle s'est relevée tout doucement. J'étais fatigué, j'ai fermé les yeux un moment et la douche s'est mise à couler. J'ai attrapé la bouteille, j'ai cavalé, j'ai ouvert le rideau de toutes mes forces et je suis resté à la regarder, je me suis mis à cligner doucement des yeux quand elle a pointé ses trucs sur moi, ses petits bouts roses et l'eau qui glissait sur ses hanches, dix-huit ans, la vie marquait des points sur des coups pareils. J'ai baissé la tête et elle s'est mise à rire, j'ai refermé le rideau mais elle l'a rouvert d'un grand coup, alors je me suis penché et je l'ai serrée contre moi, je suis vraiment dingue, j'ai pris toute cette flotte tiède sur la tête, le truc était légèrement en hauteur si bien que je me suis retrouvé avec ma joue sur son ventre. J'ai plus pensé à rien mais comme elle rigolait toujours, j'ai reclaqué ce putain de rideau et à travers la buée je lui ai dit :

— C'est pas ce que tu crois. Je vais pas m'emmerder avec une nana dans ton genre. Reste pas une heure là-dedans.

J'ai fermé la porte et je me suis avancé près de la fenêtre, j'ai regardé les mouettes qui tournaient au-dessus de la plage dans un rayon de lune, les mouettes c'est ce qu'il y a de mieux et j'ai liquidé la bouteille.

Je suis sorti, j'ai failli prendre la voiture mais c'était pas très loin, je me suis mis à marcher, j'étais de mauvais poil, sans ce truc qui restait ouvert toute la nuit, je l'aurais prise par un bras, je l'aurais jetée dehors, c'était une nuit vraiment douce sinon j'aurais réglé ça en moins de deux. Quand j'ai cogné à la porte, je me sentais un peu mieux. Yan a collé son œil derrière le petit carreau et il a ouvert en vitesse.

— Oh, il a fait, tu arrives pas à dormir ?

— Ne me demande rien. Je prends un verre et je file.

Il m'a pris par la taille et m'a entraîné jusqu'au bar. C'était mon seul ami, il me faisait jamais chier, il se faisait les yeux aussi, il fallait juste faire gaffe de pas se laisser aller, il avait de très beaux yeux, je le connaissais depuis toujours.

— Offre-moi un verre, j'ai dit. Et je vais sûrement emporter une bouteille.

— Tu es inspiré ? Tu fonces ? il a demandé.

— Je vis un cauchemar. Cécilia a débarqué chez moi, elle est sous la douche. Elle a commencé par descendre un carreau.

— Merde, et son père... ?

— Bon, je te dis que c'est un cauchemar. Et elle veut s'installer pour de bon.

— Oh, alors je te sers un double.

— Ouais, comme tu dis.

Pendant qu'il me servait, j'ai fait un quart de tour sur mon tabouret. Il y avait pas trop de monde dans la salle, j'ai envoyé quelques signes de tête à des gens que je connaissais vaguement, des corps noyés dans les coussins, il y avait juste une grosse fille sur la piste et à part moi personne la regardait, je me demandais si elle aimait bien souffrir en voyant la manière dont elle faisait claquer ses nichons l'un contre l'autre, je me demandais ce qu'elle pouvait bien attendre de ça. Peut-être qu'elle essayait de danser, c'est peut-être ce qu'elle croyait, en fait j'y connaissais rien, je lui ai souri mais elle m'a pas vu. J'ai attrapé une cigarette et à la même seconde, une petite flamme a brillé sous mon nez.

— Qu'est-ce que tu vas faire ? il a demandé.

— Je suis venu pour réfléchir, j'ai dit.

– Ne réfléchis pas, fous-la dehors. Tu la connais.

Je l'ai regardé dans les yeux et je me suis penché vers lui pour allumer ma cigarette.

– Écoute, y'a deux ou trois petites choses que tu peux pas comprendre, tu me suis ?

Il a posé une main sur la mienne en riant et juste à ce moment-là, la grosse fille s'est ramenée, à la réflexion elle était pas si grosse que ça et elle s'est assise juste à côté de moi, je pouvais sentir cette odeur de sueur qu'elle avait apportée et elle respirait vite. J'ai repris ma main, dans cette boîte ils avaient le chic pour passer des morceaux à la con, maintenant on avait droit à la dernière de Kraftwerk et tout le monde s'endormait. La fille continuait à reprendre son souffle sur le tabouret, ça m'a donné soif.

– Vous voulez un coca ? j'ai demandé.

– Merci, elle a dit, mais j'ai passé l'âge.

– D'accord, j'ai dit.

J'ai pincé Yan à l'avant-bras pour le ramener sur terre, il avait l'air d'un ange sortant des brumes, au petit matin.

– C'est pas encore l'heure d'aller dormir. Donne-moi une bouteille.

J'ai pris deux verres et j'ai fait signe à la fille de me suivre, j'ai trouvé un coin à peu près tranquille dans le fond, je me suis laissé tomber dans les coussins et j'ai débouché la bouteille. La fille s'est assise en face de moi, je lui ai souri, elle a fait la même chose, une blonde cendrée, sortie tout droit des années 50 avec un pantalon léopard, le rêve, sauf qu'elle avait des mains toutes fripées et une bouche trop grande.

Je lui ai versé un verre et elle l'a vidé d'un trait. Bon, j'ai pensé, d'accord, il va falloir que je fasse attention, j'ai rempli son verre une nouvelle fois en continuant à sourire et j'ai vu comment elle a fait, sans respirer, sans cligner de l'œil, comment elle a descendu les 20 cl de bourbon d'un seul coup.

— Ça va ? j'ai demandé.

— Oui, elle a dit.

Je me suis servi un verre et j'ai dit adieu à la bouteille, je lui ai dit qu'elle pouvait y aller. J'ai regardé ma montre, presque quatre heures, qu'est-ce que je pouvais faire à une heure pareille, j'avais pas spécialement envie de parler, j'avais pas envie de grand-chose mais je voulais pas penser à Cécilia, j'espérais seulement qu'elle avait pas inondé la baraque ou mis le feu dans mes draps.

— On danse ? elle a demandé.

— Oh non, je suis incapable de faire ça.

— Oh je t'assure qu'il y a rien de plus facile !

— Non, j'ai vu comment tu faisais tout à l'heure, je suis sûr de pas y arriver.

— Bon, elle a dit, eh bien moi, j'y vais.

— D'accord, vas-y, je te regarde.

Elle s'est donnée à fond pendant dix minutes et elle est revenue s'asseoir, je voyais pas bien mais j'étais sûr qu'elle était toute rouge, elle transpirait et moi j'étais frais et sec comme un drap étendu en plein vent, j'étais content, j'ai décidé de remplir nos verres, je commençais à laisser filer.

On s'est dit deux ou trois mots, on a bu et au bout d'un moment elle a posé ses mains à plat sur la table, les doigts bien écartés. Elle avait des ongles pointus et rose bonbon.

— Elles sont moches, hein ? elle a fait.

— Y'a pire, j'ai dit.

— Tu comprends, c'est tous ces produits, les teintures, les permanentes et pourtant je mets des gants, c'est une vraie saloperie. Oh ce que je peux en avoir marre de tout ça ! Un de ces quatre, je vais tout plaquer. Je suis jeune et tu as vu ces mains... ?

— Ouais, personne peut mériter ça. Mais on porte tous des marques, d'une manière ou d'une autre.

Elle a hoché doucement la tête puis elle a retiré ses mains de la table en soupirant.

— Je suis mariée, il va falloir que je rentre, elle a dit. Il fait les trois-huit.

— Je suis pas marié mais je vais rentrer aussi. Ça fait rien, on a passé un bon moment ensemble. C'est un coin tranquille.

On s'est retrouvés dans la lumière rose du petit matin, marchant côte à côte et la rue était encore déserte, les petits bungalows blancs aux trois quarts inhabités, les peintures cloquées, les jardins cuits par le soleil, rien de plus mortel que ces stations démodées mais ça rendait les loyers abordables et même en plein après-midi on croisait pas trop de monde. L'enfer, c'était des kilomètres plus loin, les trucs neufs, les plages ratissées, le rassemblement des fous furieux.

Au bout d'un moment, je me suis rendu compte qu'elle boitait et j'ai regardé ses pieds, elle portait des talons hauts avec des petites lanières de cuir tellement serrées, la peau était violette, je me suis arrêté et c'était sûrement ce qu'elle attendait, elle a rougi mais elle s'est appuyée sur mon épaule et elle a enlevé ces foutus machins, elle a continué pieds nus.

— Oh, elle a fait, je suis claquée. J'aime pas le matin.

— Bien sûr, j'ai dit.

— Bon sang, il faut que je me grouille. J'ai juste le temps de passer chez moi pour me changer, c'est moi qui fais l'ouverture du magasin.

– Tu vas pas dormir ?

– Ben non, elle a fait.

Elle a plongé une main dans son sac et elle a posé une grosse paire de lunettes noires sur son nez.

– Je dois être affreuse, elle a dit. Est-ce que ça va mieux comme ça ?

– Ça dépend. J'espère que tu vas tenir le coup.

Elle a rigolé.

– Oh c'est rien. J'ai l'habitude. Mais j'adore danser, tu comprends ça me rend folle. Alors il faut que je choisisse... Ça peut paraître idiot mais c'est tout ce qui me plaît dans la vie, y'a rien d'autre qui m'intéresse.

– C'est déjà bien de trouver quelque chose, j'ai dit. C'est pas donné à tout le monde.

Le soleil a grimpé dans le ciel, tout au bout de la rue, à travers les câbles électriques tendus d'un trottoir à l'autre. On a encore fait quelques pas et elle s'est arrêtée devant une Mini rouge et rose, plus très jeune et elle m'a tendu la main. J'ai horreur de ça, serrer la main d'une femme, je sais pas pourquoi, j'ai regardé ailleurs, il y avait un banc juste à côté, je me suis assis. Elle a hésité une seconde et elle a sorti ses clés.

– Bon, eh bien, elle a dit, peut-être qu'on se reverra...

Je lui ai souri, j'ai fait oui de la tête, je pouvais plus dire un seul mot, le soleil me cognait en pleine poitrine, j'ai écarté mes bras sur le dossier et je l'ai regardée se glisser dans son engin et démarrer, je l'ai suivie des yeux pendant qu'elle fonçait ouvrir le lit de son trois-huit et arracher ses faux cils, j'ai pensé à elle un petit moment, mais sans plus, je me suis amusé à suivre les mouettes qui planaient au-dessus, j'essayais de repérer leur petit trou du cul pendant qu'elles ricanaient et découpaient le ciel en petits cubes.

2

Je suis rentré tout doucement, j'ai tourné juste après le petit supermarché et le type rentrait ses boîtes de lait en bâillant. Je me suis retrouvé sur la plage, dans le scintillement des capsules de yaourt et les sachets de papier cristal, c'était le chemin le plus long mais j'étais pas pressé, je me demandais si j'allais la trouver encore là.

Je savais que d'un côté c'était les pires emmerdes en perspective, je le savais, il y a des filles comme ça, mais ça faisait aussi un petit moment que j'avais pas tenu une fille dans mes bras et ça aussi je le savais. J'avais rien connu de très excitant depuis que Nina et moi nous nous étions séparés, d'ailleurs après ça j'avais plus du tout regardé les filles du même œil, dans l'ensemble elles me fatiguaient.

Tout en approchant de la baraque, je me disais que Cécilia sortait quand même du lot, surtout qu'elle me tombait tout droit du ciel et qu'elle était sûrement fourrée dans mon lit, oui ou quelque chose dans ce goût-là et j'ai terminé les derniers cent mètres au pas de course.

J'ai ouvert sans faire de bruit, j'ai défait mes chaussures et le sable sur la moquette c'est la merde mais j'en avais vu d'autres, la pièce était silencieuse et les rayons de soleil vibraient comme des lances à travers les rideaux, elle avait juste tiré le drap sur elle et je suis resté planté devant le lit à la regarder dormir, je suis resté comme ça au moins cinq minutes, je suis con, une femme qui dort n'est pas dangereuse, j'ai ramassé toutes les affaires qui traînaient par terre, je les ai posées sur une chaise, je pensais pas seulement à la baiser je pensais aussi au moment où elle allait ouvrir les yeux.

Ensuite j'ai tourné en rond dans la cuisine, je me sentais comme un étranger là-dedans, c'était le pire des coins que je connaissais, j'y allais rarement sauf quand la poubelle débordait ou pour rincer des verres, je mangeais jamais chez moi ou alors des trucs tout prêts et je me retrouvais avec des tonnes de papiers huileux ou la cellophane des chips qui craquait dans la nuit, impossible de mettre la main sur un paquet de café et de toute manière, j'avais plus un seul filtre, si elle avait pas été là, juste à côté, enroulée dans mes draps avec une mèche sur les yeux et les jambes en équerre, j'aurais continué à déglinguer ces placards, je pouvais pas claquer une seule de ces portes sans qu'une charnière me tombe dans les mains.

Je suis retourné la voir et comme elle bougeait toujours pas, je me suis décidé à aller faire quelques courses et je suis sorti.

Ma bagnole venait d'avoir quinze ans et je trouvais plus un seul type qui veuille bien ouvrir le capot. Je savais jamais si elle allait bien vouloir démarrer. Je me suis glissé sur le siège, j'ai serré les dents, jusque-là les voitures c'était le dernier de mes soucis sauf quand je glissais la clé dans le contact. Bon, mais c'était sûrement une bonne journée qui s'annonçait, il y avait cette fille dans mon lit et j'ai laissé tourner un peu le moteur avec le starter. J'en ai profité pour gratter deux ou trois saloperies soudées sur le pare-brise, de la merde et du sang, je clignais des yeux dans les reflets.

J'étais fatigué mais je me sentais plutôt bien, je tenais le volant entre deux doigts et j'avais un bras pendu dehors, la main plaquée sur la peinture tiède, c'était une route bien droite, très large, avec des palmiers de dix mètres de haut, c'était juste ce qu'il fallait pour qu'un type puisse vous doubler tranquillement avec une vedette de cinq cents chevaux en remorque ou une caravane à trois étages, cette route elle allait tout droit vers l'enfer et les pédalos.

Il était encore tôt, y'avait pas trop de monde dehors, j'ai tourné un moment dans les rues, j'ai fait vingt fois le tour avant de trouver un magasin ouvert, un petit libre-service tout neuf et le type debout derrière sa caisse semblait vous faire signe de l'œil entre deux piles de lessive et des cartons de bananes vertes. J'ai trouvé une place un peu plus loin et je me suis garé en bâillant.

J'ai attrapé un chariot et je me suis enfilé dans les rayons. C'était un truc tout en longueur avec une petite musique très chiante, parfumée à la violette, je savais pas bien pourquoi mais en général ces trucs m'excitaient, toutes ces bouteilles, toutes ces boîtes bien rangées il suffisait d'en prendre une et de l'envoyer dans le chariot, ça paraissait facile, sans limites, je me sentais toujours fiévreux dans ces moments-là. Tout au bout, j'ai doublé une femme, elle était grimpée dans son chariot et essayait d'attraper une boîte de saucisses, tout en haut, j'ai regardé ses jambes machinalement, sans trop m'attarder, à partir d'un certain âge, c'est rare que ça vaille encore le coup. J'ai fait provision du strict minimum et j'ai remonté le magasin dans l'autre sens, en poussant une montagne de marchandises.

Je suis arrivé devant la caisse en me grattant la tête, le type en blouse blanche m'attendait avec le sourire. J'ai jeté un coup d'œil dans le fond pour voir si la femme n'arrivait pas et je me suis penché vers l'oreille du gars en prenant un air ennuyé :

– J'aime pas faire ça, j'ai dit, non, ça me regarde pas... Merde, il y a cette femme là-bas qui glisse des tas de trucs sous sa robe. Bon sang, j'aime vraiment pas faire ça...

C'était un type entraîné, il a fait un bond par-dessus la caisse et il a foncé dans le magasin avec les pans de sa blouse qui flottaient comme des ailes. J'en ai profité pour braquer mon chariot vers la sortie, j'ai débouché en pleine lumière et j'ai cavalé vers la voiture.

Le temps s'est arrêté tout à fait, j'ai ouvert la malle en moins de deux et j'ai fait basculer tout le truc à l'intérieur, je voyais plus rien, j'ai mis un bon moment avant de pouvoir démarrer mais ça a marché comme sur des roulettes, y'avait pas âme qui vive dans ce petit matin mort-né.

Je me suis arrêté plus loin, à la sortie de la ville, sous un palmier, le soleil commençait à taper. Je suis allé prendre un paquet de caca-huètes dans la malle, je l'ai ouvert sur mes genoux et j'ai repris la route. Chaque fin de mois, je me retrouvais au bord du gouffre mais j'étais pas le genre d'écrivain qu'on allait découvrir mort de faim dans une petite chambre obscure, il fallait pas compter là-dessus. J'ai longé les vagues et des kilomètres de plage, j'ai failli m'endormir, ça faisait comme un gros sandwich écœurant, avec la tartine du ciel.

Je me suis garé juste devant la maison, j'ai coupé le contact et je suis resté cinq minutes sans bouger. Il s'est mis à faire chaud, j'ai trouvé quelques vieux sacs sous le siège et je suis sorti, j'ai commencé à les remplir. Les bouteilles fai-saient un sacré poids, et toutes ces boîtes, j'en avais pris un sacré paquet, j'ai vraiment soufflé quand j'ai posé tout ça en équilibre sur la table de la cuisine.

On entendait rien, les rideaux étaient toujours tirés dans la pièce et je me sentais bien, j'ai mis une casserole sur le feu pour faire du café, j'avais pris ce qu'il y avait de meilleur. J'ai enlevé mon tee-shirt, je l'ai envoyé rejoindre le tas qui pointait son nez derrière la porte, il devenait urgent que je m'occupe de ça, en attendant j'ai repoussé tout le truc du pied. J'ai croqué dans une tablette de chocolat à la nougatine, j'ai rangé un peu et après un dernier coup d'éponge sur l'évier, je suis allé voir si elle était toujours vivante.

Ensuite, j'ai tiré les rideaux, j'ai remis de l'ordre dans la pièce et j'ai fait le lit. Formidable. J'avais pas trouvé de petit mot, ni quoi que ce soit d'écrit au rouge à lèvres sur les murs, j'avais pas trouvé le plus petit morceau d'elle, même en cherchant bien. D'une certaine manière, c'était peut-être mieux comme ça, je me suis dit, tu vas pouvoir continuer à travailler, tu vas faire avancer ton roman, ne pense plus à ça, détends-toi. J'ai envoyé un direct dans l'oreiller, juste à l'endroit où elle avait posé sa tête et la poussière a traversé un rayon de soleil levant.

Cette histoire m'a pas mis de bon poil, j'ai serré les dents en ramassant les morceaux de verre sous le lavabo et j'ai poussé un petit gémissement en m'ouvrant le crâne avec le siphon, je m'étais relevé trop tôt, n'importe qui vous dira que c'est la plus grosse erreur sur un ring, eh bien c'est la même chose dans la vie. Le téléphone a sonné, c'était Yan, je me suis installé près de la fenêtre en caressant ma bosse.

– Alors, il a fait, t'es pas encore sous les verrous... ?

– Pourquoi tu me demandes ça ?

– Enlèvement. Détournement de mineure.

J'ai pas répondu tout de suite, j'ai fermé les yeux.

— D'accord, j'ai dit, j'avais pas pensé à ça.

— Tu ferais mieux d'y penser, tu sais.

— Bon mais c'est réglé maintenant, elle a foutu le camp. Quand tu auras raccroché, je vais sauter dans le lit avec une serviette mouillée sur le crâne.

— Je t'appelle pas pour ça, il a ajouté. Ce soir, c'est l'anniversaire d'Annie. On va manger chinois.

— Ça lui fait combien ?

— Trente-six.

— Oh dis donc, merde alors...

— On t'attend, il y aura tout le monde.

— Ça fait rien, je viendrai quand même. Je m'occuperai du thé au jasmin.

— Super, il a dit.

J'ai pensé une seconde à prendre une douche mais j'avais plus la force, j'ai laissé tomber. Je suis allé arrêter l'eau pour le café mais il y en avait plus une goutte, j'ai pris une bière et je l'ai bue d'une main pendant que je refermais les rideaux. Ensuite je me suis jeté sur le lit. Il y avait juste un petit rayon de soleil qui passait mais je le prenais en pleine figure, c'était plus possible de bouger, j'ai seulement réussi à croiser un bras sur mon front, à me caler contre le mur. J'avais la tête complètement vide, je buvais ma bière par petits coups. Parfois on a la sensation d'avoir glissé au fond d'un piège et rien ne se passe, je voulais même pas ouvrir un œil.

Je me suis réveillé vers sept heures du soir et j'ai passé un bon moment sous la douche, je me demandais ce que j'allais bien pouvoir offrir à Annie. La sœur de Yan c'était quelque chose, on faisait une bonne équipe tous les trois quand on avait dix ans, je sais que j'emporterai ça dans ma tombe même si j'ai un minimum de place. Contrairement à son frère, elle c'était plutôt les filles qui l'intéressaient et j'étais pas le seul à trouver ça vraiment dommage mais j'étais le seul type qui pouvait un peu l'approcher, toi c'est spécial, elle disait, toi je t'ai toujours à l'œil.

Je me suis habillé, je lui ai fait un paquet avec quelques cassettes de bonne musique et le tour était joué. Avant de partir, j'ai entassé quelques bouteilles dans un sac et j'ai ajouté un poulet et du pain en tranches, j'ai toujours l'impression que je vais rester sur ma faim avec la bouffe chinoise.

Ils habitaient ensemble à une vingtaine de kilomètres de là, dans un coin tranquille, à moitié résidentiel, j'ai coincé le poulet à côté de moi et j'ai déboîté en douceur dans un coucher de soleil formidable, j'ai attrapé mes lunettes dans la boîte à gants, c'était pas mal violent dans les rose orangé. J'ai pris mon temps, j'ai mis une bonne demi-heure avant d'arriver.

Je me suis garé juste devant. C'était vraiment calme dehors, des petites maisons bourrées de retraités, c'était juste à l'heure de manger – on pouvait entendre des milliers de petits cli cli cli cli clic, c'était les dentiers, c'était comme si vous débarquiez sur Mars.

J'ai cogné à la porte du pied, derrière mes paquets, fallait qu'ils se magnent. C'est Annie qui est venue m'ouvrir, toute fraîche, je ressens toujours un petit éclair de tristesse quand je la vois.

– Bon anniversaire, j'ai dit.

– Salut, t'es le premier. Je suis pas en avance.

– Ça va, je suis venu pour t'aider mais faut que je pose tout ça en vitesse.

Elle s'est écartée et j'ai foncé tout droit vers la cuisine.

– Vas-y, dis-moi ce que je peux faire... Où est Yan ? j'ai demandé.

Elle a plongé ses mains sous le robinet. Elle s'est mise à nettoyer des trucs qui flottaient dans l'évier. Peut-être qu'on allait enrouler ça dans une feuille de riz, je voyais pas si c'était vivant.

– Yan n'est pas là, elle a répondu, Yan se tire toujours quand il y a du boulot. Mais on le verra sûrement tout à l'heure, on a qu'à se servir à boire.

– D'accord. Demande-moi de couper les trucs en petits morceaux, je peux faire ça.

– Très bien, elle a dit. Alors viens voir un peu ici.

Je me suis approché d'elle, je me suis planté près de l'évier, j'ai regardé les espèces de machins tordus qui flottaient là-dedans.

– Faut laver toutes ces merdes, elle a soupiré, oh la la et faut que je me change, je suis même pas prête.

Elle a retiré ses mains de sous l'eau, elle les a essuyées longuement en me regardant d'un air surpris.

– Eh ben quoi, elle a dit, c'est comme ça que tu m'aides... ?

Je me suis croqué un ongle et ensuite j'ai tiré sur mes manches, j'ai plongé mes mains dans la piscine aux requins. J'ai attrapé un de ces machins blanchâtres et je l'ai serré en fixant des yeux le carrelage de la paillasse, les lumières qui dansaient là-dessus, quoi qu'on fasse il y a toujours des mauvais moments, c'est presque impossible de passer au travers, j'ai fait rouler le truc entre mes doigts et je lui ai demandé calmement :

– Je suis censé faire quoi au juste ?

– Rien, tu les rinces. J'ai juste le temps de filer dans mon bain, hey, tu viendras me frotter le dos ?

– Ouais, ouais, quand je me serai débarrassé de ces trucs.

– T'aimes ça ? C'est super, c'est de la pieuvre.

– Ouais, heureusement qu'ils ont pas mis la tête, j'ai dit.

Elle a filé et je suis retourné prendre mon verre, je l'ai entendue qui faisait couler l'eau au premier. Je me suis baladé dans la cuisine, j'ai repéré quelques trucs, du beurre de cacahuètes, une plaque de nougat aux amandes et deux ou trois bretzels, c'était plutôt rassurant et aussi un fond de coca que j'ai versé dans mon bourbon. Ensuite j'ai repêché les morceaux du monstre avec une écumoire, merde ces trucs-là vivaient dans l'eau, dans le fond de la mer, ça pouvait pas être très sale.

J'ai avalé quelques olives planté devant la fenêtre, c'était un bon moment, silencieux, juste un seul verre et le fond du ciel mauve, en plus j'adore les palmiers et Yan en avait un dans son jardin, ce salaud, il arrive parfois que certaines fins de journée soient arrachées au paradis.

Quand elle m'a appelé, j'ai grimpé jusqu'à la salle de bains en quatrième. De toute la baraque, c'était la pièce que je préférais, noyée sous les plantes vertes et une espèce de lumière tamisée qui glissait là-dedans, tous les petits pots bien en rang et des tas de serviettes douces comme de la brume, vraiment rien à voir avec ces coins minuscules et puants recouverts d'un carrelage d'hôpital et badigeonnés de couleurs écœurantes. Annie était allongée dans la baignoire et j'ai eu l'impression de mettre les pieds dans un spot publicitaire, deux petites épaules rondes plantées dans l'eau bleue et des paquets de mousse qui dégringolaient par-dessus bord.

– Me voilà, j'ai dit. Quand tu voudras...

Elle a rigolé, elle s'est mise à quatre pattes

et son dos a fait surface comme une île, des petites vagues venaient lui lécher les hanches, en fait elle me laissait pas voir grand-chose, je pouvais juste imaginer ses nichons pointés vers le fond et son ventre lisse comme la coque d'un bateau de course, souviens-toi qu'elle t'a à l'œil, j'ai pensé, oublie tout ça. J'ai empoigné le gant et la savonnette et je lui ai frotté le dos sans pouvoir m'empêcher de rester songeur.

Je sais pas comment ça s'est fait mais mon bras a heurté la petite chaînette, j'ai entendu BROOOEEUUUU et la baignoire a commencé à se vider, j'ai regardé le niveau qui descendait et les petites bulles qui éclataient sur sa peau, bon sang, j'ai dit, mais je suis resté sans bouger avec un œil sur sa touffe de poils enneigés pendant qu'elle tendait la main nerveusement vers la serviette.

Je lui ai donné ce qu'elle voulait et emporté par mon élan, j'ai voulu lui sécher le dos et je me suis retrouvé avec mes deux mains cramponnées à ses hanches. J'avais tout oublié.

– Eh ben, qu'est-ce qu'il t'arrive ? elle a demandé.

La lumière, le silence, les plantes vertes, la serviette humide, les gouttes d'eau sur le sol, la chaleur, les nuits sans fin, tout ça me poussait à forcer un peu la chance.

– Merde, j'ai dit, qu'est-ce qu'on fait ?

Elle a éclaté de rire, elle comprenait vite.

– Comment ça, qu'est-ce qu'on fait ? ? ? ! !

– Oui. Est-ce que je fonce rincer quelques assiettes ou trier les amuse-gueule ou monter des machins en neige... ?

– J'arrive, elle a dit.

Je suis redescendu et je suis allé boire un verre en solitaire dans le jardin. C'était pas très facile d'écrire un roman et de m'occuper de ma

vie en même temps, j'avais du mal à mener tout
ça sur un même front et depuis quelque temps,
c'était mon roman qui s'en tirait le mieux des
deux, il suçait toute mon énergie. Je laissais
faire, ça m'avait fait la même chose avec les
autres et je m'en étais quand même sorti, mais
par moments j'aurais tout envoyé au diable,
surtout à la tombée de la nuit, après avoir passé
la journée vissé sur une chaise à épier le moindre
bruit. Il se dégageait de tout ça une sensation
de douce lassitude et j'aimais pas ça, j'aurais
préféré quelque chose de plus brutal, quelque
chose que j'aurais pu arracher avec mes mains
mais ce truc était presque imperceptible, une
vraie chierie et fallait attendre que ça se passe.
En général, j'avais le temps de boire quelques
verres.

Peu après, les autres sont arrivés par petits
groupes, la baraque se remplissait et mon esprit
virait au rose comme du papier tournesol, le
bruit des conversations me faisait du bien et
le reste n'était plus qu'un tas de feuilles planquées
sous ma machine à écrire, au moins jusqu'au
lendemain matin.

Tout se passait très bien et Nina est arrivée.
Elle était seule, je l'ai trouvée un peu pâle, j'ai
lancé un œil noir à Yan mais il a fait celui qui
était pas au courant. Bien sûr. Je me demande
comment j'aurais pu faire pour pas m'approcher
d'elle, je me demande si ça aurait servi à quelque
chose que de me casser les deux jambes ou de
me faire clouer sur le plancher, je suppose que
non. J'ai pris un verre au passage et je lui ai
amené.

— Essaie voir ça, j'ai dit. Je trouve que t'as
pas très bonne mine, tu es malade ?

Elle a eu l'air gênée que je lui dise ça, elle
a secoué la tête sans me regarder.

– Non, pas du tout, je suis peut-être un peu fatiguée, j'ai Lili en ce moment, elle me traîne un peu partout, tu imagines... Et toi, ça va ?

– Je suis en train d'écrire le roman du siècle, je sais pas si je vais en sortir vivant.

Je sais plus si ça faisait deux ou six mois qu'on s'était quitté mais je la trouvais toujours aussi belle, d'ailleurs c'était la plus belle fille que j'avais jamais eue, je me faisais pas d'illusions et pour baiser c'était la meilleure entre toutes, c'était normal que je vienne lui dire deux ou trois mots et que je m'inquiète de sa santé. Je suis resté planté devant elle à regarder dans mon verre et l'instant d'après elle était plus là, elle était dans le fond de la pièce et riait avec les autres. C'est quelque chose de très mystérieux pour moi que les rapports que j'ai avec cette fille, ça me dépasse un peu, peut-être qu'on s'est connu dans une vie anté-rieure et que nos rôles sont écrits d'avance, c'est peut-être pour ça qu'avec elle j'ai toujours l'impression de ne jamais faire ce qu'il faudrait. Bon, à ce moment-là Annie m'a pris par l'épaule et je l'ai aidée à servir la pieuvre et les rouleaux machin, ça sert jamais à rien de se torturer la cervelle, ça fait frémir le des-tin.

Je me suis retrouvé par hasard assis à côté d'elle avec mon bol de riz sur les genoux, j'étais en train d'agacer du bout de ma baguette un morceau de tentacule gros comme le doigt et j'étais à moitié cuit. Il y a un truc que je voulais pas lui demander, je lui ai demandé.

– T'es toute seule en ce moment... ?

– Non, elle a dit.

– T'es avec quelqu'un, alors ?

– Oui, c'est bien ce que j'ai voulu dire.

– Han han.

Je l'ai regardée porter les petits grains de riz à ses lèvres.

– Comment il est ? j'ai ajouté.

Elle a hoché la tête en agrandissant les yeux.

– Moi je suis tout seul, j'ai dit. Ça me fait vraiment du bien. Je vais pas remettre ça tout de suite avec une autre, je vais continuer à souffler un peu...

Elle a encore hoché la tête et je la connaissais, c'était pas la peine d'insister, elle allait me garder à distance jusqu'à la fin de la soirée et heureusement qu'un de nous deux gardait toute sa tête sinon tout était à recommencer. Je me demande si un jour les choses deviendront un peu plus simples entre nous. Mais ça me paraît difficile, j'ai attrapé mon verre et je me suis levé, je suis passé côté jardin.

Je me suis baladé au milieu des autres avec une pierre dans le ventre mais personne s'est aperçu de rien. Il aurait fallu que je m'écroule dans l'herbe avec une sagaie plantée dans le dos pour qu'ils se demandent si quelque chose allait pas, je faisais aussi bien de garder le sourire. Et puis c'était bien ce que j'avais voulu, non ? On s'était bien mis d'accord pour arrêter les frais, alors ne raconte pas de salades, la liberté, petit, ta foutue liberté, c'était aussi qu'elle se fasse baiser par un autre, qu'un mec lui enfonce son truc jusqu'au cerveau, et tant pis si tu te retrouvais avec ça, seul dans ton coin avec ce sourire idiot.

Heureusement, j'ai rassemblé quelques forces après un petit moment et j'ai réussi à m'aligner avec les autres pour filer mon cadeau à Annie. Je l'ai embrassée et je suis resté derrière elle pendant qu'elle soufflait les bougies. J'ai regardé Nina par-dessus le machin aux fraises, un après-midi j'étais allongé sur le lit et je regardais le plafond pendant qu'elle faisait ses valises en silence et je me disais peut-être qu'il y aura encore quelques bonnes séances, si on réfléchit bien ÇA n'a rien à voir, ne serait-ce qu'une seule fois par semaine mais en fait il s'était rien passé de ce genre, j'avais fait la ceinture jusque-là.

J'ai passé la fin de la soirée comme un type qui a de l'eau dans l'oreille et qui s'écoute déglutir, j'étais vaguement absent et je pouvais prendre n'importe quelle conversation en marche, ça me gênait pas.

Nina a été une des premières à partir et je l'ai accompagnée jusqu'à sa voiture en lui racontant qu'un peu d'air me ferait du bien.

– Mais tu sors du jardin... elle a dit.

– C'est pas la même chose.

Elle a grimpé dans sa voiture et je suis resté sur le trottoir avec le nez au vent. J'écoutais le démarreur tourner dans le vide. Ça a duré un moment, et je me suis mis à rire.

– Je te jure que c'est pas moi, j'ai dit. J'ai aucun pouvoir mental sur les bagnoles.

Elle a levé les yeux sur moi puis elle a haussé les épaules.

– Bon, donne-moi la manivelle, j'ai soupiré. Faudra dire à ton mec de vérifier l'allumage.

J'ai enfilé la manivelle dans le moteur et j'ai fait signe à Nina à travers le pare-brise, j'ai posé mon verre vide sur le capot.

Au troisième tour, le moteur démarrait mais dans la foulée je me payais un retour de manivelle sur l'avant-bras et la douleur m'a fait plier les genoux, j'ai senti une sueur froide couler sur ma figure.

Elle s'est penchée à la portière, sans lâcher le volant.

– Tu t'es fait mal ? elle a demandé.

– Quel con ! j'ai fait.

– Mais qu'est-ce que t'as fabriqué, fais voir... ?

– Non, on voit rien, mais ça va...

J'ai remué les doigts.

– C'est rien, ça va passer, j'ai ajouté. Tu peux y aller...

Au moment où elle déboîtait, j'ai vu le verre glisser du capot, il a explosé sur la rue. J'ai regardé la voiture s'éloigner avec son petit ruban de fumée bleue accroché aux fesses.

J'entendais des voix qui venaient du jardin mais j'ai décidé de rentrer, j'en avais assez. J'ai marché jusqu'à ma voiture avec un bras qui pesait des tonnes, j'ai eu l'impression que ça me faisait moins mal quand je grimaçais.

J'ai roulé tranquillement avec une cigarette brûlante aux lèvres, les yeux à moitié fermés, sans musique et à cheval sur la ligne blanche, je peux conduire même quand j'ai bu, même quand je suis raide, même quand la vie me dit pas grand-chose, je suis bon sur les grandes routes droites et désertes.

Presque arrivé, j'ai pilé à un feu rouge, j'étais tout seul mais j'ai attendu quand même, c'était la seule lumière du coin. Mon bras m'élançait. En passant devant la boîte de Yan, j'ai vu la Mini garée dans un angle, j'ai ralenti, je me suis arrêté juste à sa hauteur. Y'avait la fille dedans, les yeux fermés et la tête appuyée contre le carreau, j'ai cogné doucement, le regard soudé sur sa minijupe. Elle a sursauté, elle a fait une drôle de tête et ensuite elle m'a souri, elle a descendu sa vitre.

– Oh, elle a fait, c'est fermé. Je me suis endormie.

– Je vois ça.

Elle a paru réfléchir un moment, elle a regardé devant elle en serrant l'ongle de son pouce entre ses dents, puis elle s'est tournée vers moi avec le visage illuminé.

— Où est-ce qu'on pourrait aller ? elle a demandé.

— Je crois que je vais rentrer, j'ai dit, je me sens un peu fatigué. Je suis blessé.

— Il y a pas un truc d'ouvert où on pourrait boire quelque chose, y'a rien... ?

— Non, c'est fermé partout. J'ai pris un retour de manivelle, il faut que je regarde ça de plus près.

— Oh, quelle merde ! Je me paye une de ces soifs... !

— On peut aller chez moi mais je peux m'en tirer tout seul. Sinon je suis capable de servir deux verres d'une seule main.

Elle a basculé en avant pour attraper la clé de contact.

— D'accord, c'est ce qu'on va voir... elle a dit.

Tout le long, je me suis demandé pourquoi pourquoi pourquoi pourquoi en jetant des coups d'œil dans le rétroviseur mais je roulais à peine à trente, je pouvais pas la perdre. On s'est garé devant la maison, j'ai foncé jusqu'à la porte sans l'attendre, j'avais pas envie de discuter dehors, j'ai bien aimé le petit claquement pressé de ses talons sur le trottoir, j'ai refermé derrière elle en trouvant un deuxième souffle.

J'avais pas envoyé la lumière depuis cinq secondes qu'elle tombait à genoux sur mon tapis avec ma pile de disques serrée sur la poitrine et les yeux en l'air.

— Oh c'est super... c'est super, elle a fait. On va pouvoir écouter de la musique !

— J'ai pas mal de vieux trucs, j'ai dit. J'ai pas grand-chose.

— On s'en fout, c'est pas pour ÉCOUTER !

— Alors ça fera l'affaire.

Elle a commencé à tripoter les boutons, j'ai eu l'impression qu'elle les tordait dans tous les sens, j'ai toussé et je me suis avancé vers elle.

– Attends, je vais le faire, j'ai dit. J'ai l'habitude.

J'ai mis le truc en marche et je suis allé dans la cuisine pour préparer les verres, j'ai forcé la dose pour elle, je savais que c'était une fille difficile à mettre à genoux. Quand je suis revenu, elle avait jeté sa veste sur le fauteuil et elle commençait à s'échauffer, elle était déjà pieds nus. Je lui ai donné son verre en la regardant dans les yeux mais j'ai pas eu le sentiment que c'était dans la poche, il y avait quelque chose que je sentais pas bien chez cette fille mais peut-être que je me trompais. Elle a levé son verre.

– Moi qui croyais que ma soirée était fichue, elle a dit. À la tienne.

J'ai hoché la tête, je commençais de nouveau à éprouver une certaine fatigue et mon bras me faisait mal, je suis allé jusqu'à la salle de bains pendant qu'elle remettait son corps en marche, elle est remontée à bloc j'ai pensé en soupirant.

J'ai trouvé une bande et de la pommade et pendant que je me soignais, la musique a fait trembler les murs, elle avait dû repérer le bouton et je me demandais comment j'allais m'y prendre, surtout pour attacher ce foutu pansement. Je l'ai coupée dans son élan pour lui demander de m'aider, elle a fait ça en vitesse et elle a repris son train d'enfer, c'est bon, j'ai pensé, il faut attendre qu'elle se fatigue ou faire sauter les plombs. Je me suis assis dans les coussins, à la bonne hauteur et j'ai bu mon verre à petites gorgées, elle avait cette minijupe et un corsage zébré qui lui collait à la peau, je la regardais sans trop réfléchir et au bout d'un moment, j'ai compris ce qu'elle avait voulu me dire à propos de danser, j'ai senti à quel point elle aimait ça et je me suis dit merde, cette fille est presque belle, trouve quelque chose ! Je me suis levé et j'ai ramené la bouteille de la cuisine. Quand la musique s'est arrêtée, elle s'est laissée glisser par terre, sur les talons et elle a étalé les disques autour d'elle.

– Bon sang... elle a fait. C'est plein de trucs que je connais pas du tout !

– On pourrait peut-être respirer un peu ? j'ai proposé.

Elle a rien répondu, elle a fait comme si elle m'avait pas entendu et j'ai avancé une main sur sa cuisse, c'était risqué mais la fatigue vous rend parfois audacieux. Pourtant elle a sorti un disque entre deux doigts comme si de rien n'était et elle s'est penchée vers la chaîne. Je l'ai laissée faire, je trouvais que c'était pas trop cher payé, elle avait plutôt une peau souple et très blanche, je sentais que ça allait être bon. Je me suis déplacé doucement pour lui caresser les fesses, j'ai eu l'impression de plonger dans le vide quand j'ai rencontré les élastiques du slip, j'ai mis un quart de seconde à reconnaître la face 2 de *Grasshopper*, je me suis demandé si elle l'avait fait exprès tellement c'était bien joué, tellement ce truc était parfait pour nous deux.

J'ai commencé à ramper sur le tapis, je gagnais du terrain et je sais pas ce qui lui a pris, j'avais même glissé un doigt entre ses poils et elle souriait en regardant le plafond mais sans prévenir elle a bondi comme une flèche et elle s'est retrouvée debout.

– Oh tu entends ça ! elle a fait, TU ENTENDS CE TRUC-LÀ... ? ? ! ! Oh, je peux pas louper ça, oh c'est vraiment du bon ! ! !

Elle s'est remise à sauter sur ses pieds et à

gesticuler au-dessus de ma tête. À ce moment-là, j'aurais dû comprendre mais j'ai pas fait de commentaires, j'ai regagné ma place contre le mur et j'ai bu un coup, j'ai reniflé mes doigts intensément, dans ce disque il y a des passages qui vous arrachent des petits grincements de plaisir, on était en plein dedans.

J'ai fait une deuxième tentative un peu plus tard. On était dans la cuisine parce qu'elle avait décidé de faire des crêpes, tu vas voir, elle disait, tu vas voir ça, c'est ma spécialité et je me suis assis sur une chaise pendant qu'elle envoyait dinguer toutes mes casseroles et renversait le sucre en poudre. Elle s'est mise sur la pointe des pieds pour attraper je ne sais quel machin et ma main a filé aussitôt entre ses jambes. Elle est restée sans bouger, les cuisses légèrement ouvertes, de quoi passer mes doigts.

Au bout d'une minute elle a retiré ma main.

— Il me faudrait un doseur, elle a dit.

— Qu'est-ce qu'y'a ? Qu'est-ce qui va pas ? j'ai demandé.

— Y'a rien. Mais tu veux pas manger des crêpes… ?

— Non, ça peut attendre.

Elle m'a envoyé un sourire interrogateur. Le silence devenait écœurant, je me suis levé, je l'ai prise par un bras et je l'ai entraînée vers le lit. Elle souriait toujours au plafond. J'ai retroussé la mini, viré le slip et elle s'est laissé faire pendant que je lui embrassais l'intérieur des cuisses. J'avais presque mon compte, je me suis allongé pour pouvoir tenir le coup et elle a juste écarté les jambes pour que je puisse glisser ma tête.

Il y a des filles qui sont longues à venir, il y a des filles qui sont froides comme des statues et celles qui ont prêté des serments insensés, il y en a qui vous font payer l'enfer avant de fermer les yeux, d'autres qui préfèrent les femmes ou des types un peu plus mûrs, je me suis demandé dans quel genre il allait falloir la ranger. Je me suis essuyé la bouche et je me suis tenu sur un coude pour la regarder.

En une seconde, elle a passé ses jambes par-dessus ma tête et elle s'est levée en riant. Le jour démarrait sous les rideaux, j'ai envoyé une claque sur l'interrupteur et la pénombre m'a fait du bien. Elle a mis de la musique avant de revenir s'asseoir au bord du lit.

– Je suis désolée, elle a dit.

J'ai rien répondu, il y avait qu'à moi que ce genre d'histoire pouvait arriver. J'avais commencé la journée en trouvant une fille dans mon lit et je l'avais pas baisée. Ensuite j'avais astiqué une fille dans son bain et celle-là non plus je l'avais pas baisée. Et pour finir, je ramassais une fille dans la rue, je la ramenais chez moi et encore une fois, rien à faire pour la baiser. Parfois, je trouvais la vie vraiment fatigante, c'était à se demander si on s'amusait pas à me traîner sur un lit de braises. J'ai bâillé en regardant son dos dans le noir mais ça n'avait plus tellement d'importance, c'était comme si j'étais seul, j'étais tellement habitué à écouter de la musique dans l'obscurité, avec un joint ou quelques canettes ou la fièvre, peut-être que j'étais simplement en train de rêver et de glisser dans un petit cauchemar avec la queue raide. Elle s'est tournée vers moi et j'ai seulement vu sa silhouette, c'était comme à la télé quand les types veulent rester incognito.

– J'aime pas ça, j'y peux rien, elle a repris. Ou plutôt, je sens jamais rien. Ça m'énerve...

– Ça fait rien, j'ai dit. C'est pas grave.

– Peut-être que je ferais mieux d'y aller, elle a fait.

– Fais comme tu veux, j'ai dit. Tu me déranges pas mais je vais me coucher. Tu peux rester écouter de la musique, si tu veux, ça me gêne pas.

– C'est vrai ?

– Oui, je t'assure. Tu auras juste à claquer la porte en sortant.

Ensuite, je me suis plus occupé d'elle, je me suis déshabillé, je me suis glissé dans les draps, le visage tourné vers le mur. J'ai remarqué qu'elle avait baissé le son et je l'entendais trifouiller dans les disques. C'était une présence silencieuse et agréable, j'ai remonté le drap sur mon épaule et j'ai attendu que le sommeil arrive.

Plus tard, je me suis tourné tout doucement, il y avait toujours de la musique et j'ai fait semblant de dormir, j'ai ouvert à peine les yeux et je l'ai regardée, elle dansait juste pour elle, seulement pour le plaisir et elle semblait touchée par la grâce. C'était quelque chose de formidable à voir. Toutes les merdes qui vous arrivent dans la vie sont balayées par ça.

3

Le lendemain matin, je me suis réveillé un peu avant midi. La fille était partie. Je me suis levé et j'ai marché vers mon café comme une limace aveugle, après je me suis senti mieux. J'ai tâté mon pansement avec la grimace d'usage, c'était douloureux mais il y avait sûrement pas de casse, non, je l'avais échappé belle et ce truc-là me rappelait à l'ordre. Je me suis demandé en passant si j'avais payé pour quelque chose ou si c'était plutôt une avance, je pense toujours à ça quand il m'arrive une merde incompréhensible et je sais toujours pas si c'est possible des avances sur la douleur. Le soleil était planté dans la pièce, il devait faire dans les trente-cinq, la température où le silence commence à vous fondre sur la tête. Je suis sorti dehors enroulé dans une serviette avec des dégradés allant du rouge au bleu, il faisait une chaleur incroyable mais bonne, je me suis avancé tout droit jusqu'à la boîte aux lettres et j'ai pris mon courrier.

Je suis resté trente secondes à bronzer en m'éventant avec le petit chèque qui me tombait d'une bourse, je sais reconnaître quand une journée commence bien, je suis rentré en souriant.

J'ai avalé une bière pour me laisser le temps de réfléchir à l'organisation de ma journée. Travailler ou m'allonger un peu avec de la musique et de quoi fumer dans l'ombre, sans bouger ? Peut-être que je ferais mieux de travailler, oui, peut-être que j'allais m'y mettre, j'en savais encore rien. Dès qu'on a le dos tourné, la liberté peut devenir une source d'ennui et par moments y'avait rien qui me disait vraiment, je pouvais regarder mes mains pendant des heures ou avaler des sandwiches sans avoir faim ou rouler en voiture.

Le téléphone a mis fin à ce genre de réflexions, il a sonné comme un gong. J'ai attrapé le truc, c'était Nina.

— C'est toi ? elle a demandé.

— Oui, j'ai dit.

— Ooohh... il m'arrive une de ces merdes ! elle a pleurniché.

— Ah bon ?

— Tu peux pas t'imaginer, tu peux pas... Qu'est-ce que je vais faire... ?

— Qu'est-ce qui t'arrive ?

– Il m'arrive un truc incroyable… Y'a que toi qui peux m'aider.

– J'espère que t'as pas foutu le feu, j'ai pas le numéro des pompiers, le cadran est devenu illisible.

– Non, je rigole pas, il m'arrive quelque chose À MOI !

– Bon, je t'écoute.

– Non, non, je veux pas parler de ça au téléphone. Je voudrais que tu viennes.

– Comment ça ? Tout de suite… ?

– Oui, oui, tout de suite, là MAINTENANT ! !

– Mais qu'est-ce qu'y'a ? ? C'est grave… ?

– Bon sang, est-ce que tu vas venir ?

– D'accord, j'arrive, j'ai dit.

J'ai quand même pris une douche, sans me laver, juste pour sentir l'eau couler sur moi et elle habitait maintenant à une cinquantaine de kilomètres, c'était pas la porte à côté. Pendant les grosses chaleurs, le débit de la flotte baissait dans les robinets et des trucs cognaient dans la tuyauterie, par moments l'eau devenait carrément rouge, ça ressemblait à un rêve. Ensuite j'ai avalé un morceau de fromage et je suis sorti dans la rue. Les bagnoles garées, c'était une rivière de métal en fusion.

Je me suis arrêté en cours de route pour boire un coup, j'ai failli m'endormir sous un parasol tellement c'était bon et je suis arrivé chez Nina vraiment relax, j'ai frappé deux petits coups avec le sourire aux lèvres. Elle est venue m'ouvrir dans un tee-shirt bleu qui lui tombait à mi-cuisses.

Je me suis penché à l'intérieur, j'ai tourné la tête de droite à gauche pour faire le malin.

– Il est pas là ? j'ai demandé.

Elle a levé les yeux en l'air avec un soupir :

– Non, je vis pas avec lui, elle a dit. Allez, viens.

Je suis entré. L'appart lui ressemblait beaucoup, une bonne ambiance, je me suis assis sur
une petite banquette de bois, genre zen, avec
une reproduction de l'époque Edo au-dessus de
la tête, un singe regardant une mouche. J'ai
allongé mes jambes.

— J'ai bien cru que j'allais crever de soif, j'ai
dit.

— Tu veux boire quelque chose ?

— Non non, juste un grand truc plein d'eau
avec de la menthe sauvage.

Elle a foncé vers la cuisine en essuyant ses
mains sur ses hanches. Je le savais qu'elle était
bien roulée, je le savais et même y'avait pas
que ses hanches mais comme je me sentais de
bonne humeur, je me suis plutôt fait une réflexion
du genre faut quand même avoir une sacrée
force de caractère pour quitter une nana comme
ça, t'es un héros mon vieux, on peut dire que
t'es vraiment balèze, c'est vraiment réussi comme
coup.

— Ajoute cinq ou six glaçons si c'est possible... !

Elle est revenue avec un truc glauque et des
pailles multicolores sortaient de là-dedans comme
des fusées de détresse, je me suis senti la gorge
sèche, j'ai tendu les deux mains. Je me suis mis
à téter.

— Je t'écoute, j'ai dit.

Elle s'est accroupie devant moi, les bras entre
les jambes, elle a penché la tête de côté.

— Il m'arrive une vraie couille, elle a fait.

— Qu'est-ce que tu racontes... ?

— Ouais, je vais me retrouver à l'hôpital. J'ai
une merde dans le ventre.

— Tu as QUOI ? ? ? ! !

Sur le coup, j'ai cru qu'on avait décollé sur
un tapis volant et que le truc allait nous conduire

tout droit en enfer, on était embarqués sur un courant d'air brûlant.

— Où ça dans le ventre ? j'ai articulé.

— Je veux pas en parler, ça me dégoûte. Mais on va me l'enlever. Je sais pas quand je sortirai...

— Merde, c'est pas possible !

— J'ai besoin que tu me rendes un service...

— Hein ?

— Oui, c'est à cause de Lili... Elle devait passer tout le mois avec moi, je m'étais arrangée avec son père mais maintenant il est parti, je sais plus comment le joindre.

— D'accord, je vois le problème, j'ai dit.

— Y'a qu'à toi que je peux la laisser. Avec toi j'ai confiance.

Je connaissais ce coup-là, une prise simple mais pratiquement mortelle, c'était bien joué.

— T'énerve pas, j'ai dit, vas-y mollo... Peut-être que ton nouveau mec est pas capable d'entretenir une bagnole, mais peut-être qu'il est capable de garder ta fille, peut-être qu'il sait faire quelque chose de ses dix doigts, le petit trésor... ?

Elle s'est levée brusquement en plongeant les mains dans ses cheveux.

— Ahhh... c'est pas parce que je couche avec un type que je le crois capable de s'occuper de ma fille !

— C'est si dur que ça de trouver un mec qui soit pas trop con ?

— Écoute, j'ai pas envie de discuter de ça. Je croyais pouvoir te demander un service, c'est tout.

J'ai allumé une cigarette, j'avais pas de souvenirs incroyables de la môme, on se voyait pas souvent, elle était toujours fourrée chez son père et moi à l'époque, je m'intéressais plutôt à sa mère, on s'était peut-être croisés deux ou trois fois. Je me souvenais pas d'une emmerdeuse ou d'une petite idiote.

— Hé, ça m'amuse pas, j'ai dit. Sans déconner...

Mais d'un seul coup j'ai repensé à l'horreur qu'elle m'avait annoncée et j'ai regardé mes genoux, j'ai eu l'impression qu'on m'avait empoigné par la nuque.

— N'empêche que si t'as pas d'autre solution, j'ai ajouté, tu peux compter sur moi.

Elle a carrément sauté en l'air et j'ai pu voir sa culotte, ça représentait la gueule d'un tigre écumant avec un éclair farouche dans les yeux, un dessin très réaliste, mais ça m'a pas fait peur, sur le moment j'ai complètement oublié que vivre avec une fille était ce qu'il y avait de plus dur au monde et j'étais prêt à toutes les trahisons, j'étais prêt à me dénoncer devant un tribunal populaire composé uniquement de femmes comme un spécimen de forte tête qu'il fallait briser en deux. J'ai lâché un petit rire hébété et elle m'a pris par les mains.

— C'est vrai...? C'est d'accord, tu veux bien...? elle a dit.

— Ça doit pas être sorcier. Ça va pas durer cent sept ans.

— Bien sûr que non, tu rigoles.

— Mais tu sais, je peux pas te garantir que ça va marcher. Je la connais pas bien...

— T'inquiète pas, moi je sais que ça va aller, je vous connais tous les deux.

Cette fille, quand elle sourit vous avez l'impression que ses yeux changent de couleur et j'aime ce genre de gadget malgré que ça fasse de moi une proie facile, disons que je porte ma croix.

— Je savais que tu allais dire oui, elle a fait.

— Je le savais aussi.

Elle a jeté un coup d'œil à sa montre.

– Bon, il faut qu'on aille la chercher. Elle a voulu passer l'après-midi chez une de ses copines.

– On est obligé d'y aller tout de suite ? j'ai demandé.

– On a juste le temps, elle a fait.

Je me suis retrouvé à cavaler derrière elle dans les escaliers, il fallait que je m'accroche à la rampe alors qu'elle semblait littéralement voler dans les airs à cent soixante en riant aux éclats et en bas elle a insisté pour qu'on prenne sa voiture.

– Hé, j'ai dit, peut-être que tu ferais mieux de pas conduire...

– Ah ça merde alors, tu crois que je suis à moitié morte ?

– Ça va, j'ai rien dit... C'est loin ?

Elle m'a regardé par-dessus le capot avec le visage dans le soleil, elle a ramené une mèche derrière son oreille, c'était difficile d'imaginer qu'on allait l'ouvrir en deux.

– Grimpe, elle a fait. Tu verras bien.

4

Je suis reparti de chez Nina dans la soirée, à une heure de pointe. On avait bu un coup chez la mère de la petite copine, une rousse aux yeux clairs avec des gros seins et j'avais appris incidemment qu'elle venait souvent se baigner près de chez moi, il paraît que c'était la plage la plus proche, le monde était tout petit. Elle avait proposé de venir prendre Lili à l'occasion, ça l'ennuyait pas du tout et moi je pensais que c'était toujours ça de gagné. Je lui avais laissé mon adresse. Ensuite on était rentrés tous les trois pour mettre quelques derniers trucs au point. Maintenant on était plus que tous les deux, Lili et moi.

Je me suis fait chier pour sortir de la ville, il fallait respirer doucement à cause de la chaleur et il faisait presque nuit, des roses et des mauves encore brûlants, très soutenus. Je me suis retourné sur la banquette arrière pour voir si elle dormait toujours. Bon, ça va, heureusement, j'ai pensé, jusque-là ça va. J'avais un gros sac à côté de moi, rempli d'un tas de fringues et de je ne sais quoi d'autre, je devais surveiller qu'elle se couche pas trop tard, qu'elle mange et qu'elle avale ses pastilles au fluor, je devais lui faire prendre un bain tous les jours que Dieu fait et ce genre de choses, enfin merde, tu verras bien, C'EST QUELQUE CHOSE DE VIVANT ! m'avait dit Nina et ensuite elle nous avait virés sur le palier pour éviter les effusions inutiles, j'avais espéré quelque chose de meilleur mais je me suis dit qu'elle faisait pour le mieux, elle avait même précisé un truc, on était les yeux dans les yeux :

– N'essaie pas de venir me voir à l'hôpital ou je t'adresserai plus jamais la parole...

– Au moins une fois... j'ai proposé.

– Non, t'y avise pas !

Je me suis arrêté au même truc qu'à l'aller, il y avait pratiquement pas de voitures sur le parking. Avant de quitter la bagnole, je me suis assuré une nouvelle fois qu'elle dormait bien. Elle avait des cheveux blonds, elle était fine, bronzée, elle avait les bras tendus derrière la tête et elle venait juste d'avoir huit ans, je me souvenais plus quel effet ça faisait d'avoir huit ans, j'ai jeté un coup d'œil autour de moi et si j'avais eu un conseil à lui donner, je lui aurais dit DÉPÊCHE-TOI, FAIS VITE MA VIEILLE !

J'ai bu un rhum-coca et ça m'a donné un coup de fouet pour repartir mais la voiture se traînait, il fallait prendre son mal en patience. Un peu avant d'arriver, j'ai mis de la musique, j'ai allumé une cigarette, je me sentais dans une drôle de situation et cette histoire avait un goût indéfinissable. J'avais pas entendu les trois premières mesures de *Madame Butterfly* qu'un doigt vrillait dans mon dos.

– Hééééé toi, je te signale que je dormais !

– Bon, commence pas à me faire chier, j'ai dit.

Elle a enjambé la banquette, viré le sac par terre et s'est installée à côté de moi.

– Mets la ceinture, j'ai dit.

Elle a lancé un œil au compteur de vitesse.

– À ce train-là, ça risque rien, elle a fait.

– Je suis bien d'accord mais attache-la quand même.

– Pourquoi faut faire des trucs qui servent à rien ?

– Tu connais rien à la vie, j'ai dit.

Elle s'est mise à fixer la route, à genoux sur le siège, elle s'est concentrée là-dessus à une vitesse incroyable, j'existais déjà plus et elle était aussi belle qu'une femme, juste un peu plus lointaine, elle a enfoncé son pouce dans sa bouche et l'a enlevé aussitôt.

– C'est encore loin ? elle a demandé.

– Ouais, on arrive, j'ai dit. Tu vas pouvoir dormir.

– Hé, mais ça va pas, et quand est-ce que je vais manger alors ?

– T'inquiète pas, on va se démerder...

– Je veux des frites.

– Oh putain...

– Je vais les faire, je vais m'en occuper. Hey, si tu veux je vais faire à manger. On va faire un gâteau.

Je l'ai regardée, elle avait les yeux grands ouverts, elle triturait un petit morceau de sa jupe et avait passé un bras par-dessus le dossier, elle souriait, elle se donnait à fond dans tout ce qu'elle faisait, c'était un truc facile à comprendre. Bien sûr, en vieillissant, elle perdrait cette habitude, la vie lui apprendrait deux ou trois petites choses, oui dans ce monde il fallait pas faire le malin, il fallait essayer d'assurer, pas remettre son tapis à chaque fois, c'était de la folie pure ou alors il fallait pas s'étonner. J'ai fait claquer mes doigts.

— Écoute, je crois bien que je dois avoir du chocolat, on peut faire un truc avec du chocolat et je dois aussi avoir ces petits bidules argentés qu'on jette dessus et de la noix de coco en miettes. Tu crois que ça pourrait aller... ?

— Oui oui, des œufs, de la farine, du beurre, t'as toutes ces choses-là ?

J'ai hoché la tête, le pied enfoncé sur l'accélérateur, on allait bientôt arriver à cent.

— Dis donc, j'ai fait, j'ai l'impression qu'on va s'en payer.

— Bon, tu feras tout ce que je dis, tu mettras la table.

— D'accord, tu feras la vaisselle.

— Alors merde, on est pas bientôt arrivé ?

— Ouais, ça y est presque.

Je me suis enfin garé et j'ai attrapé ses affaires. Pendant que je cherchais mes clés dans ma poche, elle s'est accrochée au bas de mon tee-shirt et elle a pris son pouce, il y avait de la lune, je la voyais parfaitement bien, je commençais à aimer la manière dont elle faisait déraper ses yeux. J'ai ouvert la porte.

— T'es fatiguée, hein ?

Elle a sursauté et elle est entrée la première.

— Non, pas du tout, elle a dit.

Elle a tout de suite foncé dans la cuisine. Il devait être dix ou onze heures du soir, j'ai posé son sac et je me suis assis en soupirant, elle me regardait avec les poings enfoncés dans les hanches.

– Bon alors, j'ai dit, tu te sens d'attaque ?

– Fais voir ce que t'as comme chocolat, sors-moi tout ce qu'il faut.

– On fait plus de frites ?

– Si si, tu vas les faire et moi je fais le gâteau. Il faudrait un tablier.

– Non, ça j'ai pas ça. Je vais te donner un torchon.

– Tu me donnes un torchon propre.

– Oui, bouge pas.

– Et il faut sortir les trucs sur la table.

– Écoute, tu m'as l'air assez grande, t'as qu'à grimper sur une chaise. C'est dans les placards, démerde-toi. Comme on va rester un moment ensemble, je vais pas toujours être derrière ton dos, commence à repérer les trucs, je reviens.

Je suis allé dans l'autre pièce pour me rouler un joint, j'ai mis de la musique et je suis revenu m'asseoir dans la cuisine, je me suis mis à éplucher des pommes de terre. Elle avait trouvé les tablettes de chocolat, elle pliait proprement les feuilles d'aluminium sur son ventre. Elle a louché une seconde sur le joint puis elle est allée ouvrir la fenêtre.

– Ah qu'est-ce que ça pue, ce machin !

– Tu trouves ?

Au bout d'un moment, je me suis senti vraiment bien avec elle et ça n'avait rien à voir avec le joint, c'était simplement qu'il n'y avait aucune tension entre nous, elle me parlait sans avoir l'air d'attendre une réponse et je pouvais même rigoler tout seul, elle se vexait pas, elle se mettait à rire plus fort que moi, je me suis pas affolé quand je l'ai vue faire cette espèce de mélange dans la casserole, j'y avais jamais rien connu en gâteaux, en fait ça m'a paru plus facile que je croyais.

Pendant que le truc cuisait au four, on s'est

installé devant les frites, l'un en face de l'autre et on s'est fait des petits tas dans les assiettes, moutarde mayonnaise et ketchup, il suffisait de tortiller un petit bout de pomme de terre là-dedans pour atteindre les sommets. Je rigolais pour un rien.

Ensuite, j'ai tout viré dans l'évier, je lui ai dit on fera ça demain, on laisse tout tomber pour ce soir, on sera mieux à côté pour manger ton gâteau.

– Non non, elle a dit. Je préfère faire la vaisselle le soir.

– T'es sûre ? Tu fais comme tu veux.

Elle a installé une chaise devant l'évier, elle s'est mise à genoux dessus et elle a commencé son petit boulot. En l'attendant j'ai empoigné une canette et je me suis laissé choir dans le fauteuil. J'ai pensé à Nina qui devait préparer sa valise pour l'hosto et à la nuit qu'elle allait passer mais je pouvais rien y changer, j'étais pas assez fortiche pour ça, j'étais juste un mec cloué par une portion de frites.

Peu de temps après, j'ai vu le gâteau au cho-colat qui faisait son entrée dans la pièce. On a posé le truc sur l'accoudoir et je l'ai coupé en deux dans un grand moment de silence. On s'est salué d'un petit signe de tête avant d'attaquer.

C'était le genre de machin un peu lourd et assez consistant, mais sans déconner j'ai adoré ça, j'en ai pas laissé une seule miette et elle m'envoyait des coups d'œil remplis de fierté, on se faisait un cinéma à tout casser, je me léchais les doigts, je levais les yeux au ciel, ça faisait une paye que j'avais pas connu un truc aussi parfait, quelque chose d'un peu délicat. Merde, j'ai pensé, pourquoi c'est pas toujours aussi sim-ple, c'est tellement bon de se laisser avoir par une merdouille au chocolat.

On a parlé un petit moment. C'était une conversation plutôt décousue mais c'était tout ce que je voulais, les mots venaient facilement, je me demandais si j'aurais la force de me tirer de ce fauteuil et ensuite j'ai réalisé qu'elle me secouait par un bras :

— Allez, viens... je peux pas toute seule, elle a dit.

— Mais si, j'ai dit, merde, tu vas y arriver.

— Non, il me faut QUELQU'UN !

— Ça sera pas toujours comme ça. C'est plus dur que tu crois.

— Je m'en fous. Viens.

Je me suis levé et je me suis traîné jusqu'à la salle de bains derrière elle.

— Oh, t'as pété un carreau ? elle a demandé.

— Non, moi je suis pas dingue.

Je l'avais presque oubliée, celle-là, cette emmerdeuse de première, c'était la dernière fille que j'avais vue dans ma baignoire, un beau coup envolé.

J'ai ouvert les robinets. Je suis allé me cher-cher une cigarette en courant et je suis revenu m'asseoir près d'elle, je me suis accoudé sur le rebord.

— Je trouve que c'est meilleur le soir, elle a fait.

— On dirait que tu commences à en connaître un bout.

— Quand je te le dirai, tu me frotteras le dos.

— T'as de la chance, je suis un spécialiste de la question.

J'ai attendu en fumant avec les yeux dans le vague et quand elle m'a fait signe j'ai attrapé le gant et le savon et je l'ai astiquée. Elle tenait ses cheveux remontés en l'air pour pas que je les mouille, elle faisait ça d'une manière gra-cieuse, sans chiqué, j'ai trouvé ça formidable, pour me marrer je lui ai savonné les fesses, elle s'est tortillée, j'ai souri, j'ai enlevé le gant et je l'ai balancé dans l'eau.

— Voilà, j'ai dit. Je te laisse faire le reste.

— Ça va, je te remercie. T'aurais pas des bains moussants ?

— Non, c'est ta mère qu'avait ça. Elle les a pas laissés.

— Dommage.

— Ouais, tu l'as dit. Essaie de pas laisser le coin trop dégueulasse…

Je suis retourné dans la cuisine pour boire un verre d'eau, j'ai pas allumé et j'ai repensé à Nina, ça a duré juste une seconde, le temps que je me ressaisisse. Je suis bon pour divaguer dans le noir, je tiens bien la distance, sauf que j'ai un penchant pour la mélancolie et les histoires foireuses. Mais malgré tout, le suicide me tente pas. C'est comme les mauvais films, j'ai pas de mal à les regarder jusqu'au bout parce qu'il arrive un moment où je sens plus rien du tout et je peux garder un visage serein tout en m'enfonçant dans les marécages, en général je m'en sors neuf fois sur dix. J'ai bu mon verre lentement avant de revenir dans la lumière.

Elle a traversé la pièce enroulée dans une serviette, la mienne je crois bien, je l'ai entendue fouiller dans son sac. Ensuite elle est venue se planter devant moi avec son petit slip à pois rouges, elle s'est gratté le bras.

— Où je me mets pour dormir ? elle a demandé.

— Ben on a juste un lit pour nous deux mais il est grand. Ça devrait aller.

— Moi quand je dors, je bouge pas d'un poil.

— Ouais, moi non plus.

Elle a fait demi-tour aussi sec et elle a grimpé sur le lit. Elle a tiré le drap sur elle en me tournant le dos.

— Je me couche pas tout de suite, j'ai dit. Ça va, la musique… ?

– Ouais, mais y'a trop de lumière.

Je me suis levé et j'ai tout éteint. Je suis resté dans le noir pendant un bon moment pour me donner du courage, il fallait que j'attende que ça vienne, je pouvais rien faire sans ça, c'est toute une merde pour donner le meilleur de soi-même, c'est ce qu'il y a de plus dur au monde.

Je me suis accordé une bière pour m'aider, je l'ai avalée tranquillement, j'ai monté la musique d'un cran, un machin africain avec des cuivres et j'ai enfourché mon tabouret en or massif, cette saloperie dure et inconfortable. J'aime bien avoir un peu mal quand j'écris, je fais partie de la vieille école, je suis d'accord pour souffrir un peu.

Je me suis mis à taper dans un rayon de lune et au bout d'une heure, j'ai commencé à en chier vraiment. Je devais m'arrêter toutes les cinq minutes pour me cambrer en arrière ou renverser la tête en me frottant les yeux. J'avais pas encore le titre mais ça se passait pas trop mal, je me servais de toutes les conneries qui m'étaient arrivées, je retrouvais des gens que j'avais connus et je devais faire attention de pas me laisser délirer, tous les trucs déboulaient en cascade.

Parfois je me marrais vraiment mais dans l'ensemble c'était plutôt dur, c'était la bonne proportion, j'essayais surtout de faire gaffe à la pureté de mon style, en fait c'était tout ce qui m'intéressait, l'histoire n'avait pas tellement d'importance, je pouvais rester des heures sur une petite phrase qui bloquait ou cavaler pendant des kilomètres avec un bon rythme, je rigole pas du tout quand je dis ça, j'ai presque les larmes aux yeux.

Avant le lever du jour, j'avais liquidé un passage d'une beauté étrange, ça faisait assez

Kerouac dans ses meilleurs moments sauf que l'autre était mort et entre-temps j'avais connu la navette spatiale, la récession mondiale et la période néo-rock. J'ai fait aucune correction parce que je voulais pas allumer mais c'était presque tout le temps comme ça, je me sentais complètement vidé après, j'étais incapable de prendre un peu de recul, toutes les merdes de la vie viennent de là. Le pied, quand on écrit, c'est qu'on peut toujours revenir en arrière, c'est moins dangereux que la scène ou travailler devant une machine à emboutir, huit heures par jour avec l'envie de bâiller. J'ai glissé les feuilles dans le tiroir en me raclant la gorge, je me suis mis à poil et je me suis couché, j'étais complètement mort.

5

Au petit matin, on a sonné à ma porte, le jour était à peine levé, je savais déjà que j'irais pas ouvrir mais quelque chose a sauté dans le lit près de moi et a cavalé dans le couloir.

– AH PUTAIN ! j'ai gueulé, LAISSE-MOI CES ENFOIRÉS DEHORS ! N'OUVRE PAS, IL FAUT QUE JE DORME ! !

Mais je l'ai entendue qui faisait sauter la chaîne et à la même seconde, j'ai vu Cécilia débouler dans la pièce et arracher les rideaux. J'ai vacillé dans le lit sous le choc de la lumière, ça m'a fait mal, je me suis ratatiné dans les draps et je me suis tourné vers le mur. Je savais que j'allais être de mauvaise humeur pour le restant de la journée à cause de cette conne, j'essayais de réfléchir à toute vitesse, est-ce que je lui saute dessus, est-ce que je la vire, est-ce que j'ai une chance en fermant les yeux avec un oreiller écrasé sur la tête ? Elle se marrait, je l'entendais, elle se marrait comme une folle.

– Oooouuuu... ooooouuuuu, elle faisait, regardez-le, regardez-moi ça, il fait une journée merveilleuse et c'est tout ce qu'il trouve à faire... Merde, sors de là, ON EST VENU TE CHERCHER ! !

Je me suis retourné et j'ai vu une espèce de type planté au milieu de la pièce, je le connaissais pas mais il m'a déplu tout de suite, il me regardait avec un petit sourire, peut-être vingt-cinq ans à tout casser mais il se donnait la dégaine du type blasé à mort, le petit dieu au regard désabusé, ça démarrait vraiment au poil, je lui ai envoyé un sourire mauvais et il a regardé ailleurs. Cécilia est venue s'asseoir sur le lit, elle avait l'air en pleine forme, rayonnante comme la lumière du dehors, c'était quand même une drôle de fille, je pouvais pas dire le contraire. Elle en faisait simplement un peu trop. Je sais pas si elle s'était rendu compte qu'elle m'avait mis sur les nerfs, elle était tout excitée.

– Marc, elle a dit, merde va faire du café. Grouillons-nous... !

L'autre abruti est tombé des nues, il était pas mal physiquement mais il fallait sûrement pas lui demander la lune, il a levé un sourcil. Il y avait un bruit de casseroles dans la cuisine, je lui ai fait un signe de la tête :

– Il y a une petite fille dans la cuisine. Elle va te montrer tout ça...

– D'accord, il a fait, je m'en occupe.

Il avait à peine tourné sur les talons que j'ai tiré Cécilia en arrière. Elle a pas eu le temps de résister, je l'ai embrassée dans le cou et je lui ai collé ma main entre les jambes, ça a duré une seconde, je l'ai lâchée tout de suite après.

Elle s'est relevée en vitesse, les joues un peu rouges, elle était sciée.

— Hé... t'es dingue ? elle a fait.

Je lui ai souri, j'étais tout content de moi, ça m'avait brusquement détendu.

— Dis donc, j'ai l'impression que tu te gênes pas avec moi, j'ai répondu. Tu comprends, il faut que j'y trouve mon compte sinon ça serait un peu trop facile...

Elle m'a regardé et ses yeux brillaient comme des micas étalés sous le soleil, elle paraissait pas fâchée ou furieuse, elle avait pas l'air d'avoir aimé ça non plus, ni pas aimé ni rien, en fait elle devait pas très bien savoir comment le prendre, je voyais qu'elle carburait à toute vitesse. J'ai poussé mon avantage en la virant gentiment du lit, ça faisait du bien de pas toujours être celui qui tendait la joue droite.

— Alors, j'ai dit, tu venais me chercher pour quoi faire... ?

Il lui a fallu une bonne seconde pour retrouver ses esprits, dans quelques années ça irait encore plus vite. Elle a fait un truc bizarre avec ses cheveux, elle a secoué la tête et des étincelles ont tourbillonné dans la pièce, c'était quelque chose de très étrange mais j'ai rien dit, j'ai fait comme si j'avais rien remarqué, il y a deux ou trois pièges que je sais éviter maintenant.

— Tu le mérites pas, elle a dit, mais on t'emmène PIQUE-NIQUER ! !

J'ai rien répondu, j'ai traversé la pièce à poil et j'ai regardé par la fenêtre, ça devait déjà cogner dehors, c'était plutôt dans les blancs et les bleus clairs, c'était pas fait pour m'emballer, se vautrer dans l'herbe sèche, boire tiède et avaler de la poussière, non, ça j'ai pas sauté en l'air mais j'ai pensé à Lili et peut-être qu'avec un peu de chance on pouvait se trouver un coin à l'ombre, quelque chose de pas trop dur.

— Hé, c'est tout l'effet que ça te fait ? elle a demandé.

— Je suis plus tout jeune. Je m'emballe difficilement sur ce genre de coup.

— Hé, ça va nous faire du bien, on va pouvoir discuter.

— Discuter… ?

— Tout est prêt dans la voiture, t'auras rien à faire. Qui c'est la petite fille ?

— C'est la fille de Nina. Je la prends quelques jours pendant les vacances…

— Tu rigoles, je savais même pas qu'elle avait une fille.

— Et l'autre ahuri ? j'ai demandé.

— Oh Marc ? Oh il est formidable, tu verras, il faut le connaître. Il écrit des bouquins lui aussi.

— Bon alors j'y vais pas, j'ai dit.

Juste à ce moment-là, Lili est arrivée à fond de train de la cuisine. Elle s'est arrêtée pile devant moi, elle m'a regardé des pieds à la tête, y'avait surtout ce machin entre mes jambes qui semblait l'intéresser, elle l'a examiné pendant quelques secondes puis elle a levé les yeux vers moi, elle y pensait déjà plus.

— Dis donc, elle a fait, c'est vrai ça ?

— De quoi ? j'ai dit.

— Qu'on va pique-niquer.

— Ben en fait, je suis pas très chaud, tu sais…

— Moi, j'adore ça et il paraît qu'il a des glaces dans sa voiture. Habille-toi en vitesse, JE SUIS SÛRE QU'ELLES SONT EN TRAIN DE FONDRE ! !

L'autre s'est pointé avec le café. C'était tellement mauvais qu'il avait dû le faire exprès, j'ai versé le truc sans un mot dans l'évier et je suis allé m'habiller. Cette journée démarrait tellement mal, je me suis dit, de toute façon ça pouvait pas être pire, je pouvais juste limiter les dégâts en embarquant de quoi boire et à tout hasard j'ai aussi emporté de quoi fumer, des fois que l'ennui devienne insupportable ou qu'on tombe en panne au milieu d'un désert.

On est tous montés dans la voiture de Marc, je me suis assis à l'avant à côté de lui et je lui ai fait signe qu'on pouvait y aller. C'était une décapotable et quand on a commencé à prendre de la vitesse, j'ai fermé les yeux et je me suis largué.

Je pouvais pas réellement dormir à cause du soleil et du vent, je les entendais discuter et déconner autour de moi mais je faisais le mort, j'avais la cervelle complètement vide et mes cheveux partaient dans tous les sens. En fait, peut-être que je m'étais trompé, peut-être qu'on allait se payer une bonne virée et croquer ces foutues glaces dans un coin tranquille, pourquoi pas ?

On a roulé un petit moment et j'avais bien réussi à me détendre, j'avais relâché tous mes muscles et je récupérais, je faisais attention à rien. Quand l'autre a freiné, j'ai piqué du nez en avant.

— Je vois que t'es pas très difficile, j'ai dit. Je vois qu'un rien t'amuse.

— Qu'est-ce que j'ai fait ? il a demandé.

J'ai rien répondu, je suis descendu en clignant des yeux dans le soleil et j'ai pu voir que le coin était bien choisi, des rochers et des arbres et pas un brin de vie à l'horizon, j'ai fait quelques pas pendant qu'ils sortaient les paniers du coffre, j'ai choisi un coin au pied d'un pin parasol et je me suis laissé glisser par terre.

J'avais pas très faim mais j'ai descendu quelques bières en vitesse pour lutter contre la chaleur, il y avait rien d'autre à faire qu'à se laisser aller et tirer le meilleur parti de quarante degrés à l'ombre. Cécilia avait décidé de passer l'après-midi en culotte, ça me gênait pas, ça me permettait de faire une petite pause quand j'en avais marre de regarder le paysage. L'ambiance était assez bonne, j'avais même échangé deux ou trois mots avec Marc et Lili cavalait dans tous les sens avec un sandwich à la main.

J'ai profité que Marc se soit un peu éloigné pour attaquer Cécilia, sa tenue me rendait nerveux :

— Dis donc, j'ai fait, ce type-là, c'est le dernier de la série ?

Elle s'est approchée de moi en riant.

— Non, elle a répondu, tu y es pas du tout. Pourquoi tu crois ça ?

— Je sais pas mais chaque fois qu'on s'est rencontré, t'étais avec un mec différent. T'étais jamais seule...

— Non, Marc c'est plutôt un copain. Je couche avec lui de temps en temps mais c'est juste pour s'amuser, c'est seulement un copain. On était à l'école ensemble.

J'aurais dû la fermer mais j'avais aucune volonté par cette chaleur et elle se massait tranquillement les seins.

— C'est difficile de devenir ton copain ? j'ai demandé.

— Tu parles pour toi ?

Je me suis allongé sur le dos et j'ai croisé les mains derrière la tête en fermant les yeux, le soleil me suçait les jambes. J'ai entendu Marc qui revenait. Elle m'a tiré la manche :

— Écoute... elle a fait.

J'ai juste ouvert un œil.

— Écoute, je te demande pas grand-chose, elle a enchaîné. Peut-être une ou deux semaines à tout casser, le temps que je puisse me retourner.

— Ça va, j'ai compris. Pas question.

— Hey, t'es quand même un peu dur, a fait Marc. Elle est vraiment dans la merde.

— Toi, je t'ai rien demandé, j'ai dit. Et d'abord, t'es son copain, non ? Pourquoi tu lui rends pas ce petit service toi-même… Hein ?

— Je peux pas, je vis chez mes parents.

— Attends voir, c'est une blague… ?

— Bon, vous allez pas vous chamailler, elle a fait. Je pensais pas t'avoir demandé un truc incroyable…

— Quand un type de mon âge vit tout seul, c'est qu'il y a une bonne raison, j'ai dit.

— Je t'aurais pas dérangé, je me serais rendue invisible.

— Ha ha, j'ai fait.

— Je te jure.

J'ai senti que je commençais à céder, c'était écœurant et ils le sentaient aussi, ils me regardaient tous les deux comme si j'étais Maharishi, comme si j'allais leur montrer quelque chose de dingue ou grimper sur un rayon de soleil. Mais c'était une journée tellement chaude et j'en avais marre de les entendre pleurnicher, j'en avais marre d'avoir cette fille à moitié nue devant moi et de pas pouvoir la toucher. Je me rendais bien compte que je jouais ma tranquillité contre une séance de baise et même ça c'était pas joué, c'était de la folie furieuse. Au fond, je suis un faible.

Marc a compris qu'il était de trop, il s'est éloigné doucement pour pas rompre le charme.

— Je me suis demandé où t'étais passée, l'autre matin, j'ai dit.

À ce moment-là, elle a su que c'était dans la poche, elle s'est presque collée contre moi en souriant comme un ange.

— Ben tu voulais pas que je reste.

— Raconte pas de conneries.

— De toute façon, il fallait que je retourne chez Marc chercher mes affaires, je les avais laissées dans son garage en attendant. Quand je suis arrivée, ses parents étaient partis en week-end, alors je suis restée un peu...

— Je vois qu'il arrive bien à se démerder quand il le faut.

— Non, c'est pas ça, mais j'adore la maison. Il y a une piscine immense dans le fond du jardin et je crois bien que je pourrais passer le plus clair de mon temps dans l'eau. Sans compter que dans cette maison tu t'occupes de rien, tu as juste à lever le petit doigt si tu veux des fraises au petit déjeuner.

— D'accord, j'ai dit, je comprends.

— Oui, tu t'imagines... ?

— Non, mais je veux dire je comprends qu'il habite toujours chez ses parents.

Elle a baissé la tête mais ses nichons continuaient à crier vers moi, elle avait dû les envoyer en éclaireurs.

— Alors, elle a demandé, tu veux bien ?...

— Tu me mets le couteau sous la gorge, j'ai dit.

J'ai avancé une main sur sa cuisse, seulement je voulais pas me rendre malade, j'ai pas tellement insisté. C'était juste pour me faire une idée.

— Je te foutrai dehors sans explication, j'ai fait.

Sur le chemin du retour, les deux filles se sont endormies à l'arrière, il faisait bon, je voulais penser à rien, je regardais le ciel distraitement, un bras à la portière. Marc m'envoyait des petits coups d'œil par moments, il a profité d'une belle ligne droite pour m'accrocher :

— Hé, ça t'intéresse de savoir comment je m'y prends... ?

— Précise ta pensée, mon vieux.

— Ouais, pour écrire, bon Dieu. Ça te dirait de connaître mon truc, tu veux savoir comment j'écris une histoire... ?

— Fais gaffe. Lâche pas le volant, j'ai dit.

— Ouais, ben je prends n'importe quel bouquin au hasard, n'importe quoi, ouais et puis je coche trois mots sans regarder, tu me suis... ?

— Sans problème.

— Je peux me retrouver avec des trucs incroyables, tu t'imagines, je sais pas, disons VOITURE-BISCOTTE-TUYAU, tu vois le genre ?

— Parfaitement.

— Eh ben écoute-moi, j'ai pas besoin d'autre chose. Moi je démarre une histoire avec ça et je peux te dire que ça fait des étincelles.

— J'en suis sûr, j'ai dit.

— Le problème c'est que j'ai pas assez de temps, j'ai tellement de trucs à faire... Enfin je commence à en voir le bout, je vais bientôt balancer ça chez un éditeur.

— Tu tiens un filon inépuisable, j'ai dit. T'as plus à te fatiguer mon salaud.

On s'est payé un long virage ennuyeux avant qu'il revienne à la charge :

— Hé, je vois que tu t'es arrangé avec Cécilia... ?

— Ouais, elle a fini par m'avoir.

— T'inquiète pas, je vais lui chercher un appart en vitesse, je vais m'occuper d'elle.

— Fais au mieux, j'ai dit.

— Je m'en fous mais tu comprends, je la connais depuis tellement longtemps, je me sens un peu responsable.

J'ai rien répondu, je me suis absorbé dans la confection d'un petit joint à deux places, j'arrivais à faire ça en plein vent. Ensuite j'ai enfoncé l'allume-cigares et quand je me suis de nouveau intéressé à lui, il était en train de me raconter un machin sur les soucoupes volantes :

— ... et putain j'avais pas rêvé, c'était bien une foutue soucoupe qui venait d'atterrir dans le jardin, je voyais une espèce de lumière dorée…

– Non ?

– Si si, je te jure, je sais que ça peut paraître fou, mais je te jure, y'avait une de ces lumières autour ! J'ai ce truc gravé dans la tête. Tu me crois pas, hein ?…

– Je te crois, j'ai dit.

– N'empêche que c'est vrai.

– Écoute, te vexe pas mais sincèrement je m'en fous de ton histoire, je m'en fous de savoir si c'est vrai ou pas, c'est juste la manière dont tu la racontes qui m'intéresse, vas-y, continue, fais-moi rêver.

Cette remarque lui a plutôt cloué le bec. C'était pas ce que je voulais, oh non, je voulais entendre parler des petits bonshommes verts et du rayon de la mort. Je lui ai tendu le joint, il l'a attrapé sans un mot. Le soleil se couchait.

– J'espère que tu mesures la chance que tu as, j'ai dit. Les expériences, c'est bon pour les types comme nous, pour avoir des conneries à raconter.

Il ressemblait à un jouet cassé.

– Hé, j'ai fait, parle-moi. On va pas faire tout ce chemin sans se dire un mot. On est des êtres humains, mon vieux.

Mais il s'était vraiment buté et j'ai pas été capable de lui tirer un mot de plus. J'ai donc fait le restant du voyage la tête renversée sur le dossier, à regarder la nuit descendre et j'ai poussé un soupir de soulagement quand on est arrivé, j'ai pu enfin sortir mon cul de sa bagnole de chiatique.

J'ai fait le tour en vitesse et me suis collé contre sa portière pour l'empêcher de descendre.

– Bon, je te remercie pour la balade, j'ai dit. Mais je me sens un peu fatigué maintenant. Bonne soirée.

Les filles sont descendues. Il s'est mis debout dans la voiture, il a enjambé le siège.

– Attends, il a fait. Faut que je lui donne ses valises...

Je me suis tourné vers Cécilia.

– Ça se voyait sur ma figure ? j'ai demandé.

– T'étais ma dernière chance, je sais pas où je serais allée.

– Ça fait du bien de passer pour une sorte d'archange, j'ai dit.

Marc en a profité pour empoigner les valises. J'ai décidé de lui laisser porter les trucs jusqu'à la porte. J'avais à peine ouvert qu'il s'est précipité à l'intérieur en bousculant tout le monde.

J'ai allumé. Il a regardé la pièce d'un œil sombre.

– Hé, mais je vois un seul lit ! il a fait.

– Oui, c'est pas un hôtel ici.

– Bon alors les deux filles pourraient prendre le lit et toi je peux t'aider à installer un truc par terre...

Je me suis amené vers lui en souriant :

– Dis-moi, qu'est-ce que t'es en train de faire au juste ? Tu crois que t'es en train d'installer ta petite amie dans la baraque d'un autre ? C'est ça que tu crois... ?

Il m'a envoyé une espèce de grimace douloureuse.

– Pas du tout, il a fait.

– Bon. Alors on se reverra sûrement un de ces quatre mais ce soir je suis fatigué. Je voudrais être un peu tranquille chez moi. Je te raccompagne, vieux.

Il a essayé de lancer un dernier coup d'œil à Cécilia mais elle regardait ailleurs. C'était une fille assez dure.

J'ai refermé derrière lui et juste après j'ai entendu les pneus de la voiture hurler mais il avait peut-être de quoi se sentir un peu nerveux, la vie n'est pas toujours rose. J'ai marché vers le frigo d'un air songeur et j'ai bu une bière, la nuit avait pas apporté un poil d'air frais.

Quand je suis retourné dans la pièce, Lili s'était déjà endormie sur un fauteuil et Cécilia ouvrait ses valises. Ça faisait beaucoup de monde d'un seul coup, surtout pour un type qui vivait seul, un type qui avait payé cher pour un peu de liberté. Je devais être complètement malade.

— Bon, je crois que je vais prendre un bain, j'ai dit.

— Oui, j'irai après toi. T'occupe pas de moi.

J'ai été pris d'un coup de pompe en regardant couler l'eau du bain, j'avais pas assez dormi, il y a des périodes comme ça où vous avez l'impression que tout vous arrive en même temps et même votre cerveau commence à fatiguer. J'avais vu pratiquement personne pendant tout le temps où j'avais travaillé à mon roman mais depuis le barrage avait cédé. J'ai jeté mes affaires dans un coin et je me suis glissé dans l'eau, c'est vraiment une chance de pouvoir fermer les yeux de temps en temps.

J'ai soulevé un œil quand je l'ai entendue entrer, elle avait les bras chargés de petits pots et de produits, elle s'est plantée devant la glace sans faire attention à moi et elle a posé tous ses machins sur la tablette, je crois qu'elle a poussé un peu les miens aussi, mais je voyais pas bien, elle me tournait le dos. Elle a refait un voyage. C'est comme ça quand une femme s'installe, ça fait toujours un peu peur, elle paraissait heureuse de pouvoir ranger ses affaires autour d'elle, c'est ça l'équilibre, ce qui me scie c'est de voir à quelle vitesse elles arrivent à planter un décor, tisser une toile ou bâtir une forteresse.

Je faisais pas de bruit dans l'eau, mais j'étais

bien réveillé, je l'épiais tranquillement, je suivais ses moindres gestes. C'était un spectacle agréable et silencieux. Comment si j'avais aligné les trois cloches dans une machine à sous et que le fric n'en finisse pas de tomber. Plus tard, je lui ai fait poser un pied sur le bord de la baignoire et je l'ai enfilée.

6

Deux jours plus tard, j'ai pensé qu'il était temps de me remettre à travailler. Je les avais baladées, emmenées à la plage et je reconnais qu'on avait passé deux jours vraiment relax mais ce genre de choses m'essoufflait rapidement. Un matin, donc, j'ai fait aucune proposition géniale et je me suis assis devant ma machine.

Au bout de cinq minutes, j'ai trouvé que ça bougeait pas mal autour de moi. Je suis allé mettre un peu de musique pour noyer les petits bruits. Je me suis rassis, j'ai pris ma tête dans mes mains.

Lili faisait tourner les pages d'une revue à toute vitesse. Cécilia était dans la cuisine et elles se parlaient d'une pièce à l'autre. Il faisait vraiment une chaleur épouvantable, je suis allé me passer de l'eau froide sur le crâne, j'ai aspergé mon tee-shirt et je suis retourné à ma table avec le cerveau complètement vide, peut-être qu'il faisait quarante ou cinquante dehors, ou plus. Merde, j'ai pensé, si au moins je pouvais écrire une page dans la journée, je demande pas la lune...

J'ai glissé une feuille dans la machine et Cécilia

est venue s'asseoir dans le fauteuil, juste en face de moi.

— Merde, t'as pas peur ! elle a dit.

J'ai levé un sourcil.

— Hein...

— T'as pas peur de t'électrocuter.

J'ai rien répondu. J'étais sur le point de me concentrer quand je l'ai regardée. Elle portait un tee-shirt moulant et un slip blanc et elle venait de relever ses genoux sous son menton. Elle a coincé des petits morceaux de coton entre ses doigts de pied.

Je me suis balancé sur mon tabouret et j'ai soupiré.

— Qu'est-ce que t'as ? elle a demandé.

— Rien, mais je crois que j'arrive pas à te regarder et à travailler en même temps, j'ai répondu.

En général, ce genre de réflexion les faisait rire, elles prennent toujours ça du bon côté.

— Sois sérieux, fais comme si j'étais pas là.

— Au moins, tu pourrais te retourner, j'ai dit.

— Faut que je reste à la lumière...

Elle avait le soleil qui venait droit sur elle, ça aurait pu être un vrai miracle mais je voulais vraiment bosser.

— Bon Dieu, j'ai dit, comment tu veux que je fasse ? Je sais pas, t'es pas obligée de rester les jambes écartées... Tu devrais comprendre que j'ai besoin de réfléchir un peu.

— Oh, t'es chiant, elle a fait.

Mais elle a serré les genoux, c'était déjà ça, je me suis frotté le nez pour retrouver le fil de mon histoire mais le cœur n'y était pas vraiment, je me suis levé pour aller boire un coup.

J'étais dans la cuisine quand j'ai entendu frapper à la porte. Je suis allé ouvrir. C'était la fameuse rousse chez qui on avait récupéré Lili.

Elle se promenait dans un bikini époustouflant, jaune citron. Il y avait sa fille avec elle.

– Bonjour, elle a fait.

Je me suis écarté pour la laisser entrer.

– Je vais passer la journée sur la plage. Je venais voir si vous vouliez que j'emmène Lili…

C'était vraiment la chose inespérée, j'ai tout de suite vu que j'avais des chances d'avoir un peu de calme. En moins de cinq minutes, j'avais envoyé toutes ces filles à la mer.

Dans l'après-midi, on a encore frappé à ma porte. C'était pas très facile de travailler par cette chaleur, je peinais vraiment, j'avais envie de rien mais je suis quand même allé voir. C'était la rousse avec son petit truc jaune.

– Bon sang, elle a dit, je pouvais plus tenir. Je vous dérange pas ?

– Non non, j'ai dit.

– Elles ont voulu rester encore un moment mais je dois faire attention, j'ai une peau fragile.

– Vous voulez boire quelque chose ? j'ai demandé.

– Si vous voulez, elle a fait.

Je suis allé ouvrir le frigo, je me suis baissé pour attraper des bières dans le bac à légumes et quand je me suis relevé, j'ai senti ses deux nichons se planter dans mon dos. Je l'avais même pas entendue arriver.

– Oh, excusez-moi, elle a dit.

Elle s'est reculée en baissant les yeux, je savais pas si elle l'avait fait exprès mais en tout cas, quelque chose venait de se déclencher dans ma tête, j'ai commencé à la regarder d'une manière différente. C'était une fille appétissante et pendant qu'on retournait avec nos bières dans l'autre pièce, je l'ai trouvée très excitante. Elle s'est assise sur le lit en jetant des coups d'œil autour d'elle.

– Mon mari travaille sur une plate-forme de forage, je l'ai pas vu depuis un mois. Vous pouvez pas savoir comme je m'ennuie...

– Ouais, j'imagine.

D'un seul coup, j'ai eu une envie folle de cette fille, d'une manière incontrôlable, ce sont des choses qui arrivent et je me suis demandé si elle avait une grande chatte et si j'allais pouvoir m'en servir, je veux dire pas dans cent sept ans. J'étais incapable de dire un mot, j'avais la gorge serrée, je triturais mon verre en la regardant et je pensais pas à son mec perdu au milieu de la mer et fouetté par les embruns. Mais je tenais plus en place, je me suis levé et je me suis assis à côté d'elle sans faire de bruit, avec la cervelle dans le rouge.

Elle bougeait pas, elle regardait le mur d'en face, ça pouvait durer longtemps. Alors je me suis glissé derrière elle, je me suis collé dans son dos et j'ai attrapé ses nichons mais elle s'est dégagée doucement :

– Si ça te fait rien, elle a dit, je préfère que tu les touches pas...

– Comment ça ? j'ai fait.

– Oui, je voudrais pas qu'ils tombent trop vite. J'y fais très attention.

– J'ai pas l'intention de les abîmer, j'ai dit.

– Non, mais j'ai lu un article là-dessus, il y a une nouvelle théorie. Il paraît qu'il faut les laisser tranquilles si on veut garder une belle poitrine jusqu'à soixante et plus.

J'ai laissé tomber mes mains comme des enclumes, ce coup-là on me l'avait encore jamais fait. Je me suis levé pour allumer une cigarette, ce truc venait de me faire l'effet d'une douche froide. J'ai mis de la musique en regardant ailleurs.

– Tu sais, j'ai dit, il faut pas croire tout ce qu'on raconte, ça m'étonnerait qu'une petite caresse les déglingue. Le type qui a écrit l'article doit avoir des problèmes personnels.

— En tout cas, le reste craint rien, elle a fait.

— C'est une chance. J'espère qu'il va prendre un peu de repos avant d'écrire un truc sur le sexe.

J'avais à peine dit ça qu'elle a viré le bas de son maillot et l'a lancé à travers la pièce dans ma direction. Mais je me suis écarté et le machin jaune s'est écrasé sur le mur avec un petit bruit sec.

— J'ai lu aussi un livre sur les rapports sexuels, elle a ajouté. Ils disent que ça maintient le corps en pleine forme.

— Je suis pas un névrosé de la condition physique. J'arrive pas à prendre ça au sérieux.

— Ouais, tu dis ça maintenant, mais si tu fais rien, tu seras fini dans dix ans.

— Mettons vingt, j'ai dit. Ça me paraît suffisant. Je vais essayer d'en faire un maximum jusque-là.

— C'est tes oignons, elle a fait.

Ensuite elle s'est renversée en arrière, les jambes pendantes, c'était une vraie rousse, elle entortillait ses doigts dans ses cheveux. Je me suis avancé vers le lit avec la cervelle débranchée, j'ai piqué du nez vers sa chatte mais je suis tombé sur une odeur de machin en bombe, une espèce de sous-bois avec deux ou trois violettes et des fraises sauvages, j'ai pas trouvé ça très excitant.

Je me suis relevé, je me suis étiré, j'ai regardé le haut de son maillot en hochant la tête.

— On peut même pas les voir ? j'ai demandé.

— Hey, t'es un de ces obsédés… ? Qu'est-ce que ça peut bien te faire ? Dis donc, ça va durer encore longtemps ?

J'ai fermé les yeux, je me suis demandé si elle espérait arranger les choses en le prenant comme ça. Le disque s'était arrêté et on était planté dans le silence, avec une odeur de tabac refroidi, on était sur le point de baiser ensemble mais il y avait vraiment rien entre nous, pas la plus petite étincelle et parfois c'est sans importance, il y a pas de quoi en faire une montagne, le monde est comme il est, glacé, lumineux, innocent mais d'autres fois il suffit d'une poussière pour que la machine se détraque, il suffit qu'une fille se ramène avec une nouvelle théorie du genre il faut laisser les nichons tranquilles pour que tout s'écroule autour de vous. Ouais, je veux dire qu'à ce moment-là j'avais du mal à bander.

— Qu'est-ce que t'as ? elle a demandé. Qu'est-ce qui va pas ?

— C'est pas très gai d'apprendre qu'on sera fini dans dix ans. J'arrête pas de penser à ça.

Elle a glissé un doigt dans sa fente en regardant au plafond.

— Bien sûr, elle a fait, c'est normal. Quand on réfléchit, c'est la seule chose qui compte. Garder un corps jeune.

— C'est un drôle de boulot, j'ai dit.

— Oui. Mais tu vois le résultat... ?

— Je comprends pas.

— Quel âge tu me donnes, à ton avis ?

En fait, en regardant ça de plus près, c'était difficile de lui donner un âge mais c'est de plus en plus fréquent aujourd'hui, depuis qu'on se fait tirer la peau, depuis qu'il y a ces produits à base de placenta, depuis qu'ils utilisent des cellules vivantes, de JEUNES CELLULES VIVANTES, je sais pas, je lui donnais entre trente et quarante, je me suis pas mis la cervelle en quatre.

— Dans les quarante, j'ai dit.

Elle a lâché un petit rire nerveux.

— Eh ben tu y es pas, elle a fait, tu y es pas du tout.

Elle s'est laissée aller en arrière sur le lit, elle souriait aux anges. Elle s'est caressée doucement la gorge avant de replonger un doigt dans ses poils.

— J'ai cinquante-sept ans, mon vieux, oui. Regarde un peu ce corps de cinquante-sept ans ! Je te jure que c'est vrai.

J'ai bien regardé, j'ai pris tout mon temps.

— Quel effet ça fait ? j'ai demandé.

— C'est génial.

— D'accord, j'ai dit. J'ai envie de boire à ta santé. À tes cinquante-huit.

Je suis allé chercher deux nouvelles canettes. C'est juste quand on a trinqué, quand on a cogné les bouteilles que j'ai eu à nouveau envie d'elle, ça m'est revenu d'un seul coup. Elle me regardait avec une étincelle étrange dans les yeux, peut-être que cette lumière venait avec l'âge, quand on commence à en avoir vu pas mal, que l'œil s'est endurci et qu'il y a toute cette vie derrière, tout ce paquet d'années comme un mur où on peut s'appuyer. Je lui ai attrapé une cuisse et je lui ai fait ouvrir les jambes, elle a enlevé son doigt tout doucement, merde cinquante-sept ans, cinquante-sept, cinquante-sept, je me répétais, elle va bientôt tomber en poussière mais ça valait le coup d'œil, elle se tenait en arrière, sur les coudes et bombait légèrement le ventre, les doigts de pied plantés par terre, je me suis occupé de mon froc en grimaçant comme un damné.

J'étais en train d'exécuter une pénétration optimale quand on a entendu des coups de poing dans la porte.

— Oh bon Dieu de merde, j'ai gémi.

J'ai eu toutes les peines du monde à remballer mon engin. Les coups pleuvaient de plus en plus

fort sur la porte. Avant d'ouvrir, je me suis
assuré que la fille avait bien retrouvé sa culotte.
Elle était même en train de feuilleter un maga-
zine, comme ça, l'air de rien.

Cécilia est entrée la première.

– Hhhhoouuuuu... il commence à faire des
gouttes ! elle a fait. T'en as mis un temps pour
ouvrir !

– Des gouttes ? j'ai dit. Tu déconnes... ?

En regardant dehors, je me suis aperçu qu'il
faisait pratiquement nuit, il devait pas être plus
de sept heures du soir, c'était vraiment incroyable. Je suis sorti et je suis resté dans mon petit
bout de jardin pourri avec le nez en l'air, pour
repérer ces saloperies, je clignais des yeux. Le
ciel s'était couvert d'un seul coup, on le sentait
assez près, on aurait pu l'éventrer d'un coup de
lance pour en finir. Je suis rentré en tirant un
penalty dans les graviers. Le tonnerre a claqué
pendant que j'avais la jambe en l'air.

Ensuite il s'est mis à pleuvoir très fort, un
orage infernal avec les trottoirs qui fumaient et
des zigzags dans le ciel, il faisait une chaleur
épouvantable, assez oppressante, je suis resté
appuyé contre la porte et j'ai compté toutes ces
filles qui tournaient dans la pièce. Je les entendais
pas mais j'avais aucune envie de me fourrer
là-dedans. Alors j'ai décroché mon blouson sans
un mot et je suis sorti.

J'ai marché un peu sous la pluie, ça m'a fait
du bien, je me suis mis au petit trot avec les
coudes au corps pendant trois ou quatre cents
mètres, pas par amour du sport mais pour me
vider la cervelle et l'orage s'est éloigné tout
doucement, la rue montait, j'ai poussé jusqu'au
grand croisement et je me suis appuyé au feu
rouge, je me suis coupé un ongle trop long avec
les dents.

Le coin était complètement désert. C'était marrant cette cabine éclairée de l'intérieur, juste à un angle du trottoir, c'était presque magique, les reflets bleutés et les lames de deux mètres cinquante qui cavalaient sur les vitres. J'ai pas essayé de résister, j'ai traversé le carrefour en diagonale et je suis entré dans le machin, je voyais pratiquement plus rien dehors, sauf le ciel qui tournait au pastel entre les nuages, ça devenait plus doux.

L'annuaire pendait au bout d'une grosse chaîne, j'ai cherché l'adresse de l'hôpital et j'ai fait le numéro un peu nerveusement. Je suis tombé sur une espèce d'hystérique un peu sourde, celles qui s'y collent pour la nuit, je lui ai expliqué l'histoire, je lui ai dit que je voulais parler à Nina. Elle m'a abandonné un quart d'heure pour consulter son fichier et j'étais obligé de charger le truc avec des pièces de monnaie ensuite elle s'est pointée et elle a fait d'une voix grinçante :

— Nnaaaannnn… Y'a personne ici de ce nom-là.

— Écoutez, madame, je pense qu'il doit y avoir une erreur.

— Aaaahhhh… j'entends rien ! Qu'eessst-ce vous dites… ?

Je lui ai répété ça encore plus doucement, en articulant bien, je commençais à avoir la main moite à force de cramponner le combiné, j'aurais bien tiré sur le fil pour la faire passer par-dessus son guichet, un grand coup sec. Mais c'était une vraie garce cette bonne femme, je sentais bien qu'elle prenait du plaisir à jouer son petit rôle de Madame-on-ne-laisse-pas-les-cinglés-et-les-emmerdeurs-fourrer-leur-nez-dans-les-registres.

— Mais puuiiiisssque je vous diiiiis qu'elle est pas là… !

— Bon sang, on l'a opérée il y a trois ou quatre

jours. Écoutez-moi, c'est très grave, je dois absolument lui parler.

– Bon ben j'ai du travail, moi. Je vais pas vous écouter pleurnicher pendant cent sept ans... mince alors, la prochaine fois vous avez qu'à vous l'attacher à une jambe !

J'avais pas envie de rigoler, il y avait juste cette boîte en ferraille devant moi avec mes pièces et la bonne femme avait trouvé le moyen de me rendre enragé à l'autre bout, avec ses conneries.

– Putain, mais vous êtes PAYÉE pour faire ce boulot-là, oui ou merde ?

– Je vous le dis qu'on a personne de ce nom-là... Vous êtes sourdingue ou quoi, espèce de connard... ? !

– J'arrive, j'ai grogné, j'arrive ma vieille. Je vais démolir ton comptoir avec tes faux seins ! !

– D'aaaaccord, on vous attend. On les aime dans votre genre, ça met un peu d'ambiance... !

Je me suis pas rendu compte tout de suite qu'elle avait raccroché, j'étais en train de me demander ce que c'était que cette histoire, l'autre cinglée s'était sûrement gourée mais quand même, j'éprouvais une sensation étrange, quelque chose de désagréable, j'ai une espèce de nez pour les coups foireux.

Je suis rentré sans me presser, de toute façon, la journée était finie, la mienne je veux dire. Les trottoirs étaient déjà secs par endroits et je me sentais tout chose, je me sentais pas bien. Je suis revenu par la plage, je laissais une piste très nette derrière moi. Je me suis arrêté pour pisser, j'ai réfléchi un moment, je me suis demandé ce que je pourrais faire demain ou n'importe quand, il faisait lourd, j'ai regardé une mouette dégringoler en piqué dans un coin de ciel violacé.

70

Au fur et à mesure que j'approchais de la baraque, mes nerfs ont repris le dessus et quand j'ai frappé à la porte, j'étais d'une humeur épouvantable. Heureusement que la rousse était partie avec sa fille, ça m'a laissé un peu de place pour tourner en rond. Les deux autres se demandaient quelle mouche m'avait piqué. Je crois pas qu'elles m'ont adressé la parole.

Dans la soirée, j'ai fait chier tout le monde. J'ai tenu à m'assurer que Lili prenait bien ses trucs au fluor, vas-y, je te regarde, j'ai dit et j'ai demandé à Cécilia de ramasser ses machins et ses culottes qui traînaient par terre, je m'énervais, je voulais que la pièce soit parfaitement NICKEL, ça tournait à l'idée fixe, je faisais des grands gestes avec les bras, j'allais d'un endroit à l'autre avec une espèce de rictus, je me suis assis cinquante fois et je me suis relevé, j'ai allumé tous les clopes qui surgissaient dans cette foutue baraque.

Lili s'est couchée sur des coussins qu'on avait arrangés dans un coin. Elle m'a envoyé un regard impitoyable avant de se tourner vers le mur, j'en ai profité pour ouvrir les fenêtres et l'air m'a fait du bien, le peu d'air qu'il y avait, et j'ai pas levé les yeux vers la nuit, j'ai regardé un type qui baladait son chien sur la plage et les mouettes qui s'écartaient en braillant, je sais pas pourquoi mais certaines visions vous anéantissent.

Ensuite, Cécilia a disparu sans un mot dans la salle de bains et j'ai écrit un petit poème sur la fragilité du sexe. Elle est revenue complètement à poil. J'ai eu le temps d'apercevoir la cordelette du tampax qui pendait entre les jambes et d'une certaine manière j'ai préféré ça. Elle s'est avancée vers le lit avec une grimace boudeuse. Elles sont bien à dix-huit ans, parfois on a l'impression qu'on pourrait les consoler avec un panier rempli de cerises ou une tablette de chocolat noir. Elle s'est glissée sous le drap et elle m'a tourné le dos elle aussi. Parfait. J'ai juste laissé une petite lumière et j'ai foncé dans la cuisine pour m'envoyer un grand verre d'eau.

Je suis resté un moment penché au-dessus de l'évier avec la flotte qui coulait. Le verre a glissé de mes doigts et il a explosé sous le robinet. Tous ces morceaux de verre, ça m'a dégoûté, je me voyais mal en train de plonger les mains là-dedans avec les nerfs en compote.

J'ai décidé d'oublier ça, je suis sorti de la cuisine et j'ai marché d'un cœur léger vers mon roman.

J'ai travaillé toute la nuit. Je me suis endormi au petit matin et j'ai seulement ouvert un œil dans l'après-midi. Le silence était parfait, je me suis demandé si j'étais pas en train de rêver. Je me suis assis dans le lit, la tête sur les genoux et j'ai attendu que ça se passe. Mais j'entendais toujours pas le moindre bruit.

Dans la cuisine, j'ai trouvé un petit mot me disant de pas m'inquiéter, qu'elles étaient à la plage et sur la table il y avait deux longues tartines beurrées avec un bol et du café. J'ai viré le pain en vitesse dans la poubelle, je peux rien avaler quand je me réveille, surtout pas avec des kilos de beurre. Nina, elle, c'était tout le contraire, ce qui fait qu'on baisait pas souvent le matin, je préférais me tirer carrément et grimper dans la douche, je pensais toujours à ce pain mouillé qui lui dégringolait dans le ventre, le matin je pensais jamais à son âme.

J'ai passé le restant de la journée à m'occuper de cette histoire, à envoyer des coups de téléphone, surtout à ce bon Dieu d'hôpital, en transformant ma voix, en pleurnichant ou en me faisant passer pour un enquêteur de la police mais ils me faisaient toujours la même réponse et j'ai dû me rendre à l'évidence : Nina avait jamais foutu les pieds dans cet hôpital.

J'ai commencé à me faire à l'idée qu'elle s'était foutue de ma gueule et bien sûr ses amis étaient au courant de rien ils avaient jamais entendu parler d'hôpital ou d'une connerie de ce genre. Ouais, on pouvait dire que c'était bien joué, elle m'avait eu jusqu'à l'os, elle m'avait confié sa fille et elle avait mis les voiles. J'étais vraiment le dernier des cons.

Quand les filles sont rentrées, je les ai pas mises au courant, j'ai fait semblant de travailler. J'ai pas desserré les dents de toute la soirée mais sans être vraiment désagréable. La présence de Cécilia me calmait un peu, ça rendait les choses moins dures. Mais j'avais l'esprit trop perturbé pour en tirer le maximum. J'étais à moitié sonné.

Je crois que j'aurais pardonné à n'importe qui d'autre, je sais tout ce qu'on est obligé de faire parfois pour s'en sortir, ces écarts dans l'ombre, toutes ces folies, mais je pouvais rien passer à Nina, pas à elle. Nina c'était spécial. Je savais être dur avec moi alors pour elle je faisais pas de différence. J'aurais donné cher pour savoir ce qu'elle était en train de faire à ce moment-là et il aurait pas fallu venir m'emmerder avec des considérations d'ordre moral, j'aurais pas supporté la moindre ânerie de ce genre.

J'ai même passé une partie de la nuit soudé dans mon fauteuil, les pieds sur le rebord de la fenêtre mais toutes ces vagues me faisaient chier, elles apportaient toujours les mêmes questions, où était Nina, pourquoi elle avait fait ça, comment ne pas y penser... Ô monde brutal, monde sans pitié, je me suis levé et j'ai regardé longuement les deux filles avant de me coucher, elles

dormaient comme deux anges, ô monde
incroyable avec tes lumières et ton jeu de jambes.

7

Ça faisait juste une semaine que Cécilia habitait chez moi quand les ennuis sont arrivés. Je
faisais une partie de dominos avec Lili, tranquillement, en plein après-midi avec juste une seule
bière, on était installés sous la fenêtre et elle
venait d'aligner un double-six, on a entendu
frapper à la porte d'une drôle de façon. Ça y
est, j'ai pensé, nous y voilà et je me suis levé
en soupirant pour aller ouvrir.

Ils étaient deux, ils m'ont balancé leurs cartes
sous le nez, deux gros flics en chemisette qui
plissaient des yeux sur le pas de ma porte. Sur
le moment je me suis dit n'aie pas peur, ils
pourront pas entrer, ils passeront jamais. Ils
avaient des gueules comme s'ils revenaient de
la noce, comme s'ils avaient bu en plein soleil,
le premier m'a souri, un brun bouclé et le
deuxième est entré en vitesse sans que j'aie pu
faire un seul geste, un blond avec des yeux de
femme, horrible.

Le brun a refermé la porte, il souriait toujours.

– Hé les gars, qu'est-ce qui vous prend... ?
j'ai dit.

– Qu'est-ce que c'est que cette môme ? a
demandé le blond.

J'ai écarté les bras en riant :

– N'ayez pas peur, c'est pas ce que vous
croyez. Je vous donne l'adresse de sa mère et
son numéro de téléphone. Je l'ai pas enlevée,

on était en train de faire une partie de dominos.

— Ouais... Mais c'est pas pour elle qu'on est venu. C'est pour l'autre, t'as l'air d'aimer la jeunesse, hein... ?

— Quelle autre ? j'ai demandé.

Le brun se tenait tout près de moi, il m'a envoyé son poing dans le ventre et je me suis plié en deux. J'ai réussi à reculer jusqu'à une chaise, je me suis assis. Ils m'ont laissé reprendre mon souffle, ils ont allumé des cigarettes en farfouillant un peu partout, Lili avait toujours son double-six dans la main, elle le cramponnait en se pinçant les lèvres. Je respirais comme une forge. Le brun est entré dans la salle de bains, ensuite il s'est ramené vers moi avec une boîte de tampax à la main. Oh merde, c'est pas vrai, j'ai pensé.

— Regarde un peu ce que j'ai trouvé, a fait le flic. C'est toi qui te sers de ça ou c'est la petite fille... ?

Mon cerveau tournait à vide, j'étais incapable de trouver la réponse, c'était vraiment trop con d'avoir oublié ça dans un coin. Heureusement que Lili est venue à mon secours.

— Hey, touchez pas à ça, c'est à ma mère !! elle a braillé.

Le flic s'est retourné lentement. J'ai eu envie de dégueuler mais le truc est pas venu, j'ai juste fait un drôle de bruit avec ma bouche. Il s'est approché de Lili en se claquant la boîte contre la cuisse, il s'est accroupi devant elle et son froc était sur le point de craquer. Il a secoué ses bouclettes devant elle :

— Hé, toi, qu'est-ce tu racontes... ?

Elle a baissé les yeux mais je me suis mis à sa place, j'aurais fait la même chose si on m'avait fait ça quand j'avais huit ans, me balancer cette gueule d'enfoiré sous le nez ou quelque chose du même genre, quelque chose qui vous dégoûte de la vie. Bon, mais j'étais pas complètement fini, j'ai remué sur ma chaise.

— C'est vrai, j'ai dit. C'est vrai, c'est les trucs de sa mère. Je comprends pas ce que vous voulez...

Le blond s'est pointé devant moi, il pissait la sueur par tous les pores de sa peau.

— Tu ferais bien de pas nous les chauffer, il a sifflé. Surtout qu'on peut pas blairer les mecs dans ton style.

— Ça fait rien, j'ai dit. Mais je suis innocent.

— Non... t'as pas une gueule d'innocent, a fait l'autre.

Bon Dieu, ça aussi je l'avais oublié, j'étais pas rasé depuis deux ou trois jours et je sais qu'ils aiment pas ça, ils aiment pas les poils sur la figure, merde pourquoi ils se pointent jamais quand on est rasé de frais, à jeun, juste quand on vient de passer une chemise propre ?

Le flic blond s'est avancé vers la fenêtre, il s'est essuyé la figure avec un mouchoir et s'est mis à regarder le paysage.

— Écoute, il a fait, te fatigue pas. On sait qu'elle est venue ici. Putain, tu te payes une sacrée vue, mon salaud !

— Mais qui ça ? QUI, bordel de Dieu ? ? ! !

Le brun m'a placé la photo de Cécilia sous le nez. Elle devait avoir deux ou trois ans de moins là-dessus, elle était mieux maintenant mais j'ai pas fait de remarques à ce sujet. Le type a remis la photo dans sa poche en reniflant.

— Nous prends pas pour des cons, il a fait.

— Oui, je la connais, j'ai dit. C'est une emmerdeuse. Je l'ai vue il y a pas longtemps, elle s'était tirée de chez elle...

Le blond a pivoté vers moi, avec ses yeux de femme allumée.

— Ouais, tout juste. Et on va la retrouver... !
Fais-nous confiance, mon pote.

— Qu'elle se démerde, j'ai dit. Mais vous
voyez, je vis déjà avec une femme ici et je suis
pas assez balèze pour en avoir deux. Je suis pas
Superman, les gars, vous faites fausse route.

Il y a eu un petit moment de flottement, je
venais de viser juste, j'en ai profité pour attraper
la bouteille de coca et j'en ai dégagé un demi-litre
d'une traite.

— Vous inquiétez pas, j'ai ajouté. Cécilia est
une fille qui a de la cervelle. Son père a un
paquet de fric, elle reviendra...

— Je m'en fais pas pour cette petite conne, a
fait le blond. Mais elle est mineure et ça nous
file du boulot. Faut qu'on voie tous ses copains.

— Je suis pas son copain, je la connaissais pas
tellement.

— Bon, de toute façon, on la retrouvera. Elle
doit être en train de se faire sauter par un type
dans ton genre et rien que d'y penser, ça me
débecte. Merde, je comprendrai jamais ça !

— Ouais, mais c'est des connes, a fait l'autre,
c'est des petites connes... !

— Ça fait rien, j'ai dit.

Le blond s'est assis sur un coin de ma table,
il a regardé la pièce en hochant la tête. Il a
allumé une cigarette et a jeté l'allumette par-
dessus son épaule. Il s'est penché vers moi en
se grattant la fesse, je me suis demandé s'il
sentait la même chose que moi, cette odeur
incroyable qu'il trimbalait avec lui, j'ai serré les
dents.

— Hé, comment tu fais ? il a demandé. Comment tu te démerdes pour jouer aux dominos
en plein après-midi un jour de semaine... ?

— J'ai mon chèque, j'ai dit.

— Ouais, les mecs comme toi ont leur chèque,

évidemment. Et on bosse pour payer des mecs comme toi, tu savais ça, ça te fait pas un peu rigoler ?

– C'est pas un gros chèque. Je peux à peine sourire.

Il m'a envoyé la fumée en pleine figure, par cette chaleur c'était sûrement ce qu'il avait trouvé de moins fatigant à faire.

– Parce que sinon, le rigolo, qu'est-ce que tu sais foutre ? il a demandé.

– Je suis écrivain, j'ai dit.

Il a cligné de l'œil et il s'est marré.

– Ben ça, ça me ferait mal au cul. Celle-là, elle est bonne, il a fait.

Il s'est adressé à son copain en me montrant du pouce.

– T'as entendu ça ? C'est la meilleure...

L'autre a poussé une sorte de couinement obscène.

– Ouais, t'as sûrement jamais publié un bouquin, a repris le blond.

– Si, j'ai dit. Mais ça c'est pas difficile. Ce qui est dur, c'est de l'écrire.

– Ah merde, ça non plus je comprends pas ça. Que des mecs pareils écrivent des bouquins. Ou alors, merde, je sais pas, ils sortent n'importe quoi.

– Je suis d'accord, j'ai dit. Mais c'est une époque de repli. Il faut attendre un peu pour que les bonnes choses émergent.

– Parce qu'en plus, tu fais partie des bons ?

– Je fais partie des meilleurs. Mais ça m'avance pas à grand-chose, le fric ne suit pas.

– Putain, toi tu manques pas d'air... Tu te prends pas pour une merde.

– Non, je me prends pas pour une chose en particulier. Dites, je voudrais pas avoir l'air de vous mettre à la porte mais je me sens un peu barbouillé, j'espère que c'est bientôt fini?

Le blond s'est levé lentement, il m'a envoyé un regard dégoûté en bâillant.

— Ouais, n'empêche qu'on se reverra peut-être, hein... ? On sait jamais, des fois que t'aies eu la folie de te payer notre tête, hein mon petit pote...

— Écoutez, j'ai dit, faut quand même qu'on soit bien d'accord. Je sais pas ce qui peut se passer dans la tête de cette fille, je suis pas sa mère. Elle est capable de revenir ici, j'en sais rien, je m'en fous de cette fille.

— Ouais, l'écrivain, mais tu sais quand même te servir d'un téléphone, non?

J'ai hoché la tête et ces deux enfoirés se sont dirigés vers la porte, j'ai senti l'air qui se déplaçait dans la pièce. C'est dommage que ça coûte si cher de sauter sur un flic mais quand on réfléchit bien tout coûte cher dans la vie, en fait c'est difficile de pas avoir la rage au cœur, c'est difficile de pas se sentir étouffer par moments.

En sortant, le blond a fait un demi-tour sur lui-même, il m'a regardé un moment en se grattant la tête.

— Quand je te regarde, il a dit, quand je vois un type comme toi, je vais te dire, ça me ferait vraiment mal aux seins que tu sois vraiment un écrivain.

— Ça fait rien, j'ai dit. C'est sans importance. C'est pas gravé sur ma figure.

Quand ils se sont tirés, je me suis remis à la partie de dominos et j'ai paumé plusieurs fois d'affilée. On est resté silencieux tout l'après-midi, elle m'a pas cassé les pieds avec des questions idiotes, elle a pas été chiante, elle avait bien pigé toute l'histoire, des fois j'ai envie de faire comme les vieux, enfin quelques-uns, ceux qui ont encore du sang dans les veines, ouais j'ai envie de faire confiance à la nouvelle génération mais heureusement ça dure pas très longtemps.

Ensuite on a traîné un moment sur la plage, on a marché avec un soleil rasant qui se faufilait entre nos jambes. En rentrant, je me suis plongé dans mon roman et j'ai fait mourir deux salopards, je me suis senti mieux après, mais j'étais vidé. C'était pas à cause de l'histoire, non, c'était à cause de mon style. Mon style me vidait.

Cécilia est rentrée vers deux ou trois heures du matin, j'étais toujours assis sur ma chaise, dans la pénombre, j'écoutais de la musique en fumant des cigarettes, le corps cassé en mille morceaux et douloureux, j'ai aucune notion du temps la nuit, j'aime ça, j'aime réfléchir lentement, je crois que l'extase m'arrivera dans un moment comme ça, enfin j'imagine, je tomberai à genoux dans la fumée des cigarettes et je sourirai jusqu'à ce que le jour se lève avec le cerveau en bouillie, mais je me demande si je fais tout ce qu'il faut pour en arriver là, je me demande si la Grâce va m'accorder les circonstances atténuantes.

Elle s'est avancée jusqu'à moi en souriant, à dix-huit ans elles ont un sourire sauvage, si je pouvais je les prendrais toutes à cet âge-là, vingt ans à tout casser. Je l'ai regardée, je me suis demandé comment elle avait fait pour entrer dans un short aussi serré, si ça lui avait fait mal et si ça allait mieux maintenant, je crois bien que ce truc était légèrement lumineux ou peut-être que c'était la lune, peut-être qu'un petit rayon glissait par-dessus mon épaule.

— Alors, elle a demandé, ça c'est bien passé ?
— Formidable, j'ai dit. Sauf qu'on avait oublié de planquer les tampax, tu vois le genre… ?

Elle a levé les yeux au ciel.

— Oh non… merde ! elle a fait.

— Comme tu dis et en plus on a promis de se revoir. Ils ont pas fini de nous faire chier.

Elle a enfoncé ses mains dans ses poches, une seconde plus tôt j'aurais juré que c'était impossible mais on peut être sûr de rien dans ce monde et puis elle a regardé ailleurs.

— Bon… elle a murmuré, mais on a été prévenu, non ? J'ai eu largement le temps de filer…

— Ouais, j'ai dit, mais imagine que la prochaine fois ta copine soit pas dans le bon bureau au bon moment, qu'est-ce qui va arriver, tu crois… ?

— Mais non, ça risque rien, elle est payée pour savoir où se trouve chaque flic, elle plante des petits drapeaux sur une carte de la région, ils sont pas si nombreux que ça, tu sais. Y'a vraiment aucun danger. S'ils doivent revenir, on le saura, elle nous téléphonera.

— Ça paraît trop beau. Je sais jamais si on peut abuser de la chance.

— On peut, elle a dit. Je te jure qu'on peut !

En fait, j'avais presque oublié ces deux types, je discutais pour le plaisir, pour lui faire une petite place dans ma nuit, je la voyais pas très bien sauf ce short blanc sur lequel j'avais accroché mais ça aurait pu être n'importe quoi d'autre, une petite oreille ou une veine bleue glissant sous son poignet, j'aimais pas tellement sa voix, je respire quand j'aime pas quelque chose chez une fille, quand j'aime tout je respire plus vite encore mais je m'en suis toujours tiré, on trouve toujours quelque chose qui cloche, en cherchant bien, parfois on est sauvé par un éclair de folie, que ce soit d'un côté ou de l'autre.

Mais c'était une présence agréable, je veux dire quand vous avez passé une partie de la nuit à dérailler sur une chaise, quand vous avez ajouté une page de plus à ce foutu roman, quand vous avez bu un peu et que vous commencez à vous méfier de la réalité des choses, oui c'était quelque chose d'agréable que d'avoir cette fille tout à côté de moi, de pouvoir échanger deux ou trois mots avec elle, de la regarder, de partager l'air de la pièce, c'était bon de se sentir fatigué sans avoir besoin de bouger, simplement remonter une main entre ses cuisses, n'importe qui aurait trouvé ça bon.

8

Un soir, je me suis retrouvé chez Yan au milieu d'une bande de cinglés, je les connaissais pas tous, j'avais passé trois jours à la baraque sans sortir et j'avais eu envie de changer un peu d'air, j'avais lancé un clin d'œil à mes deux copines et je m'étais tiré. J'avais apprécié le petit moment de solitude dans la bagnole, pas pour la tranquillité mais pour la liberté, conduire les yeux mi-clos sans avoir envie de rien et sentir la fragilité.

Il y avait deux filles aussi, elles étaient déjà saoules quand je suis arrivé, deux filles plutôt chiantes et qui parlaient fort mais dans l'ensemble les mecs étaient pas mieux, c'était le genre de bande à la mode, un œil sur le rock, un autre sur le néo-beat, sauf qu'ils en tiraient pas grand-chose, ils étaient un peu trop préoccupés par leur image et ça leur prenait du temps.

Ils ont commencé à parler littérature et j'en ai profité pour aller boire un verre dans le jardin. C'était encore une de ces nuits d'été douce et calme avec un croissant de lune entre les dents, une bagnole descendait la rue au ralenti avec le sourire d'une murène, quelques fenêtres brillaient de l'autre côté de la rue, dans la douceur de l'air, je me suis laissé envahir en cramponnant mon verre, il y a des moments qui sont surprenants à vivre, des instants violents comme si un poing tire-bouchonnait votre tee-shirt et vous enfonçait sous la douche, je suis resté un moment à bayer aux corneilles, dans le gazon abandonnné et la bagnole est passée devant moi, deux types en train de draguer et j'ai pensé à la fille qui allait tomber sur deux types comme ça, j'ai pensé courage, petite.

Je suis rentré pour manger un morceau, dans la cuisine une fille était grimpée sur la table et distribuait les œufs durs en déconnant.

— Je prendrais bien un œuf, j'ai dit.

Ça a été vite, mais j'ai vu un éclair glacé passer dans son regard.

— Je suis la Gardienne des Œufs, elle a fait.

— D'accord. Donne-moi n'importe lequel.

— Je vais réfléchir, je vais voir... elle a répondu.

J'ai attrapé un cornichon russe dans un bocal, je l'ai croqué lentement, sans me presser et ensuite j'ai redemandé un œuf à la folle.

— J'ai entendu parler de toi, elle a dit. Mais j'ai pas lu tes bouquins, ça m'intéresse pas.

— Pourquoi tu me dis ça ? j'ai demandé. Je veux juste un œuf.

Elle a continué à discuter au-dessus de moi mais j'ai laissé tomber, l'enjeu était pas énorme et je me sentais pas énervé, pas vraiment, c'était juste une fille avec une grande gueule, ce genre-là je le crains pas tellement. Je l'ai quand même photographiée pour l'avenir, je me suis coupé une tranche épaisse de fromage au cumin, j'ai embarqué deux ou trois sandwiches et j'ai retrouvé la plupart des autres à côté, discutant au milieu des miettes de pain et des gobelets en carton.

Je me suis assis avec eux mais j'arrivais pas à écouter ce qui se disait, je me contentais de hocher la tête de temps en temps, ça faisait un ronron agréable, je me sentais bien, parfois ils mettaient de la bonne musique, c'était des gens de mon âge et on était tous coincés dans cette fin de siècle, peut-être qu'eux aussi ils faisaient tout ce qu'ils pouvaient, je sais pas.

Plus tard, je me suis retrouvé assis dans le fond d'une bagnole, c'était pas la mienne et on roulait le long de la côte, j'avais un peu bu, je me souvenais plus ce qui avait été décidé mais on roulait, c'était Yan qui conduisait et il y avait un type un peu plus jeune à côté de lui, un rouquin aux yeux bleus qui secouait toujours la tête et moi j'étais coincé sur la banquette arrière et d'un côté il y avait la Gardienne des Œufs et de l'autre un gros avec le crâne rasé et des lunettes à verres grossissants.

La fille faisait tout ce qu'elle pouvait pour éviter de me toucher mais comme je faisais la même chose avec le gros, elle se donnait du mal pour rien, elle se retrouvait avec l'accoudoir enfoncé dans la hanche et regardait le plafond. Je me suis demandé pourquoi le monde était si tordu, pourquoi il avait fallu que je me retrouve avec elle, elle me lançait des regards comme si j'allais la violer ou lui trancher la gorge, je crois que cette fille-là était vraiment cinglée et j'aurais pas tenté quelque chose pour tout l'or du monde, enfin à ce moment-là.

Je me suis penché en avant, j'ai senti des poignards glacés à l'endroit où ils m'avaient collé leur sueur, j'ai posé ma main sur l'épaule du rouquin :

– Eh, je lui ai dit, merde pourquoi tu mets pas de la musique... ?

Il a plongé vers les boutons sans se retourner,

ses cheveux ont scintillé dans la lumière du tableau de bord comme une poignée de rubis jetée dans les flammes et il est tombé sur un truc de Mink De Ville, j'ai reconnu que c'était bien joué de la part du rouquin, je lui ai donné un bon point. Juste quand il s'est redressé, j'ai vu le paquet de boîtes à ses pieds et j'ai compris qu'il commençait à faire chaud, je me suis mis à avoir la gorge sèche et j'ai poussé un petit sifflement.

— Eh, mon salaud, qu'est-ce que tu fabriques... ? Passe-nous les boîtes en vitesse.

Elle était tiède, vous pouviez vous étouffer avec une gorgée mais c'était quand même mieux que rien, le gros a descendu la sienne à toute allure et s'est mis à transpirer un peu plus et la Gardienne des Œufs, son nom c'était Sylvie, je l'ai vue faire, elle s'y est prise tellement bien qu'un geyser a grimpé au plafond, je l'ai regardée dans les yeux et j'ai fini ma bière tranquillement pendant qu'elle secouait ses fringues dans tous les sens.

Yan a passé son bras autour du rouquin et on a continué à longer la plage. Les petites vagues venaient se jeter presque sous les roues. On a dépassé un parc d'attractions sans la moindre petite lumière, juste la clarté du ciel qui glissait sur des machins argentés et des formes bizarres enveloppées sous des bâches, ensuite on s'est enfilé sur un long boulevard et on s'est farci tous les feux rouges jusqu'au bout, il y avait personne sur les trottoirs, il devait être trois ou quatre heures du matin, on s'est garé dans une petite rue sur le côté et on a allumé des cigarettes, on a attendu.

— Qu'est-ce qu'on attend ? j'ai demandé.

Yan s'est tourné vers moi en passant un coude sur son dossier.

– On attend qu'il se ramène. Il va arriver, il était pas chez lui.

– Ah, ça commence bien, j'ai dit.

La fille a ouvert sa porte et elle a posé un pied sur la rue. Ça nous a donné un peu d'air et les autres ont trouvé l'idée pas mauvaise, ils ont ouvert de leur côté, la bagnole s'est mise à ressembler à un scarabée ou à un de ces trucs en train d'ouvrir les ailes pour foncer dans la nuit.

Un type s'est ramené au bout de la rue, il marchait lentement. Il s'est arrêté devant la bagnole et on est tous descendus, on l'a suivi.

Il est parti devant avec Yan et le rouquin, je l'avais jamais vu, le gros se tenait juste à quelques pas derrière et la fille marchait carrément sur la rue, comme si elle pensait mettre cette foutue ville à genoux avec sa cervelle d'oiseau.

C'était pas très loin, on a grimpé en haut d'une baraque et le type nous a fait entrer. C'était le truc bien rangé, merdeux, je me suis tout de suite senti mal là-dedans, le type regardait ses pieds sans arrêt mais j'étais pas sûr qu'il avait des yeux. Il a parlé une seconde à l'oreille de Yan et il s'est tiré.

– Qu'est-ce qu'y'a ? j'ai demandé.

– Il est parti chercher les trucs, a fait Yan. Il doit passer chez un type.

– Ça va, ça paraît encore foireux, j'ai dit.

Yan a attrapé un journal et il s'est assis dans un coin. En général, on pouvait attendre ce genre de type une bonne partie de la nuit, ça faisait partie du folklore.

– Merde, je me demande pourquoi je suis venu, j'ai fait.

J'avais dit ça comme ça mais la fille m'a accroché :

– Hé, mon pote, personne t'a forcé à venir. Tu vas pas nous piquer une crise de nerfs, hein ?

Je me suis tourné vers Yan. Je comprenais pas pourquoi cette fille me cherchait depuis le début, elle s'engageait de toute façon sur une mauvaise pente.

– Hé Yan, qu'est-ce que c'est que cette fille, qu'est-ce qu'elle me veut... ? Est-ce que tu crois que c'est un truc sexuel ?

La fille a eu un rire nerveux :

– Bon Dieu, j'aimerais mieux me toucher ! elle a fait.

Le gros a pouffé dans son coin. J'ai réfléchi un moment et je suis sorti.

En passant près de la bagnole, j'ai attrapé une boîte de bière sur la banquette et je me suis baladé un peu, j'ai remonté tout le boulevard sans avoir d'idée très précise, sans attendre un miracle, je sentais une espèce d'énergie monter en moi mais ça me servait à rien, j'ai juste marché un peu plus vite, en laissant les lumières s'aligner dans mon dos.

J'ai longé la route pendant un moment, les mains enfoncées dans les poches, sans faire le moindre bruit, je trouvais ça marrant, j'avançais dans le sable mais pas une seule chose au monde pouvait m'entendre arriver, je me sentais prêt à devenir invisible. J'ai regardé mes mains et j'ai attendu qu'elles explosent dans la nuit, ensuite j'ai allumé une cigarette, j'ai pas pu m'empêcher de sourire, c'est venu tout seul.

Sans m'en rendre compte, je suis arrivé jusqu'au parc d'attractions, j'ai failli buter contre la Grande Roue. Il y avait tout un tas de camions et de caravanes rangés un peu à l'écart mais tout le monde devait dormir là-dedans, il y avait pas de lumière et tout était silencieux. J'ai grimpé sur une barrière et j'ai fumé tranquillement, je me suis surtout intéressé au Grand Huit, j'ima-ginais le boulot pour monter un truc comme ça, tous ces tubes de ferraille enchevêtrés, emboîtés les uns dans les autres, boulonnés, j'ai suivi le rail des yeux, le nez en l'air, la grande courbe tout en haut, à l'extérieur, genre Virage de la Mort avec des poutrelles hérissées dans tous les sens comme la couronne du Christ.

J'ai hésité une petite minute puis j'ai enjambé la barrière, j'avais envie de voir ça de plus près, me mettre juste dessous et lever lentement la tête pour le petit frisson, c'était chouette, c'était un truc inventé pour faire peur, tout en rouge et blanc et le rail filait là-dessus luisant comme une lame de couteau. J'ai jeté un œil dans la cabane où l'on vendait les tickets, j'ai vu les nanas épinglées derrière la caisse, dans des positions à la con, avec leur paquet de poils en plein milieu et un sourire idiot, ça m'a fait penser à un cimetière parce que les photos étaient vieilles et toutes ces filles devaient avoir au moins cinquante ans aujourd'hui et quelque chose devait être vraiment mort et enterré pour elles et tous ces sourires avaient disparu.

Il faisait bon, j'ai pris mon temps pour examiner le bazar, je me suis installé dans un petit wagon à l'avant, je pouvais sentir la trouille incrustée sur le siège et la peinture avait même foutu le camp aux endroits où les gens se cramponnaient, je pouvais les entendre gueuler et hurler à la mort, tourner de l'œil, pisser dans leur froc, tous ces dingues retournés à l'état sauvage. Quand le silence est revenu, je me suis sorti de là-dedans comme une fleur. Je me suis avancé le long de la voie, en suivant le rail jusqu'au système à crémaillère et là le truc montait presque à la verticale mais il y avait toutes les prises possibles, ça semblait pas tellement difficile, c'était plutôt un jeu d'enfant de grimper tout là-haut.

J'y suis arrivé sans problème, ensuite j'ai

repéré tout un réseau de passerelles et je me suis baladé dessus, ça devait servir pour l'entretien, mes pas résonnaient et je faisais vibrer toute cette saloperie à moi tout seul, j'essayais de trouver un rythme rigolo, traînant des semelles ou sautant à pieds joints, ça m'a absorbé un moment. Ensuite, je me suis calmé, je me suis assis avec les jambes dans le vide et j'ai goûté à la vie, j'aime les choses simples, un vent léger avec une rondelle de lassitude, j'étais dans le même état d'esprit qu'un type de l'espace qui a tenté une sortie et qui reste coincé dehors, dans son scaphandre, attendant qu'il arrive quelque chose.

J'avais presque oublié où j'étais quand j'ai entendu gueuler en bas et je me suis aplati sur ma passerelle :

— S'PÈCE D'ENCULÉ ! ! ! DESCENDS, S'PÈCE D'ENCU-LÉ ! ! !

J'ai repéré le tuype qui avait braillé dix mètres au-dessous, une espèce de baraque en slip avec des bras énormes, il faisait des grands gestes dans ma direction.

— PUTAIN, SI JE MONTE, T'ES UN HOMME MORT ! il a fait.

Je me suis relevé, j'ai agité les bras, j'ai pensé qu'il valait mieux agiter les bras, je les tenais presque en l'air.

— Ça va, j'ai dit, du calme. Je faisais rien de mal. Je descends.

Mais le type avait l'air vraiment furieux, il s'est mis à cogner sur les barres de traverse avec un morceau de bois, je sentais les vibrations sous mes pieds, DANG DANGGG CLONGG et je me suis mis à descendre en vitesse avant qu'il ameute les autres.

Je me suis arrêté juste au-dessus de lui, peut-être à trois ou quatre mètres et quand j'ai vu sa gueule, j'ai compris que j'avais eu une riche idée de grimper là-dessus, j'ai eu un hoquet.

— Arrive, s'pèce d'enculé, il a grogné.

J'ai vu que c'était une sorte de manche qu'il tenait entre les mains et ses yeux brillaient comme des pastilles d'uranium, alors je les ai vraiment eues à zéro, j'ai cherché à gagner du temps.

— Hé, vous énervez pas, j'ai dit, je faisais rien de mal. Je vais foutre le camp en vitesse, je vous le jure. Je suis un écrivain, je peux rien faire de mal.

Mais le type a poussé une sorte de cri effroyable et il a jeté le manche sur moi, j'avais vraiment affaire à un dingue et je dois la vie à une petite barre transversale qui a dévié la trajectoire de l'engin, SBBAAANNGGGGG... j'ai fermé les yeux une fraction de seconde, j'ai entendu le truc rebondir sur le côté.

Je me suis mis à cavaler entre les barres de ferraille, je me cramponnais nerveusement, je voulais pas regarder sous moi mais je l'entendais, ce salaud avait pris le temps d'enfiler des godasses, on a presque fait un tour entier comme ça, je me suis retrouvé avec des ampoules dans les mains mais c'est que dalle quand un type en veut à votre peau.

Je me suis arrêté juste à la hauteur de la cabane aux tickets, j'étais trempé de sueur. J'ai essayé encore une fois :

— Bon Dieu, j'ai fait, je l'ai pas abîmé votre machin, c'était juste pour voir...

Mais il a pas répondu, il a poussé un nouveau grognement et il a commencé à escalader le bidule. J'ai jeté un regard affolé autour de moi et j'ai repéré la seule chance que j'avais, je l'ai vue tout de suite.

C'était pas très haut, enfin je me rendais pas très bien compte, il faisait encore nuit et l'autre s'approchait en soufflant. Je me suis donc décidé pour le toit de la cabane, sans vraiment réfléchir, simplement parce que c'était ce qu'il y avait de plus près.

J'ai sauté. J'ai sauté juste à la dernière seconde, juste au moment où l'autre allait m'attraper une jambe mais c'était une petite cabane de rien du tout avec un toit en plexiglas et je suis passé directement au travers, le truc s'est crevé avec un bruit épouvantable et je me suis ramassé là-dedans. Je me suis relevé en vitesse, je suis vivant, je me suis dit, je suis vivant. Je me suis jeté sur la porte, c'était pas pour rigoler, toutes les charnières ont sauté en même temps et j'ai continué dans mon élan, j'ai buté sur quelque chose et je suis tombé. Maman, j'ai poussé un cri épouvantable, je pensais qu'il était juste derrière moi et qu'il allait me cogner avec son manche de pioche ou n'importe quoi d'autre, j'ai roulé sur le côté mais je l'ai pas vu, je me suis remis sur mes jambes en grimaçant et j'ai commencé à cavaler, j'ai longé la piste des autos tamponneuses.

Alors seulement je l'ai aperçu, il était de l'autre côté, je voyais surtout son slip blanc et il m'avait repéré lui aussi. Il a coupé au plus court, il a sauté sur la piste avec une souplesse déroutante et il s'est mis à courir vers moi en faisant un boucan de tous les diables, CLANG CLANG CLANG, chacun de ses pas était comme un coup de masse sur une enclume alors j'ai mis le paquet, j'ai foncé comme un enragé et en ligne droite, j'ai sauté par-dessus les barrières, sans me retourner et j'ai continué mon sprint sur la plage.

Merde, c'est pas facile de courir dans le sable, j'ai commencé à étouffer.

Je suis arrivé jusqu'à une baraque en bois à moitié démolie, c'était peut-être un vieux truc de pêcheurs, un truc où ils pendaient leurs filets, j'en sais rien mais maintenant les gens venaient plutôt y chier ou se débarrasser de leurs saloperies et malgré l'air de la mer, malgré la porte et les fenêtres arrachées, il y avait une telle odeur à l'intérieur que j'ai failli renoncer. C'est juste parce que je voulais pas mourir que j'y suis entré.

Je me suis planqué près d'une fenêtre et j'ai jeté un coup d'œil dehors. Le type était encore assez loin mais il arrivait, je vous jure qu'il fallait qu'il soit complètement enragé, ça tournait au comique et je voyais pas comment j'allais pouvoir m'en tirer.

J'allais sortir et me remettre à courir quand j'ai vu ce truc à moitié enterré dans le sable, un morceau de ferraille tordu. Je me suis baissé et j'ai tiré dessus, j'ai pas fait semblant. Je me suis retrouvé avec une espèce de chaîne dans les mains, d'environ un mètre, très lourde, avec des maillons énormes et rongés par la rouille, je me suis senti un peu mieux, pas vraiment bien mais un peu mieux.

J'ai encore fait cent ou deux cents mètres mais j'en pouvais plus, surtout avec le poids de la chaîne. J'ai dévalé une petite dune et je suis resté en bas sans bouger, pour reprendre ma respiration. J'entendais juste les touffes d'herbe frissonner et une mouette s'est mise à tourner au-dessus de moi en hurlant. J'ai aperçu une autre cabane, pas très loin, plus petite que l'autre, ça ressemblait à un abri construit avec des traverses de chemin de fer et des roseaux. Je me suis traîné jusque-là et je l'ai attendu, j'aurais pas été capable de faire un pas de plus.

Je me suis planqué sur le côté en cramponnant la chaîne, je l'avais passée par-dessus mon épaule pour prendre tout mon élan, j'étais comme une bombe livide et je me disais putain, si jamais il arrive jusqu'ici, si jamais il arrive, putain je vais le réduire en miettes, je vais le rayer de la surface du globe. En plus, j'avais trouvé une fameuse place, je pouvais surveiller tout le coin qui m'intéressait sans me faire voir. Je suais et frissonnais en même temps, j'aurais donné je sais pas quoi pour aller me baigner et rentrer tranquillement avec une serviette jetée sur les épaules, faire un peu les choses comme tout le monde, foncer sous la douche en puant l'ambre solaire.

Le type est apparu en haut de la dune, il a hésité un moment avec un croissant de lune épinglé dans les cheveux, il a tourné la tête deux ou trois fois, le nez en avant et ensuite il s'est mis à descendre et il s'est avancé vers la cabane, en plein sur moi.

J'ai arrêté de respirer, j'ai arrêté de penser, j'ai tout arrêté, je suis resté avec les doigts crispés sur la chaîne, dans le noir, avec seulement le souffle des vagues et le grincement des coquillages et j'avais mal partout, mes articulations étaient en train de se souder, j'avais l'impression que j'étais là depuis des siècles sauf que mon cœur allait claquer. Je suis resté comme ça pendant au moins cinq minutes, les yeux écarquillés et la bouche à moitié ouverte.

Qu'est-ce qu'il pouvait bien foutre ? J'étais au bord de la syncope et je tremblais doucement, merde, quel genre de tour il était en train de me jouer, normalement j'aurais déjà dû le descendre depuis un bon moment, qu'est-ce que ça voulait dire, hein, quel truc d'enfoiré il essayait de me faire, hein, NOM DE DIEU !

C'était de la folie de faire ça mais je pouvais plus attendre, j'ai voulu en finir. J'ai risqué un œil en me mordant les lèvres.

J'ai mis trois secondes avant de le voir et j'ai pas compris tout de suite, j'ai pas compris ce qu'il faisait. Puis la réponse a pété dans mon crâne comme une ampoule de flash, bon Dieu mais ce connard était en train de se tirer, je rêvais pas, il remontait tranquillement la dune en s'aidant de ses mains, je voyais danser son sacré cul blanc, merde je rêvais pas du tout, ce cinglé avait bel et bien fait demi-tour !

Je me suis laissé glisser sur les genoux avec les poumons en feu et j'ai maudit cet enculé, j'arrivais pas encore à déplier mes doigts, je l'ai maudit de toutes mes forces.

Je suis resté un petit moment tranquille avec les genoux repliés sous le menton. Ensuite, je me suis débarrassé de la chaîne et je suis remonté vers la route, j'avais les jambes encore un peu molles et les mâchoires douloureuses.

Je voulais plus penser à ça. Maintenant le jour se levait, il faisait doux, c'était la température idéale pour marcher un peu, c'était bon aussi pour les nerfs. Le ciel était rose, ça me plaisait, la mer rose, mes pieds roses et le goudron aussi, c'était facile de marcher dans une ambiance pareille, je me suis essuyé la figure avec mon tee-shirt et les mains, je me suis demandé si le cinglé était retourné se coucher ou s'il donnait à manger aux tigres.

J'ai connu un moment de paix intense sur un peu moins d'un kilomètre, sans voir personne, sans un bruit sauf quelques mouettes qui décollaient de la plage et tournaient en rond, j'attendais que le soleil les dégomme dans un éclair de feu, c'était carrément rouge maintenant. J'ai entendu la bagnole arriver derrière moi et freiner. J'ai pas eu le temps de réfléchir, j'ai entendu Yan qui braillait :

— ET ALORS, QU'EST-CE QUE TU FOUS ? ?

Je me suis arrêté, je me suis tourné vers eux.

– Rien, j'ai dit, je me suis baladé.

– On t'a cherché, il a fait.

Je suis monté à l'arrière, du côté du gros. Je l'ai poussé au milieu, il a grogné et la fille a grogné et j'ai grogné, ces deux-là ils avaient le chic pour vous mettre à cran et j'étais encore un peu tendu. Yan a redémarré, il m'a cherché dans le rétroviseur, il avait l'air fatigué.

– C'est du bon, il a dit, on a bien fait d'attendre.

Je lui ai pas répondu, j'ai fermé les yeux.

On a débarqué chez Yan vers six heures du matin. Les rideaux étaient tirés, ils dormaient presque tous, allongés sur les coussins ou dans les fauteuils et les survivants s'étaient réfugiés dans la cuisine pour faire sauter des crêpes.

J'ai foncé jusqu'à la salle de bains et je me suis fait couler de l'eau sur la tête, tout doucement et j'en ai bu et ensuite je suis allé pisser, je les entendais rire en bas. Plaisanter après une nuit blanche ça fait partie des bons moments et bâiller dans le soleil et s'envoyer des crêpes dans le petit matin avant de gicler en pleine lumière, sans penser que tout est perdu d'avance et sans nourrir d'espoirs insensés, simplement marcher au milieu du trottoir et relever la tête, grimper dans sa bagnole et attendre cinq minutes avant de démarrer, surtout si vous êtes garé sous un mimosa en fleur ou en face d'un arrêt d'autobus avec une fille qui croise ses jambes en riant.

J'ai décidé de me raser, j'aime bien faire ça chez les autres, pour essayer les nouveaux produits et toucher à tout, je trouve ça moins chiant. J'avais empoigné la bombe de mousse et j'étais en train de l'agiter comme ils disaient quand elle est entrée. C'était toujours la même, la Reine des Œufs, je me suis demandé si elle me poursuivait ou si le hasard existait vraiment. Mais le hasard existe pas, elle était donc venue là pour me faire chier. J'ai attendu qu'elle démarre.

– Je vais prendre une douche, elle a dit.

– Froide ? j'ai demandé.

Elle a haussé les épaules et je lui ai souri, mais je pensais pas du tout à elle, je venais juste de faire gicler une boule de mousse dans ma main et c'était d'une douceur incroyable, c'était plutôt un sourire à la saveur du monde, à ces instants de pureté qui vous font frissonner le temps d'un éclair. Elle est restée plantée à côté de moi, je crois qu'elle réfléchissait à la suite et je voulais pas la déranger, je me sentais bien, Yan ce salaud il a la salle de bains de mes rêves, je pourrais m'enfermer quinze jours là-dedans avec la dernière cassette de L. Cohen et quelques bouteilles, je suis prêt à essayer, une des fenêtres est tournée vers le soleil levant, oui, tout vient de là, je le sais.

Ensuite, elle a pris une bonne résolution, elle a viré son froc et son tee-shirt, sans me regarder et elle a tiré sur son slip, mais sans la moindre élégance, c'est dommage, j'ai pensé, c'est dommage quand une fille vous met pas l'eau à la bouche, c'est dommage quand elle oublie sa force. J'ai juste jeté un œil sur ses poils mais elle serrait les cuisses, de toute manière, j'y croyais pas, je cherchais pas à me compliquer la vie par plaisir, je me suis étalé la mousse sur les joues pendant qu'elle enjambait la baignoire et elle a fait couler l'eau à fond la gomme comme si elle avait fait sauter un barrage.

Je me suis rasé tranquillement, sans qu'on se dise un seul mot, elle paraissait détendue dans son bain, les yeux à peine ouverts, je la regardais de temps en temps mais c'était juste un corps plongé dans l'eau, c'était pas dingue, sauf si elle avait joué avec ses nichons ou si elle s'était enfilé un doigt mais elle restait simplement sans bouger, à faire la planche au premier étage d'une baraque.

J'ai cru qu'on allait en rester là, je me suis rincé la bouche avec un truc tout nouveau à la cannelle, ça venait tout droit des Îles, ces salauds connaissaient des tas de secrets pour conserver la beauté et la santé du corps, l'huile de machin, les parfums, les racines, ces trucs faisaient fureur dans les dix pays les plus riches du monde, on s'en collait partout. Le truc à la cannelle était pas mauvais du tout.

— Bon, elle a fait, mais il faut que tu saches que ça me fait chier encore plus que toi.

Je me suis tourné vers elle, j'avais pas très bien compris ce qu'elle avait voulu dire, je m'étais pas attendu à ce qu'elle ouvre la bouche non plus, mais je lui ai fait face. Ma position était meilleure que la sienne.

— Ça dépend, j'ai dit.

Elle s'est redressée lentement, elle s'est retrouvée assise dans l'eau avec les genoux sous le menton et alors elle m'a dévisagé carrément pendant une bonne minute, bon ça encore je pouvais le supporter, j'en avais rien à foutre, je lui ai laissé continuer son petit numéro.

— Ouais, ça me plaît pas trop, je te sens pas tellement, elle a ajouté.

— C'est rare que j'accroche avec les gens, j'ai dit. Je le fais pas exprès.

Puis son visage s'est mis à changer, une espèce de ride lui a traversé le front et les coins de sa bouche sont tombés légèrement, c'est la même chose quand on voit un orage arriver sur un champ de parasols, ça tourne vite au cauchemar.

— N'empêche qu'il va falloir qu'on le fasse

ensemble, il faut qu'on soit tous les deux, elle a dit.

J'ai senti qu'elle rigolait pas, j'ai su qu'elle allait me sortir un truc incroyable, ça faisait aucun doute, j'ai rentré imperceptiblement ma tête dans mes épaules.

— J'ai des nouvelles de Nina, elle a dit. Elles sont pas très bonnes...

Ma paupière droite s'est mise à trembler, je l'ai frottée mais impossible d'arrêter ça, je sentais une douce odeur de crêpes qui glissait dans le couloir et ce que j'aurais dû faire, c'était de claquer la porte et de descendre en avaler quelques-unes et boire et déconner avec les autres mais je suis resté planté avec cette fille dans un monde de douleur, j'ai pas vraiment choisi et puis j'ai toujours été long à réagir, mon attitude m'a pas étonné.

— Hé, ça t'intéresse... ? elle a demandé.

Je me suis approché d'elle, je me suis appuyé sur le bord de la baignoire.

— Vas-y, j'ai dit. Je t'écoute.

— Bon, mais c'est pas une raison pour te rincer l'œil. Recule-toi un peu...

— Merde, d'accord, j'ai dit, mais accouche. Je vais pas essayer de te baiser si c'est ce que tu penses. Alors arrête de me faire chier avec ça.

— Les mecs, il faut toujours qu'ils essayent à un moment ou à un autre, elle a dit.

À ce moment-là, un type a voulu entrer mais je l'ai foutu dehors, c'est complet ! je lui ai dit et quand je me suis retourné ma copine était sortie du bain et s'essuyait dans une serviette rouge. Je me suis assis dans un coin et je me suis rappelé qu'elle s'appelait Sylvie.

— Écoute, Sylvie... Essaye de m'expliquer un peu ce qui se passe. Fais pas attention si je te regarde, je te vois pas vraiment, je t'écoute Sylvie.

98

Ses fesses c'était zéro mais elle avait des hanches très rondes, en fait elle aurait été pas mal avec une âme un peu plus douce. Elle s'est frictionnée méthodiquement puis elle a enfilé son slip, non décidément elle savait pas faire ça, c'était vraiment très mauvais.

— Bon, elle a enchaîné, je sais où elle est et je connais le type qui est avec elle. Qu'est-ce que tu dis de ça ?

— Tu en connais un bon bout.

— Ouais, comme tu dis. Ils se sont rencontrés chez moi, je me sens un peu responsable.

— Bien sûr, j'ai dit, mais dis-moi, Sylvie... qu'est-ce que tu cherches ?

— Hein... ? elle a fait.

— Ouais, je t'ai demandé ce que tu cherchais. Pourquoi tu viens me raconter tout ça ?

J'ai essayé de garder mon calme en disant ça mais c'était pas facile, j'étais en train de penser à Nina, j'étais en train de penser qu'elle m'avait laissé sa fille sur les bras pour pouvoir s'envoyer tranquillement en l'air avec un mec, ça c'était vraiment balèze, ça c'est parce qu'il m'arrive parfois de croire les gens, de prêter un peu d'attention à toutes leurs conneries, fallait pas que je vienne me plaindre.

La fille faisait durer le plaisir mais j'avais pas envie de jouer aux devinettes, je lui ai envoyé ma tête des mauvais jours avec un œil légèrement fermé. Elle a compris, elle s'est habillée en vitesse. Je me suis levé, je l'ai attrapée par son tee-shirt avant qu'elle ait fini de l'enfiler, elle avait encore un bras dehors, en fait j'ai jamais frappé une femme mais j'en ai cramponné quelques-unes, je sais comment m'y prendre, il faut y aller franchement, il faut leur foutre un peu la trouille sinon c'est pas la peine d'essayer, vous vous en sortirez mal. J'ai mis la bonne dose, je l'ai tirée à vingt centimètres de mon nez, elle avait de beaux yeux mais je m'en foutais de ses yeux, elle a poussé un petit cri, ça m'a excité.

– Bordel, j'ai dit, me fais pas attendre plus longtemps. En plus je suis fatigué.

Bon, elle savait aussi bien que moi que ses yeux lançaient pas des couteaux, elle en a pas trop fait, dans l'ensemble je trouvais ça plutôt positif. J'avais déjà eu affaire à des espèces de cinglées, quand la fille a l'air de vous exploser dans les doigts et que vous pensez à vos yeux et j'ai connu aussi des filles qui avaient une force inimaginable et d'autres qui connaissaient des prises mortelles, oui des sacrés numéros, des filles que rien peut arrêter. Heureusement, Sylvie était pas une de celles-là. Je l'ai lâchée, je suis sûr qu'elle avait compris, j'avais fait ce qu'il fallait pour ça, son tee-shirt ressemblait plus à rien.

– Ce qui m'ennuie, elle a dit, c'est que je connais le type qui est avec elle. C'est un truc personnel. Mais je peux t'aider à retrouver Nina.

– Je sais pas si j'en ai vraiment envie, j'ai dit.

– Écoute, elle a fait, il s'agit pas de ça. Mais lui je le connais il est un peu spécial... tu vois ?

Elle avait dit ça en baissant les yeux et avec une voix bizarre. Bien sûr, vers six heures du matin les choses ont toujours un petit air étrange et je comprenais pas très bien ce qu'elle avait voulu dire.

– Qu'est-ce que ça veut dire, il est spécial... ?

– Rien, elle a fait. Mais il faut aller chercher Nina.

– Ah putain, mais qu'est-ce que tu chantes... ? T'es une pauvre conne, où tu veux en venir ?

– Écoute, je te le répéterai pas. Il faut y aller en vitesse.

J'ai fait un pas vers elle, j'avais une envie

folle de cogner dessus, je suis bien d'accord qu'il faut un commencement à tout mais à ce moment-là, je suis devenu quelqu'un d'intelligent, j'ai fait demi-tour et je me suis tiré, j'ai claqué la porte sur cette histoire de merde.

Seulement elle m'a rattrapé dans l'escalier. Je l'ai envoyée dinguer, j'ai dégringolé les dernières marches et je suis sorti dehors, la rue était déjà brûlante, j'ai cligné des yeux, parfois il suffit de deux ou trois pas pour se retrouver au bord du gouffre, j'ai senti sa main se poser sur mon épaule.

Je me suis dégagé sans un mot et je me suis mis à marcher sur le trottoir, j'arrivais plus à penser à rien.

Au bout d'un moment, je suis entré dans un bar. J'ai filé jusqu'au fond et je me suis jeté sur la banquette. Putain, je me suis dit, je suis encore jeune, si je voulais j'aurais pas le moindre problème, je suis tout seul dans la vie, je pourrais essayer de vivre juste avec mon talent et passer des journées à rien foutre, alors pourquoi cette fille je suis pas capable de l'envoyer chier, pour-quoi je me sors pas une bonne fois pour toutes de cette histoire ?

Au bout de cinq minutes, elle est arrivée. Elle s'est assise en face de moi et je lui ai demandé ce qu'elle prenait. Elle a annoncé un bourbon, un double, elle a dit. J'ai pas pu m'empêcher de sourire, je l'ai regardée.

– Ça va, toi, tu tiens le choc, j'ai fait.

Elle a levé les yeux sur moi, elle faisait une gueule d'enterrement.

– Écoute, Sylvie, toute cette histoire me fait chier. Mais ça va pas nous empêcher de prendre un verre tous les deux et on va parler d'autre chose. Tu vois, on a pas fermé l'œil une seconde de toute la nuit et on a vu le jour se lever, je voudrais savoir ce que tu penses de ça, de ce cadeau du jour… ?

— C'est parce que tu as la trouille ? elle a demandé.

— Oui, j'ai dit.

— Mais tu sais même pas de quoi.

— Ça fait rien, j'ai pas besoin de grand-chose. En plus je me sens de bonne humeur d'un seul coup et je vais pas me casser la tête. Je m'entends bien avec Lili, elle me gêne pas du tout, ça fait rien même si je dois la garder un an et Nina c'est une vieille histoire, je suis désolé si elle est pas tombée sur l'homme de ses rêves, je suis d'accord avec elle si elle trouve que c'est dur.

Elle a attendu que le type s'amène avec son bourbon, elle l'a vidé d'un coup en jetant la tête en arrière, c'était un coup parfaitement étudié, très beau à voir, j'ai toujours confiance le matin, je suis d'humeur contemplative et ensuite elle a cramponné mon bras. J'ai cru qu'un aigle venait d'atterrir dessus.

— Ma parole, elle a sifflé, tu le fais exprès… ?

— Tous les coups sont permis, j'ai dit.

— Oh merde, j'ai pas envie que cette histoire tourne mal ! Il faut aller la chercher…

Je me suis dégagé, je me suis appuyé bien droit dans le fond de la banquette, il y avait trop de lumière dans ce truc, je pouvais pas me concentrer. Je me suis massé un peu les mains et je me suis mis à rire.

— Non, mais qu'est-ce que c'est que ce cirque ? j'ai demandé.

— Je sais de quoi je parle, elle a dit.

J'ai levé la tête pour regarder au-dessus d'elle, dans la salle, les trois types silencieux collés au bar, une fille dans un coin qui bâillait et une vieille qui dévorait un croissant. Puis quelqu'un est entré juste à ce moment-là, il a laissé la porte grande ouverte pendant une ou deux secondes et un peu de vie est entré là-dedans, un nuage de poussière invisible, je sais pas quoi, je peux pas expliquer ça, n'empêche que le monde a plus pesé grand-chose et je l'ai plus senti du tout, j'ai croisé mes bras sur la table et je me suis penché vers elle.

– Bon, c'est d'accord, ma vieille. Alors dis-moi ce qu'on va faire au juste.

9

Je suis rentré chez moi, j'ai trouvé un petit mot : « Marc est venu nous chercher. On va se balader et on dînera dehors. Mon salaud, tu vas être tranquille. On t'embrasse. » Je me suis servi un verre en essayant de penser à rien, je me suis laissé tomber en arrière sur le lit. Le téléphone a sonné mais je me suis pas levé, qui que tu sois raccroche, je peux rien pour toi et je me suis versé un deuxième verre, je me suis mis pieds nus, j'aime ça quand la fureur m'envahit, j'aime respirer à bloc et aiguiser ma cervelle comme une lame. Quelle histoire de cinglé elle m'avait racontée, quelle connerie, comment Nina aurait pu aller se foutre avec un type à moitié malade, ça tenait à peine debout. J'ai roulé sur le lit et j'ai allumé la radio, j'ai écouté deux ou trois petites merdouilles, d'un vide si désarmant que j'ai pas vu le temps passer, je me suis calmé aussi.

Vers midi, je me suis traîné jusqu'à la cuisine, bon les deux autres se tuaient pas à faire les courses et j'ai rien trouvé dans le frigo sauf des machins à 0 % et des cartons de lait, je me suis fait sauter un peu de maïs et je suis retourné dans la pièce, le mec à la radio gueulait TOI QUE J'AIME… OHOHOOOO TOI QUE J'AIME JE SERAIS RIEN SANS TOI mais il fallait attendre la fin de la chanson pour comprendre qu'il parlait de sa mère, je me demande quel goût on peut trouver à la vie par moments, j'ai avalé une poignée de pop-corn en soupirant.

Ensuite je me suis mis à mon roman et j'ai buté pendant une heure sur une toute petite phrase, je rigole pas avec le style, je me laisse jamais aller à la facilité, c'est pour ça que je mets un temps fou à écrire un bouquin et ça me crève, ça me rapproche de la mort. C'est dur de me dire que j'aurai peut-être quarante ans quand on me lira dans les écoles et qu'un jeune gars écrira une thèse sur moi et ma haine du point-virgule.

Je me suis laissé avoir par la nuit et la lune est passée par la fenêtre, dans le petit carreau du haut, il était neuf heures et elle avait dit il faudra partir vers dix heures, je viendrai te chercher, faut compter une heure pour y aller, je connais le chemin et donc il y avait rien qui pressait, je pouvais prendre mon temps. Je suis resté un peu plus longtemps que prévu dans le bain, j'en suis sorti avec la peau des doigts toute fripée et blanche, comme si un vampire m'avait fait un baisemain, de toute manière on est jamais vraiment vivant à cent pour cent, je me suis pas inquiété.

Je me suis réinstallé devant ma machine et j'ai tapé comme un dératé pendant une bonne demi-heure, ça se passait bien, je tapais aussi vite qu'une dactylo, le cul raide et une cigarette aux lèvres, je pleurais mais je pensais pas à enlever cette saloperie de mes yeux, j'ai regretté quand je l'ai entendue frapper à la porte, je regrette toujours quand j'écris et qu'on vient m'emmerder mais je dis rien, je souris. Je suis allé ouvrir.

– Ça va…? Tu as trouvé facilement? j'ai demandé.

– Bon, on va y aller, elle a dit.

– Hé, tu veux boire quelque chose?

– Je voudrais qu'on soit déjà revenu, elle a fait.

Elle était nerveuse, elle évitait de me regarder. J'ai empoigné deux canettes pour le voyage, deux bonnes et j'ai fermé derrière elle.

Elle avait pris une bonne avance sur le trottoir, cette fille dans la nuit bleue, avec les poings enfoncés dans les poches de son blouson, j'ai pris mon temps pour regarder, la rue était déserte, parfois elles ont le chic pour traverser la pureté, pour marquer tout ce qui les entoure. Elle s'est arrêtée, elle s'est tournée vers moi :

– Bon, alors arrive, elle a dit. On va prendre la mienne, je vais conduire.

– D'accord, j'ai répondu. D'accord, ça me dérange pas, c'est toi qui connais le chemin.

Elle a démarré pleins phares, le break a fait un bond en avant et on est sorti de la ville en roulant juste au milieu de la chaussée, j'ai rien dit et quand une bagnole s'est amenée en sens inverse elle s'est rabattue en grognant et ensuite elle a repris sa place bien au milieu, j'ai rien dit parce que ça aurait servi à rien, je me suis ouvert une bière, en fait j'aime bien croire au destin.

Sur la route, elle a ouvert sa vitre et elle a conduit avec un coude dehors, le vent a sifflé dans la bagnole mais on s'y est vite habitué, je venais juste de repérer la Grande Ourse dans un coin du pare-brise quand elle a attrapé la deuxième canette. J'ai compris que j'avais fait un mauvais calcul, ce qu'il y a de chiant dans la vie c'est qu'il faudrait penser à tout et ce truc elle l'a vidé d'un trait et j'en ai fait autant avec la mienne, bon comme ça on en parle plus je me suis dit et hop, j'ai balancé le verre perdu sur le siège arrière.

Au bout d'un moment, elle m'a jeté un coup d'œil, sans ralentir l'allure, je crois plutôt que l'aiguille est passée dans les rouges, je regarde toujours la route dans ces moments-là, je peux pas faire autrement.

— Il faut que je te dise une chose, elle a fait. Tu te demandes peut-être pourquoi j'ai pas appelé les flics, hein ?

— Non, ça je me le demande pas. C'est très bien comme ça.

— Je te l'ai pas dit, mais c'est presque mon frère, on a été élevés ensemble. Il a pas toujours été comme ça. Écoute, tout se passera bien si on fait comme on a dit.

— Ouais, ça me paraît raisonnable. C'est un bon plan.

— On sera tranquille. C'est des petites baraques isolées.

— Je prendrai aucun risque, j'ai dit.

— Quand j'étais petite, il laissait tomber ses copines pour jouer avec moi, il s'occupait toujours de moi.

— C'est normal, un type peut pas être mauvais d'un bout à l'autre.

Elle roulait à une vitesse folle mais je sentais qu'elle tenait la voiture bien en main, elle avait l'habitude, le vent claquait dans nos oreilles et on était sonné pour de bon, en partie aussi à cause de cette bière qu'on avait avalée, de la *Mort Subite*. On a traversé un coin désertique, un coin étrange avec la lune vissée sur le crâne, je lui ai glissé une cigarette entre les lèvres, c'est ce qu'elle voulait, Sylvie, bon Dieu c'est

Sylvie son nom, j'arriverai jamais à m'en rappeler :

— Sylvie, j'ai dit, on a pas de souci à se faire, Sylvie. Pourquoi les choses iraient toujours aussi mal qu'on imagine ? On déconne complètement.

Elle a lâché un petit rire nerveux.

— J'en sais rien, mais c'est souvent comme ça. C'est un monde plutôt difficile, non ?

Je me suis écrasé. On est resté silencieux un bon moment, avec le capot avant qui fendait la nuit et des petits paquets de brume qui glissaient sur les vitres, j'aurais donné cher pour avoir quelque chose à boire, j'essaie toujours que ce soit le mieux possible pour moi. Le seul machin qu'on a traversé, c'était juste quelques baraques et un peu de lumière mais j'ai eu l'impression que tout le monde dormait ou les Martiens les avaient tous embarqués ou je ne sais quoi et ensuite on a replongé dans la nuit, on a laissé les petites lumières derrière, comme si on traînait une gerbe d'étincelles.

Le machin est apparu sur la droite, un tas de petites maisons collées sur le bord de la route mais relativement espacées les unes des autres, elle a ralenti, on a tourné autour d'un bloc et elle a stoppé. Elle s'est mise à respirer plus vite.

— Tu la vois, elle a fait, tu la vois c'est la deuxième. Les volets sont fermés au premier.

J'ai fait oui de la tête. En regardant la baraque, j'ai compris qu'elle m'avait pas charrié, j'ai su que Nina était à l'intérieur mais je sentais rien d'autre, je sentais pas si elle avait besoin de moi ou pas.

Elle m'a pris par le bras avant d'enchaîner :

— Et la cabine, elle est juste au bout à droite. D'accord ? Alors, j'y vais et dès que tu le verras sortir, tu y vas. À fond la gomme. Hein, alors j'y vais.

Pendant qu'elle sortait de la voiture, j'ai enjambé la banquette et je me suis planqué derrière, j'ai plus lâché cette foutue porte d'entrée des yeux.

Les minutes passaient mais je savais qu'il faudrait un petit bout de temps à Sylvie pour lui déballer son histoire, pour le forcer à sortir et encore ça c'était pas joué, je sais de quoi je parle, ça m'étonnerait qu'un coup de téléphone me fasse sortir de chez moi un soir où j'en ai pas envie, quand c'est trop chiant je raccroche et j'éteins toutes les lumières. J'ai compté, ça m'est venu comme ça, sans vraiment réfléchir et je suis resté bloqué à cinq cents à cause d'une douleur dans la jambe, une crampe abominable qui m'a fait rouler dans le fond du break en gémissant et juste à ce moment-là, j'ai vu le type sortir, j'ai cramponné ma cuisse et je me suis redressé pour le voir mieux que ça, pour bien voir sa gueule d'enfoiré.

C'était un jeune mec, le style à faire des pubs pour du chewing-gum ou de la pâte dentifrice, il avait l'air décontracté dans sa petite chemise d'étudiant et il avait un visage assez doux. Une fille pouvait sûrement le trouver assez beau garçon, les blonds taillés comme des lianes et bronzés à mort ça marchait toujours.

J'ai attendu qu'il s'éloigne un peu, je souffrais le martyre mais j'ai quand même réussi à ouvrir le coffre et je me suis laissé glisser par terre avec la jambe toujours raide. Sans rire, j'ai transpiré de douleur en cavalant jusqu'à la porte. Elle était fermée. Je me suis avancé sur la véranda jusqu'à la première fenêtre et j'ai attrapé une chaise longue qui traînait dans un coin, je l'ai lancée de toutes mes forces à travers les carreaux. Quel bruit infernal j'ai fait, quel putain de bruit, j'ai eu l'impression de faire sauter une montagne mais le silence est revenu très vite, une folle s'est mise à gueuler du haut de sa fenêtre avec une crème blanche sur le visage et les cheveux tirés derrière les oreilles.

J'ai écarté le rideau et je suis entré. J'avais ce harpon planté dans la jambe j'ai dû m'appuyer un moment sur le mur avec des traînées de feu dans le cerveau, la baraque était silencieuse, c'était aussi une baraque puante, j'ai repéré une peau de banane sur la moquette et un cendrier débordait dans un rayon de lune. J'ai pris mon élan et j'ai boité jusqu'à la cuisine, bon sang ils avaient réussi à empiler tout un tas de vaisselle sur l'évier et les poubelles s'entassaient jusqu'au ras de la fenêtre, quelle pitié d'en arriver là, je me suis dit, quelle pitié, je sais ce que c'est quand on se laisse aller pendant un moment car il faut quand même bouffer et chier, oui et tous ces machins s'empilent autour de vous, ah ce que je peux haïr ces sacs remplis d'ordures, ce plastique bleu dégueulasse.

Bon, j'étais pas là pour rêver, ma jambe me faisait moins mal mais elle était toujours raide, j'ai traversé la pièce dans l'obscurité et je m'en suis pas mal tiré, j'ai juste buté dans le téléphone qui traînait par terre. Il s'est renversé et j'ai eu la tonalité. Sur le moment je me suis demandé ce qu'elle avait bien pu lui raconter mais j'ai pas cherché longtemps, ça m'était complètement égal. Je me suis baissé en grimaçant et j'ai raccroché, oui, on avait un plan d'acier, Sylvie devait appeler si elle arrivait pas à le retenir, à la moindre sonnerie je devais prendre mes jambes à mon cou.

Je me suis avancé vers l'escalier. Je me suis accroché à la rampe et j'ai respiré un bon coup. Ensuite j'ai levé la tête vers l'étage mais il se passait toujours rien. J'ai appelé Nina tout doucement et puis un peu plus fort, je crois que c'est quand j'ai prononcé son nom tout haut que j'ai commencé à me sentir vraiment mal à l'aise, à transpirer un peu plus, comme si un orage avait plongé dans le ciel sans prévenir.

Je me suis pendu à la rampe pour grimper, sans aucune classe, simplement plié en deux et grimaçant, ça sera comme ça dans vingt ans, je me suis dit, le corps qui sombre alors que l'esprit file vers la lumière, peut-être qu'elle avait raison cette fille de cinquante-sept ans, si un jour je deviens riche et célèbre, j'essaierai de tenir le plus longtemps possible.

Il y avait quatre portes et je les ai ouvertes une par une, quatre trous noirs et silencieux. Nina m'a pas sauté au cou, elle a pas éclaté en larmes dans mes bras, je suis resté suspendu à la dernière poignée de porte, je distinguais vaguement les choses dans la pénombre et je suis pas le type qui trouve les interrupteurs du premier coup dans une baraque inconnue, mon cerveau s'étend pas dans tous les sens. Et alors, j'ai pensé, qu'est-ce que je vais faire maintenant, qu'est-ce qu'il y a de prévu au programme, alors où est-ce qu'elle est, où est-ce que ça a déconné ?

Il y avait une espèce d'odeur incroyable aussi, un mélange de sueur rance et quelque chose de plus fort, quelque chose comme de la merde il m'a semblé, avec du parfum moitié-moitié et rien que ça vous empoignait le cœur et vous aurait mis à genoux.

Je suis redescendu doucement, complètement barbouillé, je venais encore de vivre une histoire idiote, une histoire foireuse de plus, ça ressemblait bien à ce que je connaissais, peut-être que Nina s'était trouvée dans cette baraque mais maintenant elle y était plus, maintenant que moi j'arrivais elle était plus là, une fois dans ma vie, une seule fois je voudrais être le type qui arrive au bon moment, je veux connaître ça, vraiment.

J'ai refait le chemin en sens inverse, j'ai juste arraché ma chemise en passant au milieu des éclats de verre, c'était le bouquet, comme ça c'était parfait.

Le plus fort de l'histoire, c'est que Nina se trouvait bien dans une de ces chambres, comme elle me l'a expliqué plus tard, elle se tenait dans un coin et j'avais pas été foutu de la voir. Si j'écrivais pas si bien, je crois que je serais pas bon à grand-chose, je me demande si tous les Grands sont comme moi.

Je suis monté dans la voiture, je me suis installé derrière le volant et je suis resté comme ça sans bouger. Je sais plus à quoi j'ai pensé mais au bout d'un moment j'ai vu ce connard arriver, il se ramenait les mains dans les poches avec un sourire jusqu'aux oreilles, sous le ciel étoilé, il se pressait pas. C'est à cause de cette façon qu'il avait de sourire à la vie, justement cette nuit-là et aussi parce que c'était ma chemise préférée, une verte avec un soleil couchant dans le dos et en plus ce type était pas un géant, je devais même peser un peu plus lourd que lui, enfin toujours est-il que quand il a glissé sa clé dans la porte, j'avais déjà bondi de la voiture et je me payais un sprint sur la pelouse du jardin d'à côté. Je suis arrivé dans son dos juste au moment où la porte s'ouvrait, je lui ai carrément sauté dessus, je me suis accroché à lui et avec l'élan on a traversé la moitié du hall comme si on avait été soufflés par une bombe. On a roulé jusqu'au pied de l'escalier. Sa tête a cogné une marche et alors il s'est mis vraiment à brailler, à couiner d'une petite voix ridicule et je me suis relevé pour lui casser une chaise sur le crâne, j'ai tourné la tête et alors je l'ai vue, elle, j'ai

plus rien compris du tout mais je l'ai vue, tout
là-haut, cramponnée à la rampe et presque à
poil, enroulée dans un drap.

J'ai levé un bras vers elle sans pouvoir sortir
un seul mot et je me suis tourné vers le type
en même temps. Il s'est relevé en reculant vers
la sortie.

– Putain mais t'es cinglé ! ! il a fait.

Il se tenait la tête et me lançait un regard
fou. Puis d'un seul coup il a fait demi-tour et il
a foncé vers la porte. C'était un bon baiseur et
un coureur rapide.

J'ai baissé la tête pour respirer un bon coup
et je me suis assis sur une marche. Je pensais
qu'elle allait descendre, qu'elle viendrait m'embrasser dans le cou et qu'on allait foutre le camp
mais au lieu de ça elle a essayé de se fourrer
le drap tout entier dans la bouche.

Le temps que je me décide à bouger, j'ai
entendu la porte d'une chambre qui claquait et
Nina avait disparu. J'ai grimpé les marches
quatre à quatre, il y avait une seule porte de
fermée, c'était ces machins de trois millimètres
avec du carton à l'intérieur. J'ai visé le milieu
et j'ai passé mon pied au travers, ça a fait
SCRRAAAAAATCHHH. J'ai eu du mal à dégager
ma jambe mais ensuite j'ai pu passer la main et
actionner la serrure, j'ai pu entrer.

Il y avait un tout petit peu de lumière dans
la pièce, ça venait de la rue, de l'éclairage public,
j'ai contourné le lit et je me suis penché vers
elle, la première chose que j'ai touchée c'est ses
cheveux, je lui ai remonté doucement une mèche
derrière l'oreille.

– Hé, j'ai dit, je crois qu'il faut pas rester ici.
Je crois qu'on ferait mieux de se tirer en vitesse.

Mais elle est restée sans bouger dans son coin,
avec le drap en travers et le dos complètement

nu, les cheveux dans la figure et je me suis mordu un peu les lèvres pour réfléchir, juste une seconde parce qu'au même moment j'ai repéré la bouteille au pied du lit. Bon, j'en ai bu une gorgée pour voir, c'était bien ce qu'il y avait de marqué sur l'étiquette et je voulais me changer les idées, oublier l'odeur qui régnait dans la pièce, je trouve qu'une gorgée c'était le minimum, et les éraflures qu'elle avait sur les bras, dans la lumière ambiante je pouvais prendre les petites gouttes de sang pour des billes de mercure. J'ai failli lui demander si ça lui avait plu de se retrouver attachée au pied d'un lit et de se faire griffer et tartiner de merde du matin au soir. Mais j'ai gardé ça pour moi et je l'ai rangé dans ma boîte à ulcères.

Je me suis levé, je l'ai soulevée par un bras et le drap a dégringolé. C'était bien ce qui m'avait semblé, elle avait même pas un slip ni rien. Je suppose que c'est normal si à ce moment-là j'ai pensé à sa fente et à ses lèvres, oui j'ai eu sacrément envie de la baiser, c'est une pensée qui m'a traversé comme un éclair de feu. Je suis resté groggy une minute et ensuite je l'ai assise sur le lit. J'ai réussi à mettre la main sur un tee-shirt qui traînait par terre, incroyable, bon Dieu toutes ces assiettes de carton semées sur la moquette c'était incroyable, avec des machins collés et séchés et écrasés et des pelures d'orange et des mégots de cinq centimètres plantés dans les pots de yaourt, sinon c'était une chambre normale, c'était même d'un goût mortel comme les trucs qu'on voit dans les catalogues, comme les choses qui se font couramment.

Elle s'est laissé faire pendant que je lui enfilais son tee-shirt, mais sans un seul geste pour m'aider et elle gardait plutôt les yeux dans le vague, enfin je préférais ça à une crise de nerfs ou qu'elle me dise et alors toi, de quoi tu te mêles, on t'a pas sonné, sors avant que je t'arrache les yeux.

J'ai pas perdu mon temps à chercher ses affaires, j'ai simplement enroulé le drap autour de ses hanches et je l'ai embarquée, j'ai traversé la baraque en sens inverse, dans l'obscurité et elle se laissait presque porter dans ces escaliers de malheur, elle gémissait doucement mais je faisais pas attention à ça, j'essayais de pas me casser la gueule avec elle et j'avalais des boules de feu parce que la nuit était chaude et que je manquais un peu d'air.

Elle est carrément tombée à genoux dans le salon, elle s'est pliée en deux. Je l'ai relevée, c'est pas facile de relever une fille qui dit pas un mot et qui abandonne, j'ai dû la prendre dans mes bras et j'ai refermé le drap sur ses jambes pour l'empêcher de traîner par terre, je voulais mettre toutes les chances de mon côté.

J'ai soigneusement évité les éclats de verre en traversant la fenêtre et en posant un pied sur la véranda, j'ai senti un peu d'air frais me glisser sur le visage et ça m'a redonné confiance, j'ai eu l'impression qu'on s'en était plutôt bien tirés tous les deux et en fait elle pesait pas si lourd que ça, il fallait pas exagérer. Je me suis accordé une petite seconde d'arrêt pour envoyer un sourire aux étoiles. Il y a une chose importante dans la vie, il faut savoir remercier le ciel de temps en temps, si on veut pouvoir continuer.

La bagnole était garée à une centaine de mètres, c'était pas le bout du monde. J'ai avancé sur le trottoir, avec cette belle fille dans les bras et il faisait bon, il faisait vraiment bon cette nuit-là et naturellement j'étais loin de m'attendre à ça, il y a eu l'effet de surprise. Je l'ai simplement vu bondir sur le côté, juste entre deux bagnoles et je sais pas avec quoi il m'a frappé, le truc a pas brillé comme un éclair mais j'ai eu l'impression d'être brisé en deux, les petites lumières du coin ont dansé, je suis tombé à genoux mais j'avais toute ma lucidité, je me suis dit il va te finir, tu peux même pas bouger, son premier coup t'a complètement paralysé et maintenant il va faire couler ton sang sur le trottoir, les journaux sont remplis de ce genre d'histoires, on en voit tous les jours. Un deuxième coup m'a dérapé sur le crâne et je suis parti en avant, je me suis étalé, je me suis ouvert le front sur le rebord en ciment.

Nina a poussé un cri en me voyant. À travers un rideau de sang, ou presque, j'ai vu l'autre qui hésitait avec une drôle de grimace et juste à ce moment-là une voiture a tourné au coin et ce salaud s'est tiré en courant. Je me suis pas relevé tout de suite, j'ai goûté pendant un instant la tiédeur du goudron dans mon dos, j'étais encore sonné mais vivant, je suis content j'ai pensé, je suis content, je vais pouvoir finir mon roman. J'ai entendu Nina qui discutait avec quelqu'un, elle avait sûrement arrêté la voiture qui remontait la rue. Une porte a claqué et ensuite un type s'est penché vers moi, le genre indéfinissable avec les épaules molles et un vague pli au pantalon. Je lui ai souri, j'ai tendu une main blanche vers lui pour essayer de me relever mais il s'est écarté rapidement.

— Ben, vous êtes drôlement arrangé... il a bredouillé.

— Ça va aller, j'ai dit. Je veux me relever.

— Ben dites donc, qu'est-ce qui vous est arrivé ?

— J'ai été agressé. Je serais mieux debout, j'ai insisté.

— Hé, mais vous êtes blessé ! il a fait.

J'ai vu le genre, un de ces fonctionnaires à deux doigts de la retraite avec des coussins neufs dans sa bagnole et des patins dans sa baraque de cinglé.

— Bordel, papa, j'ai dit, me laisse pas par terre. Je suis un être humain. Je veux simplement me relever, ça ira.

Mais je suis resté avec ma main blanche tendue vers son visage, je me souviens plus combien de temps je suis resté comme ça et j'ai même essayé de lui envoyer un sourire, je suis un ange blessé qui essaie de remonter au ciel, me laisse pas mourir dans ce désert, j'ai pensé, pas dans cette banlieue maudite.

Le type a reculé doucement en secouant la tête. Je me suis redressé un peu, sur un coude.

— NON-ASSISTANCE À PERSONNE EN DANGER !! j'ai gueulé.

Il a bousculé Nina qui se tenait devant sa portière, il a grimpé vite fait dans son engin.

— RELÈVE LE NUMÉRO DE CET ENFOIRÉ, j'ai hurlé. RAPPELLE-TOI CHAQUE DÉTAIL !!!

J'ai entendu la bagnole démarrer et le silence est revenu aussitôt après. Ensuite, je me suis étonné, je me suis mis debout sans aucune difficulté, sans douleur particulière, juste un peu la tête, j'ai repéré Nina plantée au milieu de la chaussée, immobile, enroulée dans son drap comme un coquillage des mers chaudes, je me suis avancé vers elle.

— Tout va bien, j'ai dit. La bagnole est juste à côté.

Comme elle bougeait pas, je lui ai tourné le dos et je me suis dirigé vers la voiture. Elle a suivi.

— Ça fait mal ? elle a demandé.

— Ça fait tout drôle, j'ai dit.

— Je suis désolée.

116

Je lui ai ouvert la porte et je suis resté cramponné à la poignée, je l'ai prévenue :

– C'est con, j'ai dit, mais je crois que je vais m'évanouir.

Elle m'a attrapé par un bras.

– Oh non, retiens-toi, elle a fait.

– Je me sens partir...

– Ne me laisse pas toute seule.

– Je suis un écrivain, j'ai dit. Je vais tenir le coup.

10

Je me suis réveillé à l'hosto, juste en passant la porte, avec une fille sous chaque bras et je sentais mes jambes qui traînaient presque derrière. Elles m'ont abandonné sur un siège et sont allées discuter avec deux jeunes gars en blouse blanche qui fumaient tranquillement une cigarette au fond du couloir. Les types se sont pas affolés et pour un peu, je me serais bien endormi là, dans le zézaiement des néons, avec mon sang qui perlait sur le lino. Ça a duré un petit moment et ensuite je me suis levé, j'ai ouvert la grande porte et je me suis retrouvé dehors. C'est une drôle de nuit, je me suis dit. Je me suis avancé sur le trottoir en cherchant la bagnole des yeux et je les ai entendues qui arrivaient dans mon dos.

Je suis monté dans la voiture, je me suis installé derrière le volant. Elles se sont arrêtées et m'ont regardé à travers le pare-brise, ensuite elles sont montées. J'avais rien à leur dire, je me sentais dans une phase dépressive, je pensais que ça irait mieux si je pouvais me retrouver chez moi et m'allonger un peu pour oublier toute cette horreur et la poigne du destin.

– Je trouve pas les clés, j'ai dit.

– Ah, ce qu'il est con, a fait Sylvie. C'est le genre à nous faire un truc comme ça.

Cette fille, j'aurais dû la mettre en morceaux la première fois où je l'ai vue, je l'ai même pas regardée, je lui ai rien répondu, j'ai tendu une main pour qu'on me passe ces foutues clés.

– Écoute, a dit Nina, ne fais pas l'imbécile. Tu peux pas rester comme ça.

– Bon, mais je suis fatigué. Ça saigne plus.

Sylvie a lâché un petit rire aigu puis elle s'est penchée par-dessus la banquette avant et elle a empoigné le rétroviseur. Elle a tordu le truc vers moi.

– Regarde-toi, elle a fait. Dans trente secondes, tu en auras plus une seule goutte. On va être tranquille.

– Écoute, ne sois pas bête, a ajouté Nina.

J'ai regardé longuement le ciel noir avec un essuie-glace bloqué en plein milieu, il devait être deux ou trois heures du matin avec tout un tas d'étoiles, rien de très bandant et l'entrée de l'hôpital ressemblait à un tunnel lumineux, bientôt tu auras trente-quatre ans, je me suis dit, et tes chances d'accomplir un acte courageux seront de plus en plus rares, ton corps ne voudra plus rien savoir et puis elles ont raison, tu vas pas en mourir, FAIS-LE.

J'ai ouvert la porte.

– Ce qui me console, j'ai dit, c'est que mon âme soit intacte.

– C'est ça, d'accord, a fait l'autre.

Ils m'ont collé deux points de suture, mais des gros et un pansement autour de la tête, je suis pas resté trop longtemps dans leurs mains et encore les types s'étaient tâtés un moment, ils se demandaient si une petite anesthésie valait

118

le coup et je leur ai donné mon avis là-dessus. Ces deux salauds m'ont fait la piqûre à contre-cœur mais j'ai quand même souffert comme un damné pendant la minute qu'a duré l'opération.

Je suis retourné à la voiture avec les jambes raides. L'air tiède m'a fait du bien. Les deux filles discutaient à l'arrière en tirant sur des cigarettes. Sur le moment, j'ai eu envie de les attraper toutes les deux et de les virer sur le trottoir mais j'étais pas tellement sûr d'en avoir la force et c'était une envie assez confuse, je manquais de sommeil aussi.

Je me suis glissé à l'avant, j'ai vu que les clés étaient sur le contact.

— Attends, a dit Sylvie, je vais conduire.

Je me suis poussé au bout de la banquette pour lui laisser la place. Elle a fait le tour par-dehors et au moment où elle passait à la hauteur du coffre arrière, Nina a posé sa main sur mon épaule :

— Je sais pas si je pourrai t'expliquer, elle a fait.

— Je sais pas si je pourrai comprendre, j'ai dit. J'ai pas envie de penser à ça.

Sylvie a grimpé à côté de moi, elle m'a lancé un regard inhabituel avec une pointe d'intérêt et un soupçon de sympathie.

— Qu'est-ce qu'il t'arrive ? j'ai demandé. Tu te sens touchée par la Grâce ?

Elle a pas répondu tout de suite mais elle a continué à me regarder, d'une façon plus normale et ça m'a été d'autant plus facile pour mettre les choses au point :

— J'oublie pas que c'est TON putain de frangin qui m'a fait ça. Je l'oublierai jamais.

— D'accord, elle a dit. Sauf que t'as vraiment TRAÎNÉ dans la baraque, c'est pour ça que ça a déconné.

Je me suis mis à rire dans la bagnole, les yeux

tournés vers le plafond et puis elle a mis le contact et j'ai continué à rire pendant presque un kilomètre et elles se demandaient pourquoi et je leur ai menti, je leur ai dit une connerie pour les calmer, en réalité je riais pas d'une chose très drôle, je riais de moi, de la manière dont toutes ces filles me possédaient et d'une manière plus générale des innombrables pouvoirs de la femme sur l'homme, même Jésus en avait pas eu autant et cette constatation me fit sourire sur encore au moins trois cent cinquante mètres.

Le break a piqué du nez et s'est engagé sur une longue descente qui filait tout droit jusqu'à la mer, c'était un bon coup pour les radins et les fauchés, le contact coupé sur deux kilomètres en pente douce, je l'avais fait au moins cent fois sur cette route et le silence sifflait comme sur les ailes d'un planeur, oui, sauf quand des connards vous doublaient à 180 et que les hurlements du moteur enragé vous restaient dans l'oreille et ça gâchait à peu près tout, mais pas toujours, parfois ils allaient faire leurs conneries ailleurs et vous laissaient glisser vers les plages avec une sensation d'apesanteur et de plaisir démesuré. L'économie de carburant était dérisoire.

Sylvie a garé la voiture devant chez moi et j'ai pas eu un seul mot à dire, elles sont descendues toutes les deux sans m'attendre mais je l'ai pas regretté. Nina a traversé le jardin dans un rayon de lune, enroulée dans son drap, je sais que le moindre effort est toujours récompensé, d'une manière ou d'une autre, je m'en rendais bien compte en regardant ça, je reconnais qu'elle jouait bien des hanches, je reconnais que ce monde est parfois touché par la beauté.

Lorsque je suis sorti à mon tour, un coup de vent a balayé la rue et j'ai frissonné, j'ai vu qu'il y avait de la lumière chez moi et je me suis souvenu de Cécilia, je me suis souvenu de Lili, ça faisait du monde, plusieurs histoires me sont remontées au cerveau comme des nuages fonçant vers l'orage, tout se compliquait, je me demandais si j'aurais assez de force pour vivre ça, je suis con, j'ai jamais une arme sur moi, je suis con, presque tous les écrivains sont des cons.

J'ai passé la porte, enfilé le couloir et j'ai foncé sans un mot jusqu'à mon fauteuil mais il y avait Marc dedans. Je suis resté une seconde interdit puis je me suis dit réfléchis bien, à part lui il y a QUE DES FILLES dans la maison et tu sais quel genre de filles, ne joue pas les héros, ne te le mets pas à dos même si c'est un connard quelconque, attrape cette foutue main qu'il te tend.

– Salut, Marc, j'ai fait. Oublions tout ce qui nous sépare.

Il a fait un geste avec la main puis s'est levé pour me donner la place, en fait c'était peut-être pas un méchant type, physiquement il était mieux que moi, plus jeune, mais il était sûrement très nul comme écrivain, si on était les deux seuls types sur la terre je raflerais toutes les filles un peu intelligentes, ha ha, merci pour la place, je lui ai dit.

– Hé, on dirait que t'as besoin de repos, il a fait. Qu'est-ce qu'il t'est arrivé ?

– C'est un trottoir. On sort des urgences.

Cécilia est venue voir, elle s'est assise sur un bras du fauteuil et à ce moment-là Lili est sortie de la cuisine, tout le monde se pointait et en deux mots je leur ai raconté qu'on sortait de chez un copain et que je m'étais bêtement tordu la cheville en sautant les marches, tout le monde avait rigolé quand j'avais basculé par-dessus les poubelles et puis plus personne quand je m'étais relevé avec le crâne fendu en deux.

– Je crois que je les ai fait tous flipper, j'ai conclu.

– Et Nina, qu'est-ce qu'elle fait dans cette tenue ? a demandé Cécilia.

– On a épongé des litres de sang avec sa jupe, j'ai dit.

Mais c'était surtout moi qui les intéressais, je faisais un vrai malheur avec mon pansement. Ensuite une boîte de bière est apparue comme par miracle entre mes doigts et je me suis mis à boire par petites gorgées en fermant les yeux à moitié et, petit à petit, j'ai eu la sensation que tout rentrait dans l'ordre et que je pourrais bientôt dormir, je me suis senti presque euphorique. Je suis toujours sensible aux choses qui donnent un sens à la vie.

Nina a disparu dans la salle de bains avec Sylvie sur les talons et Sylvie est sortie toute seule cinq minutes après, mais j'avais décidé de plus m'occuper de rien, c'était fini pour cette nuit. Celui qui sait pas décrocher quand il le faut s'aplatira comme une enclume au fond du gouffre. Marc parlait de choses si futiles et si légères que je me suis mêlé à la conversation. J'ai essayé d'attraper quelques boîtes de bière au passage, je m'en suis pas mal tiré.

– D'ailleurs, a fait Marc, ça fait des années que rien de nouveau a été écrit.

Il m'a regardé par en dessous.

– Bien sûr, je parle pas pour toi, il a rectifié. Mais quand je pense à toutes ces merdes qu'ils sortent et ils ont trouvé le moyen de refuser mon manuscrit...

– Oh, je suis désolé, vieux, je savais pas, j'ai dit.

– Ouais, ces types-là seraient incapables de faire tenir une seule ligne debout et ils m'ont renvoyé mon manuscrit, ah bon Dieu, je trouve ça vraiment incroyable, alors que merde, ils ont rien trouvé de bon à publier depuis dix ans !

— D'accord, j'ai dit, les neuf dixièmes sont à mettre à la poubelle, mais il y a quelques trucs de bons dans ce qui reste. N'exagère pas.

— Bordel, il a dit, alors cite-moi des noms. Trouve-moi seulement un ou deux trucs qui vaillent vraiment le coup.

— Il y a Édouard Limonov, superbe, et cette fille qui a écrit *Une baraque rouge et moche*... Je l'ai lu deux fois. En général, les femmes valent rien en littérature, mais certaines ont atteint les sommets.

Tout en discutant, je me suis saoulé tranquillement, je me suis mis à boire de longues gorgées sans me soucier de quoi que ce soit, je savais qu'à un certain moment je m'écroulerais dans un coin sombre, à demi conscient, attendant d'être achevé par le sommeil, les bras et les jambes paralysés.

— Au fait, a dit Cécilia, tu sais que j'ai jamais eu l'occasion de lire un de tes bouquins... ?

— Ça fait rien, j'ai dit. C'était pas obligatoire. Essaie de lire le prochain.

— Ben moi je les ai lus, a fait Marc. D'ailleurs, je voulais t'en parler...

Merde, nous y voilà, j'ai pensé, il doit croire qu'on est de la même grande famille, il doit croire que je lui dois quelque chose et c'est là qu'il se goure, j'ai pas l'impression de faire partie d'un truc comme ça.

— Non, ça sert à rien d'en parler. Ça m'emmerde, j'ai dit.

Lui aussi devait avoir un peu bu, il se tenait assis en tailleur mais penchait dangereusement en avant. Il a essayé de me transpercer avec ses yeux, il a baissé la tête en se marrant puis m'a regardé à nouveau :

– Et alors, il a fait, ça t'intéresse pas de savoir ce que j'en pense... ?

– Non, j'ai dit. J'ai été comparé à Rimbaud, Bukowski, Céline, Kafka, Faulkner et d'autres, j'en oublie. Je peux plus espérer grand-chose de mon vivant.

– Rimbaud... ? ! il a fait.

– Ouais, je me demande si tu te crois assez balèze pour donner des conseils à Rimbaud...

Il a eu un petit ricanement nerveux et je l'ai laissé avec son problème, je me suis levé pour mettre un peu de musique. J'ai toujours eu de la chance avec les baraques, j'ai jamais connu les proprios chiants ni ce genre de voisin taré avec un fusil ou la mémé qui note vos allers et retours, j'ai toujours pu écouter de la musique et quand je dis écouter de la musique, je veux dire faire trembler un peu les murs et avoir un bon contact avec elle. J'ai choisi un passage de *La Bohème* un peu musclé. Ensuite j'ai foncé jusqu'à la cuisine et je me suis enfermé à clé.

C'était vraiment bon d'être enfin seul et de sentir la clé dans mon poing serré, vraiment agréable, je les avais tous baisés en un clin d'œil. J'ai éteint pour profiter des reflets de lune, pour goûter cet instant étrange, mais ils ont pas tardé à rappliquer.

– Hé, ouvre, qu'est-ce que tu fabriques, là-dedans... ?

– Laissez-moi tranquille.

– Hé, tu t'es ENFERMÉ ! ! Tu déconnes ou quoi... ? ?

– Je suis chez moi, j'ai dit.

– Allez ouvre, merde, t'es enfermé là-dedans ! !

Ils ont continué comme ça pendant un moment mais sans aller jusqu'à fracasser la porte. Je me suis assis sur une chaise, sans penser à rien de précis, sinon combien étions-nous dans ce vaste monde, combien de types barricadés dans leur cuisine et clignant de l'œil aux mouettes, pour un peu je me serais remis à mon roman. On devrait toujours donner le meilleur de soi-même et ne rien laisser perdre.

11

J'ai attendu Nina pendant une bonne heure dans le parking du supermarché, il faisait telle-ment chaud que j'avais baissé toutes les vitres et je passais mon temps à me décoller du dossier en skaï. Je somnolais pratiquement en ce début d'après-midi lumineux, un œil à moitié ouvert derrière des lunettes de soleil et la radio retrans-mettait intégralement un concert des Stranglers, Nina m'avait dit reste si tu veux écouter, reste, je m'en sortirai bien toute seule.

Au bout d'une heure donc, j'ai vu arriver un tas de paquets avec des jambes serrées dans un fuseau jaune citron. Je suis descendu pour l'aider à ranger les machins dans le coffre.

— C'était bien ? elle a demandé.

— Hein... ah oui, j'aime surtout les derniers morceaux.

— Il faut encore qu'on s'arrête pour le linge, elle a dit.

— D'accord, j'ai dit.

— Il faut aussi acheter des cigarettes et puis chez l'Italien, j'en ai pour cinq minutes, je vais prendre un truc au fromage pour ce soir...

Elle a démarré puis elle a allumé une cigarette mentholée.

— Hé, j'espère que t'es en forme, elle a dit.

— Oui, on va les matraquer.

Je l'ai regardée longuement pendant qu'elle conduisait, j'ai pris tout mon temps, elle roulait un peu vite bien sûr mais la circulation était fluide, je me faisais pas trop de souci, après tout c'était sa voiture et puis elle avait un profil radieux, jusque-là on s'en tirait pas mal, on s'en tirait même plutôt bien tous les deux. Je m'étais pas encore remis à mon roman, la seule chose que je faisais c'était de vivre avec elle, le jour et la nuit, on se lâchait pas d'une semelle, je pensais à rien. C'est bon de vivre avec une femme, parfois je trouvais même que c'était trop beau, ça ressemblait à une plaisanterie.

Un petit vent doux rentrait par les fenêtres et je crois pas qu'un homme puisse en demander plus dans la vie, j'avais rien mais rien me faisait vraiment envie, la bagnole ronronnait et j'avais même pas encore trente-quatre ans, putain et la sève continuait à grimper en moi, OUI, même pas trente-quatre et j'avais la chance de pouvoir apprécier des moments comme ça, je me démerdais pas mal, j'ai fait un petit signe amical au flic planté sur un carrefour, assommé par le soleil, je lui ai donné ma bénédiction. Je me suis étiré. En fait, j'avais pas vu du tout passer la semaine, tout s'était merveilleusement arrangé dès le début, Marc avait embarqué Cécilia, Sylvie avait foutu le camp et dès que Lili avait fermé un œil, j'avais coincé Nina sur le rebord de la fenêtre. J'étais schlass mais je lui ai bloqué une jambe sur ma hanche et j'ai déchiré son slip en deux, j'ai pas pu faire autrement. La tête de mon engin virait au violet foncé. Ensuite on avait mis la gomme, c'était mes dernières cartouches et je me serais pas laissé prendre vivant. On a continué à baiser en dormant. Le lendemain, le miracle se poursuivait, il y a eu quelques coups de téléphone et Lili s'est retrouvée chez son père. J'étais tout à fait d'accord avec Nina, on avait besoin de se retrouver un peu seuls tous les deux, pour réapprendre, simplement elle et moi. Moi j'avais réappris en vitesse, j'avais juste un peu oublié à quel point J'ADORAIS baiser avec elle, je crois qu'il faut connaître ça au moins une fois dans sa vie.

— Hé, tu t'endors ? elle a fait.

— Tu rigoles.

— T'avais les yeux fermés, espèce de salaud. Je te voyais bien sous tes lunettes.

— C'est le soleil intérieur, ma vieille.

— Hé, faut que tu me donnes un peu de fric.

Je lui ai donné ce que j'avais et elle s'est arrêtée pour le linge. Ensuite elle a traversé la rue en m'envoyant un petit signe et elle est entrée chez le marchand italien.

Ce spectacle m'a laissé tout rêveur, d'ailleurs depuis une semaine, j'étais pas redescendu, j'étais le type avec l'éternel sourire aux lèvres, celui avec le crâne fendu. Les portières étaient brûlantes, pas question de laisser traîner un bras dehors, je suis sorti. Je me suis payé une glace au fruit de la passion et je l'ai dégustée sur le trottoir, devant la vitrine de l'Italien. Je suis resté planté sous le soleil, avec mon machin glacé entre les lèvres, je la voyais discuter avec le type et secouer ses cheveux blonds à travers les reflets argentés et les mortadelles qui plongeaient du plafond comme des bombes roses et molles. C'était vraiment une sacrée fille. En fin de compte, cette séparation nous avait fait plutôt du bien. Elle m'avait pas trop donné d'explications sur l'épisode de la chambre à merde mais j'avais pas été avide de détails, ça me faisait assez chier comme ça, peut-être que le type était à moitié dingue, mais elle, comment elle s'était retrouvée là-bas ? Elle l'avait quand même bien préparé son petit truc, elle m'avait refilé sa fille pour pouvoir baiser à tour de bras et c'était tout ce que je voyais. Le reste était plus facile à oublier, même si le mec avait un sacré coup de bite. D'ailleurs, c'est en voyant les mortadelles qui se balançaient au-dessus d'elle que j'ai pensé à ça sinon je peux pas dire que ce truc m'obsédait, j'aime pas trop réfléchir quand je suis avec une fille, j'essaie de pas en perdre une miette. Le trottoir était désert, j'étais le seul candidat à l'insolation.

Bien sûr, le type l'a accompagnée jusqu'au pas de la porte, je comprends que ça lui était difficile de faire autrement et il a continué à la baratiner tout en essayant de jeter un œil dans son tee-shirt pour voir ce que fabriquaient ces deux nichons à l'intérieur et même moi j'ai pas pu m'empêcher de regarder ça par-dessus mes lunettes. Dès que nous serons seuls, je lui demanderai de garder uniquement ce tee-shirt, j'ai pensé, et maintenant on était deux à bander. Je me suis avancé vers eux pour donner une leçon à l'Italien, pour lui prouver que le monde était pas juste. J'ai pris Nina par la taille et j'ai fait une remarque à propos des trucs qu'elle venait d'acheter, j'ai dit j'espère que ça suffira si on passe plus de trois jours au lit. On a marché lentement jusqu'à la voiture. Je m'attendais à entendre un coup de feu claquer dans l'arrière-boutique.

Ensuite, on a roulé en douceur jusque chez Yan. Normalement, c'était une soirée à se faire du fric et il en fallait, on nageait en pleine crise et le problème était de s'en sortir d'une manière ou d'une autre. Yan avait déjà organisé quelques bonnes parties de poker chez lui, des types qu'il repérait à la boîte, les poches pleines de fric et à moitié réveillés, je reconnais qu'il les choisissait bien et la dernière fois c'était un couple qui vendait de la viande en gros. Vers la fin, le type s'essuyait le front sans arrêt et la femme raclait le fond de son sac pour trouver la dernière mise. À une heure du matin le problème était réglé et on les avait guidés tranquillement vers la sortie.

On est arrivé les premiers, on a trouvé Yan au fond du jardin, enfoncé dans une chaise longue et un verre à la main, les yeux mi-clos, profitant des derniers rayons de soleil.

— Police des mœurs ! j'ai braillé.

Il m'a montré son verre sans se retourner.

— J'ai pensé à toi, il a fait. J'en ai préparé à la cuisine.

— Je reviens tout de suite, j'ai dit.

Il y avait une pleine carafe de Blue Wave dans le frigo, elle s'est couverte de buée quand je l'ai sortie. C'était un de mes cocktails préférés, d'un beau bleu lapis-lazuli et il y avait même les petites rondelles de citron pour accrocher aux verres, Yan ce salaud, quand il fait les choses, c'est toujours d'un certain niveau, il y a la marque de la finesse homosexuelle, ça donne un petit goût particulier. Yan était le seul ami que j'avais et je m'en tirais bien comme ça, d'ailleurs quand je regarde autour de moi, je trouve même que j'ai de la chance d'en avoir déjà un.

J'ai distribué les verres et je me suis assis dans l'herbe. Ils discutaient tous les deux et pendant ce temps-là, j'ai regardé quelques mouettes qui tournaient au-dessus des toits, sans le moindre effort, suivant les courants d'air chaud en vol plané, l'œil immobile, je comprends pourquoi elles ont une petite cervelle. Moi la mienne me cloue plutôt au sol.

J'ai balayé cette sensation pénible d'une Vague Bleue et la nuit est tombée en même temps, juste comme je rabaissais mon verre et je me suis fait cette réflexion, je me suis dit il y a rien de plus affreux que de se découvrir un peu plus chaque jour. Là-dessus, j'ai eu besoin de parler à quelqu'un :

– Hé, j'ai dit, qu'est-ce qu'ils foutent ? Peut-être qu'on pourrait attaquer ces machins au fromage, non ?

– Non, a fait Yan, on les mangera au milieu de la partie. On fera une pause.

– Ouais, j'espère qu'ils vont amener quelque chose...

– Non, ça je crois pas, c'est pas le style des mecs.

– Ah, ça me rend malade, j'ai dit. Qu'est-ce qui peut valoir le coup pour qu'on passe la soirée avec des types pareils... ?

Yan a écarté quelque chose d'invisible devant lui, d'un geste agacé.

– Ah, tu nous emmerdes. Toi et ton malheureux chèque, ils te donnent à peine de quoi bouffer.

– C'est vrai, j'ai admis. Je crois qu'ils essaient de faire de moi un martyr. Peut-être qu'ils ont peur d'étouffer mon talent avec un peu d'argent, peut-être qu'ils n'osent pas parler de ces choses-là avec moi...

À ce moment-là, on a frappé à la porte et Yan est allé ouvrir. J'ai souri à Nina. J'ai terminé mon verre et les deux types sont arrivés, deux types de trente, trente-cinq ans, avec des chemises bariolées et des Ray-Ban, genre new wave et pas mal décontractés. En général, les types décontractés m'ennuient assez vite. Le plus petit a traversé le jardin aussi sec, sans dire bonsoir et il s'est affalé dans la chaise longue de Yan. Il a étendu ses jambes sous mon nez.

– Hhoouuuuuuu... il a fait. On est bien ici !

Je me suis levé. Il faisait pratiquement nuit et ces deux ahuris gardaient leurs lunettes sur le nez comme deux tarés dans le vent et tout le reste suivait, les fringues, l'attitude, l'odeur même et jusqu'à cet éclair dans le sourire, férocement idiot.

— Bon, il fait nuit. On rentre, j'ai dit.

J'ai fait un détour par la cuisine pour remplir mon verre et j'ai retrouvé tout le monde dans l'autre pièce. Yan a fait rapidement les présentations mais je regardais ailleurs, je me demandais combien je donnerais pour ne pas avoir à les supporter et aussi combien on allait leur soutirer, j'ai fait une rapide soustraction pour voir si ça collait. Dehors, une bagnole a fait hurler ses pneus dans un virage, j'ai bu mon Poison Bleu pendant que Yan désignait les places autour de la table et les types ont fait crisser les billets dans leurs poches.

Le jeu a été long à démarrer, un vrai supplice car ces deux imbéciles confondaient poker et partie de rigolade, ils parlaient sans arrêt et plaisantaient avec Nina, ils avaient repéré la pointe des nichons à travers le tee-shirt, je pense que j'aurais pu changer vingt fois mes cartes sans qu'ils s'en aperçoivent, mais le jeu en valait pas encore la peine, tout le fric était pas encore sur la table.

Je perdais même un petit peu quand on a fait la première pause. J'ai laissé Nina avec les deux autres et j'ai rejoint Yan dans la cuisine. Je me suis servi un grand verre d'eau.

— Il va falloir qu'on s'y mette, a fait Yan. Ça traîne...

— Ouais, il y a rien de vraiment facile pour avoir du fric. Mais braquer une banque paraît encore plus dur.

– Ils ont l'air d'accrocher avec Nina. On va en profiter.

– J'ai des couilles comme écrivain, j'ai poursuivi. Pas comme individu. Je pourrais même pas arracher un sac à une mémé aveugle. Je suis condamné à gagner mon argent et c'est un combat difficile.

– Écoute, il a fait, on va manger ces petits trucs au fromage en quatrième vitesse et ensuite on va allumer cette partie comme un brasier, on va les faire transpirer un peu...

– Pourquoi, tu attends de la visite ? j'ai demandé.

– Tout juste. Mais tu le connais pas.

– Bon, j'espère qu'il sera moins con que le dernier.

– Ah, ne dis pas qu'il était con, tu n'as jamais échangé un seul mot avec lui.

– Il y a des gens à qui j'ai la chance de ne jamais adresser la parole.

– Tu lui as jamais laissé une seule chance de se rattraper.

– Bien sûr, j'ai dit, mais je laisse jamais une nouvelle chance à quelqu'un qui m'aborde en braillant : « Hé, alors c'est toi qui écris ces petits poèmes à la mords-moi-le-nœud... ? »

On a donc servi les bidules et entassé quelques boîtes de bière sur la table, puis on a repris la partie. Ils ont encore bavardé un peu au début, prenant cette partie à la légère et lançant quelques vannes mortelles sur le sexe. Nina les clouait carrément sur place, elle se massait rêveusement les seins entre chaque donne ou se balançait sur sa chaise, une main serrée entre les jambes et ce petit manège nous a permis de jouer un poker nerveux et incisif, nous ramassions tous les coups importants.

On s'est arrêté une nouvelle fois vers minuit,

cinq minutes pour boire et ouvrir les fenêtres et j'avais déjà empoché l'équivalent de mon chèque mensuel, c'était quand même pas mal, c'était inespéré. Les types semblaient pas du tout ennuyés d'avoir paumé tout cet argent alors que moi à leur place, j'aurais été vraiment malade, mais peut-être qu'on était tombé sur des types pleins aux as, de ces types qui mettent leurs banquiers à genoux et baisent leurs femmes, de ces types qui n'ont plus AUCUN SOUCI MATÉRIEL... ? ? ! ! !

Il commençait à faire chaud, comme si un orage s'annonçait mais le ciel restait clair et étoilé dans le haut de la fenêtre, la chaleur montait tout droit du jeu aussi et de la tension nerveuse que provoque le fait de tricher plusieurs fois de suite et de tenir dans ses mains des jeux éblouissants, il faisait chaud et Nina commençait à prendre des couleurs pour de bon, j'étais certain que ses seins avaient augmenté de volume et je l'imaginais mouillée à mort, bordel j'ai pensé, ils ont donc pas encore perdu tout leur fric ?

Pendant la pause, je me suis penché vers elle, j'en ai profité que Yan discutait avec les deux autres.

— Je sais pas comment ils font pour tenir, j'ai dit.

— Ils ont du fric, ils ont un énorme paquet de fric.

— Non, pour pas te sauter dessus, je veux dire.

— N'empêche que ça marche. Je crois qu'ils ont l'esprit ailleurs, non ?

— T'es une sacrée fille, j'ai dit.

— Je voudrais qu'on soit seuls tous les deux et que tu me redises ça encore une fois...

Je me suis vaguement relevé pour jeter un coup d'œil aux autres puis je me suis repenché vers elle :

– D'accord, j'ai dit. C'est noté.

J'ai regardé un moment entre ses jambes et le tissu jaune qui lui collait aux cuisses. Cette image balayait tout dans mon cerveau, le poison commençait à couler dans mes veines et j'ai plus pensé qu'à une seule chose, jusqu'à la fin de la partie, c'est de me rouler dans son vagin.

J'ai d'ailleurs souffert tout au long du jeu, plié sur ma chaise avec la queue gonflée et écrasée sur les boutons en fer de mon jean, j'avais du mal à suivre totalement la partie et nous avons perdu par ma faute sur quelques coups intéressants, mais le poker n'est rien comparé au Jeu Suprême, quelques billets morts contre quelque chose de vivant, je rêvais à deux nichons trempés de sueur quand j'ai donné une mauvaise carte à Yan et j'ai pas vu les coups d'œil qu'il me lançait. J'ai perdu un mois dans les Îles sur ce coup-là et une seconde fois j'ai vu s'envoler l'équivalent d'un magnétoscope haut de gamme qui m'aurait permis de passer des journées entières à regarder des putains de films avec un stock de bière et des cigarettes, oui tout ça s'est envolé d'un coup et par ma faute mais je m'en foutais complètement, la seule chose qui avait de l'importance c'était de baiser avec Nina le plus rapidement possible.

En fait, les types sont restés encore un bon moment et entre-temps le petit copain de Yan s'est pointé, je les ai vus s'embrasser dans l'ombre, vite fait parce qu'on attendait Yan pour donner et c'était un jeune type de dix-huit ans, pas plus, les cheveux blonds et les yeux maquillés, il s'est assis dans un coin sans un regard pour personne, jambes croisées et les deux poings enfoncés dans les poches de sa veste.

Yan a proposé qu'on fixe une heure pour s'arrêter et les deux autres ont trouvé ça tout à fait normal, ils perdaient un bon paquet mais ils ont pas bronché, ils avaient peut-être du fric à perdre, peut-être qu'ils auraient passé la nuit à bourrer une machine avec ce fric, même si la machine avait été en panne et donc on a remis ça.

Le copain de Yan s'est levé à un moment et il nous a distribué quelques bières. Il a marqué un temps avant de me passer la mienne :

– Hé, c'est toi qui écris ces poèmes ? il a demandé.

– Non, j'ai dit. Ou alors tu veux parler de ces petits machins à la mords-moi-le-nœud... ?

– Oui, c'est ça.

– Yan, j'ai fait, tu vois bien que tout est joué d'avance.

Mais ce salaud a pas levé les yeux de son jeu. Ensuite on a liquidé les dernières parties et les types ont avalé un dernier verre en gardant un œil sur Nina, j'ai trouvé ça long, j'ai cru que ça finirait jamais et le jour n'allait pas tarder à venir, il devait être quatre heures et il a fallu qu'ils passent un temps fou sur le trottoir à déconner, à chercher dans tous les coins leurs foutues clés de voiture, tout le monde était dehors et on a regardé leur bagnole démarrer dans le petit matin et déchirer quelques lanières de brume rose, grimper tout en haut de la rue et tourner à droite et le silence était revenu, tourner à droite juste après le feu. J'ai fait demi-tour pour rentrer et le type de dix-huit ans était juste planté derrière moi.

Je lui ai envoyé un sourire.

– J'aime ça, j'aime le silence et le petit matin irréel, j'ai ricané. J'aime tous ces trucs à la mords-moi-le-nœud.

– D'une manière générale, je peux pas saquer la poésie, il a fait.

– C'est bien, j'ai dit. Continue...

Yan a rangé les cartes en bâillant et on a mis tous les billets en tas sur la table, on a partagé. Bonne nuit, j'ai fait, en saluant tout le monde avec mon paquet d'argent. Nina m'a rattrapé dans les escaliers et on est entré dans une chambre. Elle a basculé sur le lit et rien de tout ça n'avait été préparé à l'avance mais deux ou trois rayons de soleil passaient à travers les volets et à présent ils glissaient sur son corps et la découpaient en rondelles. Je me suis assis près d'elle, j'ai avancé une main au milieu des fils de lumière et je l'ai branlée doucement à travers son fuseau, je me suis laissé étourdir par l'odeur de sexe qui parfumait délicatement la chambre et petit à petit le soleil a commencé à grimper sur les murs et je l'ai pénétrée en prenant tout mon temps.

12

Je me suis réveillé avant elle, un peu avant midi et la baraque était silencieuse et tiède. J'ai mis un moment avant de réaliser que nous étions dans la chambre d'Annie et ensuite je me suis rappelé que Yan m'avait raconté je ne sais trop quoi à son sujet, mais qu'elle était partie pour quelques jours et j'ai eu une pensée pour elle, je l'ai imaginée rentrant dans la chambre et me trouvant vautré dans ses draps avec cette abominable paire de couilles et une barbe de trois jours. Je me suis levé silencieusement, j'ai enfilé mon pantalon et je suis descendu. Il faisait beau, le carrelage de la cuisine était chaud sous mes pieds et j'ai fouillé vaguement dans les placards pour trouver du café et j'ai mis de l'eau à chauffer, je suis resté debout devant la casserole, j'ai calmement attendu les petites bulles en me balançant d'un pied sur l'autre.

Au bout d'un moment, j'ai commencé à me sentir vraiment bizarre, comme un type qui revient tout doucement à lui après un évanouissement, même la lumière du dehors me semblait différente. Mais c'était pas quelque chose de nouveau pour moi, c'était pas la première fois que ça m'arrivait. Et pourtant, j'aurais juré que la vie était formidable avec Nina, j'avais apprécié chaque minute dans les moindres détails, je comprenais pas pourquoi je me sentais tellement lessivé d'un seul coup.

Je me suis mis à la fenêtre et j'ai longuement regardé la rue, j'ai regardé les gens qui passaient sur le trottoir. C'était un spectacle assez triste, suffisant pour vous gâcher la journée mais je m'en suis aperçu trop tard, je me suis retrouvé avec le front appuyé sur le carreau et Yan qui me caressait l'épaule.

— Tu déconnes, il a fait. C'est une belle journée.

Sa voix me paraissait lointaine, même sa main me paraissait sans vie.

— Écoute, j'ai dit, est-ce que tu peux me prêter ta bagnole… ?

— Non. Elle va croire que je suis dans le coup.

— Mais non, cette fois-ci dis-lui que c'était quelque chose de grave, dis-lui qu'on m'a appelé d'urgence…

— Qui est-ce qui pourrait t'appeler d'urgence ? il a demandé.

— Je rigole pas, j'ai dit.

Il m'a lâché l'épaule sans répondre et j'ai fait la grimace pendant qu'il se servait un grand bol de café, j'ai tourné autour de lui en grinçant des dents parce que Nina pouvait se réveiller d'une seconde à l'autre.

– Ouais, j'ai dit, n'empêche que toi tu pourrais me demander n'importe quoi. Et je le ferais sans essayer de comprendre.

– Il est trop fort, il a remarqué. Tu en mets deux fois trop.

– Putain, j'ai fait comme ils disaient, j'ai suivi le machin à la lettre.

Il a posé son bol sur un coin de la table et il a sorti les clés de sa poche. Il les a tenues en l'air.

– Ça m'ennuierait que tu te suicides dans ma bagnole, il a fait. Je viens juste de faire changer la boîte de vitesse.

– D'accord, ne crains rien, je vais pas rouler comme un enculé.

J'ai cavalé jusqu'à la chambre pour récupérer mes affaires et j'ai tourné autour du lit, plus silencieux qu'un serpent et le regard soudé sur ce corps endormi. Je me suis marré parce que c'était dur de lutter contre ça, je suis resté planté près d'elle avec ce désir fou qui m'envahissait mais j'ai pas fait le moindre geste, je respirais doucement, j'ai fait craquer les jointures de mes doigts une par une et j'ai tenu comme ça pendant au moins cinq minutes, je me suis poignardé avec ses boucles blondes et elle me tournait le dos, les jambes repliées sur son ventre, je me suis tiré avant que sa fente humide me fasse plier les genoux, je me suis tiré avant de devenir complètement dingue.

Yan a levé les yeux au ciel quand il m'a vu passer et je me suis souvenu que j'oubliais quelque chose, j'ai fait demi-tour.

– Merde, j'allais oublier les papiers de la bagnole, j'ai dit.

– Sous le siège. Mais dis-moi, qu'est-ce qui

va pas avec Nina ? Pourquoi tu cherches toutes ces histoires... ?

J'ai ouvert le frigo, j'ai attrapé deux ou trois canettes pour la route, j'ai refermé la porte en réfléchissant parce que c'était mon seul ami et je voulais pas m'en tirer avec une connerie quelconque.

— Tu sais ce qu'il y a de meilleur au monde ? j'ai demandé.

— Vas-y, je t'écoute, il a fait.

— C'est de se sentir comme au commencement de sa vie.

— D'accord, bébé. Mais n'oublie pas de ramener la voiture quand tu auras fini.

C'était une Mercedes décapotable dans les jaunes avec des sièges en cuir noir, très voyante, j'adorais me balader là-dedans, surtout que cette fois j'avais les poches pleines de fric et j'étais prêt à le balancer par les fenêtres, le fric me donne toujours envie de déconner avec le sourire aux lèvres. J'ai traversé la ville en roulant doucement avec une cassette de Maria Callas à fond la gomme, *Manon Lescaut*, acte IV, j'essayais de me payer un maximum de feux rouges et les filles sur le trottoir me regardaient et les mecs aussi, mais d'une manière moins agréable, surtout ceux qui n'attendaient plus rien de la vie et qui suffoquaient carrément derrière le pare-brise de leurs petites bagnoles pourries. Je redémarrais à chaque fois dans un concert de klaxons, je savais que je leur offrais une image insupportable, en plein soleil, un jour de semaine, peut-être même que j'étais bronzé comme un salaud et la Mercedes lançait des éclairs de feu dans tous les sens, mais tant qu'un de ces cinglés descendait pas de sa Mini avec une manivelle je continuais à les emmerder, je les emmerdais tous, je regardais ceux qui me paraissaient les plus tarés dans le blanc des yeux.

Je savais pas où j'allais mais en sortant par la voie express, j'ai vu quelques stoppeurs alignés sur le bord de la route, surtout des filles. Je me suis arrêté devant la plus moche pour être tranquille et au moment où elle grimpait, un type est sorti du fossé avec son sac à dos et il l'a balancé à l'arrière, un jeune type tout maigre avec des lunettes et quelques boutons sur la figure, il m'a pas regardé.

— Je suis avec elle, il a fait.

J'ai senti une petite pointe de nervosité zigzaguer sous mon crâne mais je me suis écrasé, après tout c'était normal que chacun essaie de forcer un peu sa chance par moments, j'ai juste démarré en trombe et le maigrichon s'est rétamé sur le siège arrière en poussant un cri aigu.

On est resté un petit moment sans dire un seul mot, aux alentours de 180 et je conduisais d'une seule main en regardant distraitement la route, la tête complètement vide. La fille était asssez grosse et le soleil lui avait coloré les cuisses en rose vif, c'était assez écœurant, c'était comme le reste, les boudins de graisse autour de son ventre, les nichons mous et le short qui lui rentrait proprement dans la fente, mais elle avait l'air de se sentir plutôt bien, les cheveux dans la figure et les yeux dans le vague, un bras par-dessus la portière.

Ensuite, elle s'est mise à tripoter les cassettes dans la boîte à gants mais elle faisait ça d'une manière un peu trop brutale et le type a sorti un sandwich de quatre-vingts centimètres de son sac avec des tranches de jambon qui pendouillaient sur toute la longueur et à ce moment-là, j'ai failli les larguer sur le bord de la route et les laisser griller en plein soleil sur un tapis d'herbes sèches avec l'horizon liquide et pas la moindre goutte d'espoir. C'était une pensée agréable, un peu folle mais la fille s'en est sortie in extremis en enclenchant une bonne cassette, ce qui lui a sauvé la vie c'est *All Roads Lead to Rome*, un de mes morceaux préférés du moment, je me suis senti étourdi et léger, la vie n'avait aucune espèce d'importance, j'aurais pu ouvrir la main et la laisser filer au bout de mon bras comme un cerf-volant multicolore. À la fin du morceau, la fille m'a parlé du coin où ils allaient et j'ai hoché la tête, je voyais vaguement où ça se trouvait, à environ deux cents kilomètres plus au nord.

— C'est sur ta route ? elle a demandé.

— Ça pourrait, j'ai dit.

Elle a plissé les yeux de contentement et s'est enfoncée un peu plus dans le fond du siège, ses cuisses ont fait un bruit bizarre en ripant sur le cuir, comme quand on aspire le fond d'un verre avec une paille, il devait être deux heures de l'après-midi quand je me suis arrêté pour faire de l'essence, treize heures quarante-sept a fait le pompiste en jetant un œil sur sa merdouille à quartz. Il y avait une espèce de self juste à côté et je leur ai proposé d'aller manger un morceau. Le jeune type avait pas l'air très chaud.

— Je vous invite, c'est MOI qui paie, j'ai précisé.

Il a retiré ses lunettes et les a essuyées dans son tee-shirt, ensuite il a fait un bond pour sortir de la bagnole et il m'a souri avec son acné qui palpitait sous le soleil.

— Alors, on y va... ? il a fait.

La salle était pratiquement vide. On a pris des plateaux et des couverts et on allait se mettre en marche mais le maigrichon qui se trouvait en tête a refusé d'avancer.

— Qu'est-ce qu'il t'arrive ? j'ai demandé.

141

Il s'est mis à danser d'un pied sur l'autre en regardant ses mains.

— Hhmm ben... c'est que... j'ai avalé mon sandwich y'a pas longtemps, je me sens un peu calé, hein ? je sais pas si je vais prendre un plat... j'en sais rien...

J'ai poussé mon plateau contre le sien, comme s'il y avait une affluence à tout casser et que la foule grondait derrière.

— Ça fait rien. Prends-toi un dessert, j'ai dit. Prends un machin avec de la crème.

— Avance ! Oh ce que tu peux être chiant... a fait la fille.

— Bon, d'accord. Je vais prendre un coca aussi. Je vais me prendre un bon vieux coca, hein ?

— OUAIS ! ! j'ai dit.

Il a filé devant nous et j'ai plus fait attention à lui. Ensuite on s'est dirigé vers une table en formica orange. Il était déjà assis et sur le moment j'ai trouvé qu'il me regardait d'une drôle de manière, avec un sourire un peu débile. Puis j'ai jeté un œil sur son plateau. J'ai compté trois babas au rhum, deux crèmes renversées et tout un assortiment de tartes empilées les unes sur les autres. J'ai pas fait de commentaires, j'ai juste pris ma part de flan aux pruneaux et je l'ai posée au milieu de ses trucs.

— Ah bon, t'aimes pas ça... ? il a demandé.

— Si, mais j'ai peur d'attraper la chiasse.

La fille lui a lancé un regard fou avant de s'attaquer à son plat de spaghettis et jusqu'à la fin du repas elle l'a complètement ignoré. Elle parlait beaucoup et je l'écoutais distraitement en fumant des cigarettes, j'ai seulement compris qu'ils étaient en vacances et qu'ils avaient mis trois jours pour faire 250 kilomètres, quelle bande de salauds dans ce coin, elle disait, j'ai jamais vu ça et encore on a fait deux cents bornes dans

142

le fond d'une camionnette assis sur des sacs de pommes de terre, merde alors, je me demande comment il a fait Kerouac.

– Il a fait travailler sa cervelle, j'ai dit.

– Ouais, n'empêche que ça aurait sûrement mieux marché si j'avais été seule, elle a ajouté.

L'autre a levé son nez des miettes qui constellaient son tee-shirt, il s'est légèrement penché par-dessus la table :

– Hein… ? tu crois ça… il a fait. Merde tu crois que t'as juste à te pointer sur le bord de la route et que les mecs vont se battre pour te prendre à côté d'eux… ? Tu t'es bien regardée, eh, tu t'es vraiment bien regardée ? ? ?

Je me suis levé juste à ce moment-là, c'était une manière d'écrabouiller l'orage dans l'œuf.

– Bon, on y va, j'ai dit.

On a traversé le parking dans un tourbillon de vent chaud et le type a marmonné quelque chose en cavalant vers les toilettes. Je suis monté dans la voiture avec la fille et on a attendu, elle regardait droit devant elle d'un air buté.

– Quel connard ! elle a fait.

J'avais pas grand-chose à dire là-dessus, je me suis mis à nettoyer méthodiquement mes lunettes, à faire des petits essais dans la lumière.

– Je sais vraiment pas pourquoi je me suis embarrassée d'un type pareil, elle a enchaîné. Je dois être complètement folle. Hein, t'es pas de mon avis ?

J'ai rien répondu, une petite tache me donnait du fil à retordre dans un coin du verre droit. Alors elle s'est retournée rageusement, elle a attrapé le sac du type en grognant et l'a balancé de toutes ses forces dans la poussière.

– Je vois pas pourquoi on va continuer à s'emmerder avec lui, elle a sifflé.

– Peut-être qu'en vieillissant il serait devenu beau et riche, j'ai dit.

– J'ai que dix-huit ans, elle a fait. Je prends le risque.

Au moment où je mettais le contact, le type a bondi d'une porte à l'autre bout du parking et il a couru vers nous en braillant :

– Putain, mais qu'est-ce qui arrive, les gars... ? ? ? Pourquoi vous avez balancé mon sac, putain... ? ? ! !

J'ai démarré un peu trop tard et ce crétin a eu le temps de s'accrocher à la portière et son premier geste a été de filer une incroyable baffe à la fille tout en cavalant à côté de la voiture. Le truc a fait le même bruit qu'un sac de papier qu'on éclate et elle s'est mise à hurler en se serrant contre moi.

Au bout de trois cents mètres, j'ai fini par m'adresser au jeune type qui soufflait comme un damné.

– Bordel, lâche ce foutu machin ou ton cœur va claquer. T'as les lèvres toutes bleues, petit... !

Mais il m'a juste envoyé une grimace et il a continué à se cramponner alors qu'il n'avait pas la moindre chance. Intérieurement, j'ai salué son courage, puis je me suis serré sur le bas-côté et le type a disparu dans le fossé avec un froissement de feuilles mortes.

La fille pleurnichait doucement contre moi en se tenant la joue et je dois dire que j'ai une assez bonne expérience des larmes, j'ai vu que c'était pas du chiqué, il y avait quelque chose qui allait vraiment mal. D'un autre côté, j'appré-ciais pas tellement qu'elle soit collée à moi, pas simplement parce qu'elle transpirait, ni parce qu'elle était grosse et molle comme un loukoum, mais d'une manière générale j'aime pas trop le contact physique avec les gens. Je l'ai poussée en lui expliquant que je pouvais pas conduire comme ça, qu'on risquait un accident et alors elle a inondé le siège avant avec des larmes grosses comme le poing et elle s'est mise à brailler :

— ET ALORS, QU'EST-CE QUE J'EN AI À FOUTRE...???? QU'EST-CE QUE ÇA PEUT ME FOUTRE DE MOURIR, HEIN...??!!!

— Hé, j'ai pas envie d'entendre des conneries pareilles, j'ai dit.

On était en rase campagne, juste les fils du téléphone qui longeaient la route et se balançaient dans l'air chaud et elle continuait à pleurer et à renifler bruyamment. Je me suis arrêté. J'ai sorti une bière de sous mon siège et je l'ai ouverte sans attendre. C'était un coin particulièrement désert, définitivement cuit par le soleil et couvert d'une poussière très fine, c'était pas ce qu'il y avait de mieux pour lui remonter le moral et moi-même j'éprouvais quelque chose d'indéfinissable, quelque chose comme l'ivresse de l'absurde.

J'ai cherché nerveusement la deuxième bière mais en vain et j'ai pensé qu'elle avait peut-être roulé derrière, je me suis penché par-dessus mon siège et la première chose que j'ai vue c'est la capsule abandonnée sur la banquette, oh non j'ai pensé et par terre j'ai trouvé la bouteille vide et ce truc m'a complètement scié les jambes.

— Ce petit enfoiré, il s'est envoyé ma bière en cachette, j'ai articulé.

Elle avait les yeux rouges maintenant, gonflés et les cheveux collés en travers du visage, dans tous les sens.

— Bon, écoute, j'ai dit, essaye de faire un effort. Arrête de pleurer...

Elle a remonté ses genoux contre sa poitrine, les a serrés dans ses bras et elle a renversé la tête en arrière pour regarder le ciel. Un gros lézard vert a traversé la route juste à ce moment-là, mais j'ai rien dit car ça l'aurait sans doute pas intéressée, il valait peut-être mieux la laisser tranquille. J'ai redémarré sans un mot, je pensais qu'elle s'était un peu calmée mais elle a remis ça aussitôt en secouant la tête de droite à gauche.

– Pourquoi est-ce que je suis si moche ? elle a fait. Pourquoi ces trucs-là arrivent... ?

– Je sais pas, j'ai dit. Je veux pas te raconter d'histoires.

– C'est normal que pas un seul type s'arrête... Qu'est-ce qu'ils peuvent trouver d'agréable en voyant ça, toute cette saloperie...

Elle cramponnait ses bourrelets en pleurant et se triturait les cuisses, ça lui faisait de longues marques blanches sur la peau, ça durait quelques secondes, je crois qu'elle se serait déchirée en morceaux si elle avait pu et elle s'est mise à gueuler regarde, mais regarde-moi ça, en arrachant son tee-shirt et la route restait incroyablement déserte, je roulais pas trop vite et je la regardais et tantôt elle rigolait et tantôt elle pleurait. Elle avait des seins énormes pour son âge, avec des bouts très rouges, presque violacés, tu as vu un peu ces merveilles, elle sanglotait, tu te rends compte et je répondais pas mais je me rendais compte, j'arrivais presque à la comprendre et elle a écrasé ses larmes avec ses deux mains à plat sur les yeux et ensuite elle s'est enfoncée dans le siège et elle a soulevé son bassin pour virer le short et le slip a glissé avec, elle avait une peau très blanche, sauf les coups de soleil sur les bras et les jambes, c'était comme si elle était tombée à quatre pattes dans une baignoire à moitié remplie de mercurochrome.

Elle a pris une espèce de pose à la con, les mains croisées derrière la nuque et une jambe repliée sous les fesses, les genoux écartés et elle me fixait avec un regard fou.

– Alors, mec, elle a fait, je trouve que tu restes bien calme dans ton coin... Je te fais pas envie ? Comment ça se fait que tu sois pas encore tombé amoureux dingue de mon corps... ? ?

J'ai attendu une dizaine de secondes puis j'ai posé une main sur ses cuisses. J'ai senti qu'elle se raidissait.

– Mon record, j'ai dit, c'est une femme de 102 kilos. Assez vieille. Mais c'était tout simplement impossible de s'ennuyer avec elle, tu comprends, et comme baiseuse elle descendait tout droit du ciel, ça me fait toujours quelque chose quand j'y pense. Bon, on va se trouver un coin tranquille, on va replier ces putains de sièges, tu vas voir...

Du coup, elle s'est arrêtée de pleurer et elle a croisé les jambes, mais je suis resté cramponné à sa cuisse.

– T'as de la chance d'être tombée sur moi, j'ai ajouté. Je suis complètement indifférent à la beauté physique. Je trouve ça chiant.

J'ai enlevé mon tee-shirt d'une main et je me suis épongé le corps et la figure avec, la campagne était en train de fondre tout autour de nous.

– Bon Dieu, j'ai dit, maintenant je me sens excité comme un singe.

13

Nous ne sommes arrivés à destination qu'en fin d'après-midi parce qu'elle avait tenu à s'arrêter en ville pour faire quelques courses, en fait on avait pratiquement écumé toutes les boulangeries du coin pour constituer un stock de ces petites saloperies molles et transparentes en forme de nounours, crocodiles et tétines parfumés. Tu verras, il est fou de ce genre de machins, elle avait expliqué et je le vois qu'une fois par an, je l'adore, sa femme est morte, je suis la seule de la famille à venir le voir. De mon côté, j'avais aussi craqué quelques billets pour arrondir la provision du grand-père et on a repris la route avec plusieurs kilos de sucreries entassés sur la banquette arrière.

La fille était de bonne humeur depuis un bon moment, elle avait enfilé un pantalon et une immense chemise à carreaux jaunes et noirs et ça lui allait plutôt bien, elle avait même noué ses cheveux en arrière et quand elle riait, vous pouviez trouver à son visage un certain charme, ne serait-ce que par la brillance du regard ou l'épaisseur des lèvres, même si le reste ne suivait pas.

En fin de compte, il s'était rien passé entre elle et moi. Si elle avait joué le jeu jusqu'au bout, je l'aurais baisée jusqu'à la gauche et c'était pas l'envie qui m'en manquait, j'avais juste à imaginer sa chatte humide et collée au cuir du fauteuil ou la blancheur de son énorme cul et d'une manière générale je suis partant avec les neuf dixièmes des femmes un peu vivantes. La seule chose qui m'arrête et qui réduit mon score à une misérable poignée, c'est ce qui arrive ensuite, je veux dire se retrouver avec une femme quand on a la bite encore luisante et qu'on se demande ce qu'on fout là, les dents serrées et tirant des plans sur le meilleur moyen de gagner l'échelle de secours. Je fais partie de ces types angoissés et c'est ce qui m'inquiétait un peu avec cette fille, je voyais mal la suite du voyage avec elle une fois que je serais sorti d'entre ses jambes. Mais je pouvais plus reculer maintenant, j'en avais un peu trop fait, torse nu et mitraillé par le soleil et cette conne qui s'était foutue à poil dans un moment de folie, merde je suis un moins-que-rien, j'ai pensé, mais je tourne dans le premier petit chemin qui s'éloigne un peu de la route.

C'est ce que j'ai fait et on s'est retrouvé sur un chemin de terre cahoteux au milieu des grillons excités. J'ai réussi à me garer sous un arbre. J'ai sauté par-dessus la portière et je lui ai fait signe de me suivre. Il fallait avoir quelque chose d'important à faire pour faire un pas ou deux par cette chaleur, il fallait en avoir vraiment envie. Quand je me suis retourné, la fille suivait pas. Je suis retourné à la bagnole.

Elle avait pas bougé, elle baissait simplement la tête et serrait son short sur sa poitrine.

– Et alors ? Qu'est-ce que tu fabriques… ? j'ai demandé.

Elle a rien répondu. Des machins grésillaient autour de nous et des espèces de mouches tournoyaient dans l'air.

– Hé, tu sais ce que tu veux ? j'ai fait. T'es pas un peu cinglée ?

J'ai posé mes deux mains sur le capot brûlant et j'ai fermé les yeux. Ensuite j'ai arraché une herbe et j'ai fait quelques pas en la réduisant en miettes entre mes doigts. J'ai fait un petit tour pour me détendre, de toute façon je lâchais pas le paradis et quand je suis revenu à la voiture, elle avait mis ce pantalon et enfilé cette chemise incroyable.

– Le plus dur maintenant, ça va être de trouver quelque chose à boire, j'ai dit.

– Je dirais une glace, elle a fait.

Quand on est arrivé chez le grand-père, je peux dire que j'ai été vraiment surpris. La fille m'avait pas donné de détails et j'ouvrais des yeux ronds.

– Mais qu'est-ce que c'est que ce machin ? j'ai demandé. Qu'est-ce qui pue comme ça… ?

– Eh bien, tu vois, c'est une réserve, elle a dit. Et ce que tu sens, c'est l'odeur des fauves, ils sont tout près d'ici…

– Hé, mais je vois pas les cages, où sont les cages… ?

– J'ai pas dit que c'était un zoo. La plupart des animaux sont dans des parcs, au grand air, il y a juste un truc fermé pour les reptiles. Y'en a un autre pour les gens, on appelle ça la cafétéria.

– Et tout ce machin appartient à ton grand-père… ?

– Oh non, il est juste le gardien ici, mais c'est lui qui s'occupe de tout, il dirige l'équipe d'entretien et l'équipe de surveillance. Il est le seul à habiter ici en permanence.

– Bon Dieu, je m'attendais à un petit pavillon avec un vieillard passé à l'eau de Cologne et deux ou trois chats vautrés dans les coussins.

– C'est pas exactement ça, elle a fait.

J'ai laissé la voiture sur le parking et on s'est dirigé vers une baraque sans étage qui se trouvait juste à l'entrée. On tenait chacun un gros sac de bonbons dans les bras. Il y avait un type un peu plus loin, dans une cabine en plexiglas, un type qui manœuvrait la barrière et vendait les billets. La fille lui a fait un petit signe et l'autre a fait un grand geste, il s'est penché dangereusement au-dehors, j'ai vu le moment où il allait basculer ou s'effondrer avec sa cabine mais il devait avoir l'habitude.

— Il est là-haut, il a braillé, allez-y, il est là-haut... !

— Pourquoi il dit « là-haut » ? Y'a pas d'étage... j'ai dit à la fille.

— C'est comme ça, elle a répondu. Le Chef est toujours « là-haut ».

On est entré dans la baraque et la fille a ouvert une porte sur la gauche. Elle a poussé un cri de joie, s'est débarrassée de ses trois kilos de merdouilles gélatineuses en me les fourrant dans les bras et elle a couru vers un type à cheveux blancs assis au fond de la pièce.

Pendant qu'ils s'embrassaient, j'ai regardé en l'air, j'ai mâchonné quelques machins distraitement, inondé par le soleil couchant qui traversait la fenêtre. Ensuite le vieux a remarqué ma présence :

— Alors, c'est lui, c'est ton copain... ? il a fait.

— Non, elle a répondu, l'autre a pas supporté le voyage. De toute façon, je crois qu'il aurait pas fait l'affaire.

— Merde, mais c'est que je comptais sur lui, moi, il aurait pu m'aider, j'ai la moitié de mes gars en vacances...

Il a paru réfléchir un moment, puis il s'est adressé directement à moi :

— Je pense à un truc, il a fait, et à toi, ça te dirait pas un petit boulot tranquille... ? T'as pas l'air complètement idiot, mon gars, qu'est-ce que t'en dis ?

– Non, je suis juste de passage, j'ai dit.

– Bien sûr, tout le monde est dans ce cas-là, mais qu'est-ce que tu dis de ma proposition ?

– J'ai cherché ces petits boulots tranquilles toute ma vie, j'ai fait, j'en ai essayé des tas mais ça cachait toujours quelque chose. La dernière fois, je devais laver des carreaux mais le type m'avait pas dit que ça se passait au huitième étage et qu'il fallait faire ça de l'extérieur.

Le vieux s'est gratté la joue et j'en ai profité pour m'avancer et poser les sacs sur la table, ça lui a fait scintiller les yeux. Il a même fait un mouvement pour se lever mais juste à ce moment-là un voyant rouge a clignoté sur un panneau qui se trouvait devant lui et le truc s'est mis à couiner comme un flipper électronique.

Le vieux a empoigné un micro, enfoncé un bouton et une voix nasillarde a éclaté dans la pièce.

– Chef ? Ici c'est Henri, je crois qu'on a un problème au numéro sept.

Le vieux a cogné du poing sur la console puis il a poussé un soupir effroyable.

– Putain, Henri, c'est la troisième fois aujourd'hui... Bon Dieu, qu'est-ce qui se passe encore, dis-moi ce qu'un de ces connards a encore inventé...

– Il y en a un qui semble en rade avec sa bagnole. On vient de me prévenir.

– Bon sang, j'en ai marre de ces histoires... Bon, dis-moi, est-ce que tu le vois... ?

– Ben non, comment je le verrais, je suis de l'autre côté de la barrière, je suis trop loin.

– Et tes jumelles, Henri, et tes PUTAINS de jumelles ! Je me suis battu pendant des mois avec la Direction pour que tous mes gars soient équipés de ces machins hors de prix, mais est-ce que tu sais seulement comment on s'en sert,

Henri, est-ce que tu tiens à garder ta place, espèce de salopard… ? ! !

— Bon, d'accord, bougez pas… Oui, attendez, je le vois mais c'est tout flou d'un œil.

— Ça fait rien. Dis-moi ce qu'il est en train de foutre, est-ce qu'il est sorti de sa bagnole, dis-le-moi.

— Non, je crois pas. La bagnole est remplie de buée, ils sont barricadés là-dedans, je crois qu'ils sont au moins deux.

— Bon, écoute, je suis là dans cinq minutes. Prends le mégaphone et dis-leur de rester tranquilles. Putain, on a déjà eu assez d'ennuis comme ça ! !

— Eh, dites donc, mais quel mégaphone… ? Jamais on a eu un truc comme ça ici.

— ALORS ESPÈCE D'ABRUTI, CAVALE JUSQU'À LA CLÔTURE ET JE VEUX T'ENTENDRE BRAILLER JUSQU'ICI, JE VEUX QUE TU PARALYSES CES CONNARDS AVEC TES SEULS CRIS ! JE TE TIENS POUR RESPONSABLE, HENRI, JE TE FOUTRAI TOUT SUR LE DOS À LA MOINDRE EMMERDE ! ! !

Il a coupé la communication en cognant sur un bouton et le petit voyant rouge s'est éteint. Y'a une bonne ambiance ici, je me suis dit avec un sourire aux lèvres. Ensuite le vieux s'est levé d'un bond, renversant presque sa chaise, c'était un type de taille moyenne, rien que des nerfs et les cheveux hirsutes, habillé comme vous et moi sauf qu'il portait aux pieds des chaussons avachis et usés jusqu'à la corde.

Il a raflé une poignée de bonbons dans un des sacs en clignant de l'œil à la fille puis il s'est planté devant moi en mâchonnant un de ces trucs.

— Bon Dieu, il a fait, tu peux quand même pas me refuser un petit service… Il faut remorquer cette bagnole, je vais peut-être avoir besoin d'un coup de main, mon gars.

J'ai rien répondu mais il m'a envoyé un grand sourire en me glissant quelques crocodiles dans la main.

– Allez, amène-toi, il a fait.

On est sorti au pas de course dans une lumière aveuglante et dorée et le vieux a filé à travers le parking comme un type poursuivi par des chiens enragés. J'étais juste derrière lui, j'étais un mec de trente-quatre ans en pleine forme et quand je l'ai vu grimper dans cette énorme dépanneuse tout terrain, j'ai fait comme si j'avais pas remarqué le marchepied, je me suis accroché à la barre du rétro et avec l'élan j'ai carrément bondi sur le siège de l'autre côté et ça peu d'écrivains peuvent le faire, il faut des bras solides et une certaine force dans les mains mais j'ai fait tellement de boulots à la con, des trucs si épuisants et inimaginables qu'il m'en reste encore quelque chose. Quand je travaillais sur les docks, j'étais capable d'attraper un sac de cinquante kilos de café en plein vol, juste avec mon crochet et le balancer plus loin et il y avait des centaines de sacs à décharger dans la journée et la nuit je pouvais même pas dormir tellement mes bras me faisaient mal, à cette époque j'écrivais des histoires de fou furieux. Le vieux a mis le moteur en marche et le type dans sa cabane a eu juste le temps de relever sa barrière, on a foncé en soulevant un nuage de poussière.

C'était un chemin caillouteux et la dépanneuse dansait là-dessus et vibrait de toutes ses tôles. Le coin était resté relativement sauvage, avec des arbres et des buissons touffus, il fallait juste faire un effort pour oublier les papiers gras jaunis par le soleil et toutes les saletés que les visiteurs délicats balançaient par les fenêtres, toutes ces saloperies qui naissent de l'âme d'un enculé en vadrouille. Le vieux conduisait d'une main et de l'autre il faisait apparaître les petits machins gluants qu'il se fourrait dans la bouche en vitesse. Il faisait encore chaud et j'ai fait une remarque quelconque là-dessus en plissant les yeux.

— Ouais, il a fait, mais t'imagines l'Afrique, mon gars, t'imagines ces virées en pleine brousse sous un soleil d'enfer et pas un seul trou du cul à l'horizon, rien que des animaux couchés dans l'ombre et les lumières du ciel... ?

On a passé une clôture et après deux virages, on est tombés sur la bagnole en panne, une vieille VW rouge avec des autocollants et des fanions à l'arrière. Le vieux s'est garé à sa hauteur, mais on voyait pas à l'intérieur à cause de la buée, il s'est essuyé le front d'un revers de la main avant de cogner au carreau.

— Hé, là-dedans, vous êtes morts ? il a fait.

Un oiseau a poussé un cri lugubre dans les arbres et le carreau de la VW s'est baissé doucement. Un type au bord de l'asphyxie, les yeux dans le vague, a passé sa tête par l'ouverture dans un petit nuage de vapeur. Il y avait une femme à côté de lui, la cinquantaine décolorée et une robe avec des gros tournesols imprimés, elle tenait son sac serré sur son ventre.

— C'est le carbu, a soupiré le type, je parie que c'est le carbu. C'est pas la première fois.

— Un de ces jours, cette voiture sera notre tombeau, a grogné la femme.

— Voyons, bébé, raconte pas n'importe quoi...

— C'est la dernière fois que j'y mets les pieds, t'entends ? ? ? Achète-toi une voiture neuve comme tout le monde, fais-le si t'en es capable !

— Ah, tu me fais marrer, je te jure que tu me fais marrer, a grincé le type.

— T'as de la chance. Moi, comme type, je te trouve plutôt sinistre. Vivement qu'on soit sorti de là.

Le vieux a envoyé une claque sur le toit de la VW.

– Bon, refermez-moi ce carreau, on s'occupe de tout.

Il a fait une manœuvre et on s'est garé juste devant la Coccinelle. Il s'est gratté l'oreille en se tournant vers moi.

– Maintenant, je vais descendre le crochet, il a fait. Et tu te fais pas chier, tu l'attaches simplement au pare-chocs. Y'a rien de plus solide qu'un pare-chocs de VW.

Ce qu'il demandait me paraissait pas trop compliqué et puis c'était une fin de journée très douce, très calme, je pouvais bien faire ça, j'ai entrouvert ma portière en regardant l'horizon suspendu par des nuages roses. Au même instant, je me suis retrouvé complètement paralysé, j'ai senti du chaud et du froid dans mon ventre.

– Bordel, j'ai dit, qu'est-ce que ça veut dire… ? Je vois UN LION qui s'amène, là-bas !

– Bien sûr, c'est le parc numéro sept, a fait le vieux. Treize lions adultes et quelques lionnes. Mais tu risques rien, à cette heure-ci, ils ont déjà mangé, c'est comme des gros chats.

– Écoute-moi, je lui ai dit, t'es bon pour l'asile de vieillards si tu crois que je vais mettre un pied dehors. Je ferais pas ça pour tout l'or du monde !

– Quand j'avais ton âge, j'aurais pas hésité une seconde. Ça m'aurait EXCITÉ !

– La seule chose qui m'excite, c'est quand je travaille à mon roman. Pour le reste, j'essaie de pas trop m'ennuyer.

– Toi, tu m'as l'air un peu spécial, il a fait.

– Ouais, et j'arrive pas trop à digérer que tu m'aies pas prévenu. J'ai failli me retrouver dehors avec ces putains de lions, j'aurais pu être couché sous le pare-chocs et me faire dévorer une jambe.

156

Rien que d'y penser, je me sens pas bien, enculé.

– D'accord, petit, ne fais pas tant d'histoires. Dans ces conditions je me charge de tout, d'ailleurs je m'en suis toujours tiré sans personne, c'est la meilleure méthode.

– Je suis entièrement d'accord, j'ai dit. Alors tu peux y aller, je te regarde.

Le lion s'était arrêté à une centaine de mètres et il remuait la queue.

– D'après mes calculs, j'ai poursuivi, dès qu'il se mettra à bondir, il te restera quatre à cinq secondes, pas plus. Laisse ta porte ouverte.

Il a levé les yeux au ciel puis il est descendu de la dépanneuse. Sans quitter le fauve de l'œil, il a attrapé le câble et l'a enroulé autour du pare-chocs. Ensuite il est revenu tranquillement et il s'est installé derrière le volant.

– C'est comme des gros chats, je te dis, il faut pas s'en faire une montagne...

Il a mis le contact, embrayé et la dépanneuse a fait un bond en avant. Il y eut un léger sifflement suivi d'un choc effroyable, comme si le toit de la cabine avait heurté l'entrée d'un tunnel.

Le vieux a tourné vers moi son visage défait.

– Bon Dieu, qu'est-ce qui s'est passé, petit... ?

Je me suis retourné mais j'avais déjà une vague idée de la chose.

– C'est ce que je pensais, j'ai dit. On a arraché le pare-chocs et on s'est assommé avec !

– Ah, Sainte Vierge, a grogné le vieux en baissant la tête, ensuite il a passé la marche arrière et on est retourné à la VW, on a traîné le pare-chocs dans les cailloux, parfois on voyait un éclair argenté sauter à la hauteur des vitres. Le type de la VW nous a accueillis avec des cris hystériques, à demi penché par la portière, mais on n'entendait pas très bien.

Le vieux est resté un instant à triturer son

157

volant, la tête à moitié enfoncée dans les épaules, il a encore jeté un œil dans le rétro pendant que l'autre continuait à gueuler, puis il a ouvert son carreau en quatrième. Il s'est penché au-dehors.

– Écoute-moi, il a crié, je te donne à peine trente secondes, abruti. Descends de ton engin et attache ce foutu câble tout seul, sinon t'es bon pour passer la nuit ici et les vautours viendront crever tes pneus à coups de bec, t'entends... ?

La femme a poussé un cri et le type est sorti quasi instantanément. Il a jeté des regards effrayés autour de lui et il s'est emparé du câble. Le lion a poussé un rugissement avant de se coucher dans l'herbe, il a envoyé des coups de patte dans un truc invisible. Le type s'est agenouillé à l'avant de la VW et ensuite il s'est allongé dessous et il a commencé à s'activer au milieu de la piste. On voyait juste ses jambes qui dépassaient et son froc était couvert de poussière. Le vieux m'a montré d'un signe de tête le lion qui continuait à jouer et à pousser des grognements à la tombée du soir, dans l'air tiède et bleuté.

– Regarde comme il est beau, il a fait.

J'ai allumé une cigarette, les deux pieds appuyés sur le pare-brise, je serais bien resté comme ça pendant des heures et des heures, à méditer sur la Création d'une manière abstraite et décousue, mais le vieux a poursuivi son idée :

– Écoute, je vais te dire une chose. On a déjà eu des accidents ici. Deux types se sont fait dévorer, deux petits malins. Mais je peux pas en vouloir aux lions, je trouve même que c'est normal s'ils peuvent se payer un type de temps en temps.

Il s'est arrêté un instant, le temps de m'envoyer un regard et il a ajouté :

– Tu sais, il se passe pas un jour sans qu'un mec s'amuse à les brûler avec un miroir ou à leur rouler sur les pattes.

J'ai réfléchi un moment à ce qu'il venait de me dire, puis j'ai ouvert mon carreau. L'autre était toujours couché sous sa bagnole.

– BORDEL, Y'EN A UN QU'EST EN TRAIN DE RENIFLER TES JAMBES ! ! j'ai gueulé.

Le mec s'est rétracté sous la Coccinelle en gémissant et j'ai souri au vieux.

– Moi, je serais partant pour les laisser là, j'ai dit. On reviendrait voir demain matin...

– Ça serait super, il a fait.

On a encore attendu cinq minutes et le type a émergé de sous son engin, il a récupéré son pare-chocs et s'est installé au volant de la VW sans nous regarder. Le vieux a démarré et cette fois tout s'est bien passé, on est rentré sans se presser en visant les ornières pour les secouer un peu et maintenant il faisait presque nuit et j'ai entendu un chien aboyer, ou peut-être un coyote et un oiseau énorme s'est envolé dans les phares et a disparu dans les arbres.

– Si tu veux, tu peux rester quelques jours, a fait le vieux.

– J'en sais rien, je vais voir...

– Ça dépend de quoi ? il a demandé. Ça dépend du fric ?

– Non, j'ai dit.

– Alors t'as quelque chose d'autre à faire ?

– Non, pas spécialement.

– Ça dépend de quoi, alors ?

– Ça dépend comment je suis luné. Ça dépend si le ciel m'envoie un signe.

On a largué la VW sur le parking, on a laissé le type se démerder avec son carbu et pour l'histoire du pare-chocs, le vieux lui a dit la réserve est fermée maintenant, revenez demain

159

et on fera les papiers nécessaires, je veux plus entendre parler de rien après la fin des visites et donc on a planté le type sur place et on est rentré dans la baraque en fermant la porte à double tour.

La fille avait préparé une omelette et de la salade et on est passé rapidement à table. J'ai vidé quelques bières d'affilée et bientôt j'ai été largué, j'ai pas vu passer la soirée sauf que le vieux était un vrai fana de jazz, il a tenu à me faire écouter tous ses disques et bien sûr c'est tout à fait le genre de musique que je peux pas blairer et c'est ce que j'essayais de lui faire comprendre mais il faisait la sourde oreille, ce vieux rescapé de la *beat generation*, il avait trouvé le truc parfait pour me casser les couilles. Je parvenais juste à me calmer en suçant sans arrêt des petits crocos au ventre blanc et la fille était enfoncée dans un fauteuil avec une pile de revues sur les genoux.

De temps en temps, elle levait les yeux et me regardait. Je trouvais agréable d'être regardé comme ça par une fille de dix-huit ans, une lycéenne tiraillée par le mystère du Sexe et qui vous fixait droit dans les yeux avec un mélange de crainte et d'arrogance. Ces filles entretenaient un monde magique et tout ça pouvait être d'une rare finesse, c'était seulement par la suite que les choses se gâtaient, une fois qu'elles avaient appris à nous connaître.

Le vieux me faisait bâiller avec ses machins et pour lutter contre le sommeil, je me suis mis à penser à quelque chose d'épouvantable, je me suis dit imagine que Nina pique une colère folle et qu'elle balance ton manuscrit par la fenêtre, je pouvais presque voir les feuilles qui volaient dans la rue noire et s'enroulaient autour des fils électriques et cette image m'a complètement réveillé, je me suis levé en frissonnant et j'ai marché nerveusement dans la pièce. Je travaillais sur ce bouquin depuis plus d'un an et chaque page représentait un travail considérable car j'avais mis au point un style nerveux et éthéré, sifflant comme une lame, la première écriture aérodynamique avec des lignes d'une pureté majestueuse, lisses comme des billes au carbure de tungstène et ça me tombait pas du ciel, ça me faisait même plier les genoux. Malheureusement, personne s'intéresse plus au style aujourd'hui, alors que c'est la seule chose qui compte, heureusement qu'il y a des types comme moi qui travaillent dur, qui restent dans l'ombre, même si je trouve ça franchement dégueulasse. Au moins, ils pourraient envoyer la monnaie...

Je me suis approché de la fenêtre pour me changer les idées et le type était toujours au milieu du parking, plongé dans le moteur de la VW comme dans la gueule d'un hippopotame et la bonne femme dormait sur le siège avant, la tête retournée en arrière, oui la vie est pleine d'images effrayantes, c'est pas toujours facile, le soir, d'entrer dans une chambre et de s'asseoir au bord du lit pour défaire tranquillement ses lacets et ensuite se glisser dans les draps et regarder le plafond d'un cœur léger.

Le vieux nous a souhaité une bonne nuit et la fille m'a dit je peux te montrer ta chambre si tu veux. J'ai dit oui et au passage j'ai embarqué une dernière bière, je tenais pas à être réveillé en pleine nuit par le hurlement des hyènes ou le ricanement des singes.

La fille m'a conduit dans une chambre au fond d'un couloir et je suis tout de suite allé vérifier si le lit était convenable, c'est-à-dire pas trop mou et même je suis pas contre une certaine rudesse. Il était au poil ce lit, je me suis donc allongé avec le sourire aux lèvres mais la fille est restée dans l'encadrement de la porte. J'ai croisé mes mains derrière la tête pour voir ce qui allait venir.

— Je suis pas fatiguée, elle a fait. Ça te dirait de jouer à quelque chose... ?

J'ai eu peur de comprendre, je me suis dressé sur un coude.

— Est-ce que tu penses à une partie de dominos ? j'ai demandé.

— Oui, si tu veux. Ou une partie d'échecs.

— Non, je suis trop lessivé. Amène les dominos.

Elle est allée chercher les trucs et on s'est installé sur le lit. J'ai allumé une cigarette pendant qu'elle mélangeait le jeu et j'avais ma bière bien calée entre les jambes, il manquait juste un peu de musique pour que tout soit parfait, y'a pas un seul jeu au monde plus reposant que les dominos, surtout si on joue avec un certain détachement.

— Tu veux de la musique ? elle a demandé.

— Oui, n'importe quoi sauf du jazz.

Elle s'est levée et elle est revenue avec un truc à cassettes et un tas de bandes.

— Supertramp ? elle a demandé.

— N'exagère pas, j'ai dit.

— Fela ?

— Parfait. Pour commencer, je t'annonce un double-six.

On a fait quelques parties en silence, absorbés par le jeu et la musique et les dominos s'alignaient dans les plis de la couverture, c'était un peu confus mais la fille jouait avec beaucoup de finesse et je pensais à rien, parfois la nuit démarre en pente douce. Je buvais tranquillement ma bière en regardant le plafond quand elle m'a demandé :

– Tu as quel âge ?

– Trente-quatre dans un mois.

– Est-ce qu'on est plus avancé à trente-quatre... ?

– Non, je crois pas.

– Oh merde, tu peux pas savoir comme je trouve cette vie chiante.

– C'est un bon départ. Ça prouve que t'es en bonne santé.

– Je voudrais trouver quelque chose qui me tienne debout, quelque chose qui en vaille la peine.

– C'est une course folle dans la solitude glacée, j'ai fait.

– Sans blague...

– Oui, mais il est plutôt conseillé de rester au chaud. Regarde autour de toi, tu crois que les gens se préoccupent de savoir si la vie a un sens ? Non bien sûr, ce qui les intéresse c'est de se protéger des coups durs, d'en profiter le plus longtemps possible et de réfléchir un minimum. C'est pour ça qu'on vit dans un monde dur, avec des vitrines remplies de merde et des rues vides qui conduisent nulle part.

– Merde alors, tu me scies les bras et les jambes !

– Ouais, l'emmerdant avec la bière, c'est que tu sais jamais si tu dois emporter un filet à papillons ou un bazooka. En fait, tout n'est pas si noir que ça mais il faut savoir se défouler un peu. Je crois qu'en fin de compte je suis pas un type désespéré.

Elle a paru se désintéresser de la conversation, elle a soupiré en regardant ses mains.

– Tu crois que la vie a un sens ? elle a demandé.

– Un jour, je tiendrai plus sur mes cannes, j'ai dit. Une infirmière me conduira au fond du jardin et je passerai des jours entiers le regard immobile, à baver dans un rayon de soleil blanc.

J'ai retourné les dominos et je les ai éparpillés sur le lit.

– Écoute, j'ai repris, je crois pas que je puisse t'apporter grand-chose. Quand je vois tous ceux de ta génération cavaler furieusement après un boulot et saliver comme des vaches devant LA SÉCURITÉ, je me demande si on ferait pas mieux de s'arrêter là. Ou alors ne cherche pas à me retrouver dans dix ans quand tes copines partiront aux sports d'hiver et que tu resteras seule dans une chambre à te geler le cul avec des tonnes de factures impayées. Il faut voir aussi ce côté du problème.

– Ouais, mais je peux pas saquer les sports d'hiver. Ni les plages. Et je tiens pas à avoir une grosse bagnole ni une super baraque, tu sais ça me ferait chier que mes désirs soient les mêmes que tout le monde, ça me ferait peur.

– T'es une espèce d'extraterrestre, j'ai dit.

– Ça va, me prends pas pour une conne.

– Crois pas ça, j'ai dit. Mais si j'étais ton père, je penserais : « Il vaut mieux que ce type la baise plutôt qu'il la détruise avec ses idées foireuses sur la vie. »

– Ce qu'est bien, c'est que je te connais pas du tout. C'est pour ça que j'ai envie de parler avec toi, ça me paraît vraiment facile.

– Je crois que j'ai perdu cette fraîcheur d'âme, j'ai dit. Mais je te comprends. Moi maintenant, je parle tout seul, je fais plus chier personne.

– Ça veut dire que t'en as marre ? elle a demandé.

– Ouais, je suis fatigué.

– Bon, je vais te laisser. Mais quand même, j'aimerais bien avoir ton avis là-dessus.

– Vas-y, quel est le problème... ?

– Est-ce que la vie a un sens ?

Je me suis allongé en arrière sur le lit et j'ai allumé une cigarette, merde alors, elle attendait de moi quelque chose de profond et c'était pas ma spécialité, j'étais un type aérien et je savais qu'il fallait pas que je rate mon coup, j'ai noyé la chambre dans un nuage de fumée bleue, le regard vissé au plafond :

– Bien sûr, j'ai dit. Putain, bien sûr que oui !

14

Je me suis réveillé vers dix heures, avec la tête un peu lourde. J'avais mal dormi à cause de la chaleur, peut-être aussi parce que je m'étais endormi tout habillé et j'avais rêvé que ma chambre était envahie de flamants roses et qu'un nid de crotales bloquait la sortie, ou quelque chose dans ce goût-là, une espèce de cauchemar coloré et absurde. Je me suis levé et j'ai trouvé personne dans la baraque, c'était ce qui pouvait m'arriver de mieux. Je suis sorti, j'ai traversé le parking sans qu'une voix éclate dans mon dos et l'air est resté pur et soyeux pendant que je m'installais dans la Mercedes. J'ai manœuvré en douceur, avec des gestes lents, j'ai fait demi-tour devant la barrière et je me suis tiré en évitant de jeter un œil dans le rétro.

J'ai roulé pendant une petite heure, en conduisant nerveusement sur des petites routes de campagne. Ça pouvait arriver aussi que le monde vous ouvre les bras et qu'on sache pas très bien quoi en faire, c'était con mais ça pouvait arriver. En général, ce genre de petite balade me faisait du bien, ça faisait des histoires avec Nina mais je pouvais pas m'en empêcher et la plupart du temps je rentrais gonflé à bloc, je savais me faire pardonner. Au début, elle pensait que je me tirais pour aller baiser ailleurs mais elle se gourait et elle avait fini par l'admettre, ce qui voulait pas dire que ça lui plaisait beaucoup. J'aurais rien dit si elle avait fait la même chose, j'aurais simplement serré les dents, enfin c'est ce que je crois, je suis pas idiot, je suppose que ça doit être aussi dur pour n'importe qui par moments.

Je me suis amusé à matraquer les pneus dans les virages, j'ai même essayé de me faire peur mais le cœur n'y était pas, je savais pas si j'avais envie de rentrer ou non et j'en finissais pas de bâiller.

Je me suis arrêté dans un machin sinistre pour boire un café. Il y avait du monde, des types en survêtements et des bonnes femmes excitées qui braillaient autour. Les types étaient rouges de sueur et les femmes brutalement maquillées, je suis allé boire mon café sur une table du fond pendant qu'ils gueulaient et picolaient au bar comme si le monde entier leur appartenait. De temps en temps, quelques types m'envoyaient un regard luisant avec une étincelle de sauvagerie, peut-être qu'ils lisaient dans mes pensées ou que la turquoise plantée dans mon oreille les agaçait et les femmes c'était du pareil au même sauf qu'elles avaient dû repérer ma bagnole et un truc les excitait là-dedans, une espèce d'attirance vicieuse pour le luxe et elles prenaient des poses au bar et grimpaient sur les tabourets, défoncées par la chaleur, le bruit et l'alcool, pressées de mettre toute cette vie en branle. C'était une bonne ambiance, j'ai laissé quelques pièces sur la table et je suis sorti sans attendre la fin du programme.

J'ai passé l'après-midi dans la voiture, avec la radio à fond, sans m'occuper du paysage et totalement détaché du monde. Je ressentais rien du tout. Je m'étais juste arrêté au bord d'une route et j'avais acheté dix kilos de pêches à un mec, des blanches avec une face giflée par le soleil, je balançais les noyaux dans tous les sens pour planter des arbres et quand l'horizon a viré dans les mauves, j'avais le ventre gonflé comme une outre et la solitude m'avait épuisé. Alors j'ai pas pu résister et j'ai fait demi-tour.

Je suis arrivé chez Yan vers minuit, sous un ciel étoilé. J'ai cogné à sa porte. Je voyais de la lumière en haut, j'ai attendu. Dans cette boîte, il faisait ce qu'il voulait et donc on pouvait jamais savoir s'il bossait ou s'il avait décidé de rester chez lui, ça dépendait de son humeur, ça venait aussi du fait que sa mère l'arrosait régulièrement d'un bon paquet de fric. Les parties de poker lui servaient uniquement à payer ses cigarettes et à jouer au type qui gagnait du fric mais c'est rare qu'on ait pas tous un ou deux petits problèmes à résoudre pour se simplifier la vie. Au bout d'une minute, je me suis reculé et j'ai cherché quelque chose sur le trottoir. J'ai balancé dans ses carreaux le premier truc qui m'est tombé sous la main et une peau de banane a traversé les airs comme une méduse ratatinée et elle a disparu dans la chambre. J'ai compris que la fenêtre était ouverte.

— PUTAIN, j'ai gueulé, GARDE CE GENRE DE BLAGUE POUR UN AUTRE !! OUVRE-MOI !

Je suis retourné à la porte et j'ai fait sonner toute la baraque comme un tambour. Elle s'est enfin ouverte. C'était pas Yan, c'était son petit copain, torse nu et blanc comme un mort, le regard brouillé. Je l'ai poussé et je suis entré.

– Et Yan, il est pas là ? j'ai demandé.

Il est resté cramponné à la porte et l'a refermée comme si elle pesait trois tonnes. Sur le moment j'ai pensé à du Mandrax accompagné de quelques verres.

– Tu as l'air frais, j'ai dit. Tu regardais la télé ?

Il a filé jusqu'à la cuisine en s'accrochant aux murs. Je l'ai suivi. Il s'est écroulé sur une chaise avec une grimace affreuse. J'ai pris une bière dans le frigo et je me suis assis en face de lui.

– Hé, j'ai dit, essaie de faire un signe si tu m'entends. Cogne ta tête sur la table, par exemple.

– Ah, me fais pas chier. Je suis tout seul.

J'ai siroté ma bière en me balançant sur ma chaise pendant qu'il frissonnait et se caressait les bras. Il évitait de me regarder avec ses grands yeux maquillés.

Yan est à la boîte ?

Il a hoché la tête puis il s'est levé précipitamment pour se remplir un verre d'eau. Il a ouvert le robinet et j'ai entendu le verre se briser dans l'évier. Dix secondes après, il a tourné vers moi des yeux affolés et sa bouche s'est tordue.

– OH ENFOIRÉ, MAIS JE ME SUIS OUVERT LES VEINES...!! il a hurlé.

– Qui est-ce que tu traites d'enfoiré, mon pote ?

– OH MAIS REGARDE ÇA !! JE PISSE LE SANG !!!

C'était vrai, ce connard avait dû se couper avec les morceaux de verre, je voyais le sang qui coulait le long de son bras. Il s'est mis à brailler en pleurnichant, le bras tendu au-dessus de la tête. Ça pouvait pas être très grave mais j'imaginais ce qu'il éprouvait, les saloperies qu'il avait avalées devaient transformer ce filet de sang en vision d'horreur. Je me suis avancé vers lui mais il a hurlé de plus belle :

— NNOOONNN... ! ! ESSAIE PAS DE ME TOUCHER ! ! !

Je l'ai attrapé par les cheveux et je l'ai traîné tant bien que mal jusqu'à la salle de bains, lui hurlant et moi soufflant et bien sûr il a trouvé le moyen de se frotter aux murs et de flanquer du sang partout, j'étais certain que Yan apprécierait ce genre de plaisanterie.

J'ai fermé la porte à clé et pendant qu'il tombait à genoux à côté de la baignoire et reniflait, j'ai fouillé dans l'armoire à pharmacie. Ensuite j'ai attrapé son bras malade et je l'ai nettoyé sous la douche. C'était une belle coupure, dans le pli de la main, en plein dans sa ligne de vie. Je lui ai fait un pansement et il s'est calmé, il me fixait simplement d'un air hébété.

— Alors, ça va mieux ? j'ai demandé.

— Nan... la mâchoire bloquée...

— Qu'est-ce que tu racontes ?

— Peux pas parler. J'ai mal.

Il s'est appuyé contre la baignoire, les muscles noués et agité de petits tremblements. Je suis resté accroupi près de lui, je l'ai regardé, me demandant ce que j'allais faire de lui. Il s'est laissé glisser sur le tapis éponge en fermant les yeux, les bras glissés entre les deux jambes :

— Jamais été aussi mal avec un acide, il a fait.

Je me suis souvenu d'une boîte de Valium dans la pharmacie. Je me suis levé et j'ai attrapé la boîte.

— Reste tranquille, je lui ai dit, j'ai trouvé un truc.

Je me suis penché et je lui ai pété deux ampoules entre les dents, il a même pas fait la grimace. Après ça, j'ai pris une bonne douche.

Quand je suis sorti de là-dessous, il dormait. Je me suis rhabillé et je l'ai porté dans le salon, je l'ai allongé sur le divan. Il avait la peau lisse comme une fille mais ça s'arrêtait là en ce qui me concerne, j'étais pas d'humeur à tenter une folle expérience, j'étais fatigué. Et du même coup, je me suis dit ça me fait chier de rejoindre Yan à la boîte, il est tard et tu vas t'amener là-bas avec une gueule d'enterrement, il y aura tous les emmerdeurs, les branchés viendront te casser les couilles et les filles te trouveront pas à la hauteur, tu sais ce que c'est, il y a des endroits qu'il vaut mieux éviter quand on est dans cet état d'esprit.

J'ai tourné une minute en rond et ensuite je suis allé me bricoler un petit cocktail. J'ai pas la classe de Yan, j'ai ignoré la rondelle de ceci cela et la petite cerise au fond du verre mais je m'en suis bien tiré, j'ai attrapé une revue sur la table et je me suis laissé mourir dans un fauteuil. J'ai parcouru les gros titres. Je me suis vite rendu compte que ça allait toujours aussi mal. Par acquit de conscience, j'ai vérifié la date mais c'était bien un truc de la semaine. Il fallait donc se faire une raison, après toutes ces années la Crise était toujours là et à ce que qu'ils disaient on filait tout droit à la catastrophe. Je me suis demandé quel effet ça ferait le jour où on en sortirait, qu'est-ce que ça pourrait changer pour des types comme moi de vivre dans un monde sans chômage, sans inflation, sans crise, est-ce que ça me rendrait plus heureux, plus libre, plus intelligent, est-ce que la Reprise allait soulever mon âme et apporter quelque chose à mon talent ? Les types qui écrivaient ces articles sem-blaient vraiment paniqués mais qu'est-ce qu'ils auraient éprouvé à ma place, de voir que le monde allait peut-être résoudre ses problèmes mais sûrement pas les miens ? Je suppose qu'avoir des couilles pour un écrivain c'est accepter de grimper seul dans une barque quand tout le monde prend le bateau. Heureusement, tout ça se terminait par une page de publicité pour les soutiens-gorge sans armature et la fille m'a regardé droit dans les yeux pendant une bonne minute.

Je me suis levé et à ce moment-là une main du type a dégringolé sur le plancher mais je me suis pas précipité pour remettre les choses en ordre, je me suis plutôt sagement resservi un demi-verre et je suis sorti dans le jardin, je suis allé flirter avec le palmier de ce salaud de Yan. La nuit était silencieuse et douce, pas de bombardiers dans le ciel, pas de missiles ni d'éclairs de feu à l'horizon, j'entendais juste un chien aboyer dans la rue et ce chien n'avait pas la rage et personne hurlait dans la nuit, ce coin était exactement comme je l'avais souhaité, calme et vivant, juste de quoi redonner à un écrivain un peu saoul une image tranquille du monde, une image tordue mais sucrée.

Sans savoir comment, je me suis retrouvé vautré dans la chaise longue, face au ciel étoilé et j'ai pas pensé que j'étais peu de chose, j'ai pas pensé à ces milliards de soleils et tout le bazar sur la vie, le gouffre infini des parsecs et la théorie du big-bang, non, j'ai pensé putain j'espère qu'elle a pas foutu mon roman en l'air, j'espère qu'elle a pas fait ça ! J'ai serré les dents et j'ai frissonné un long moment.

Plus tard, j'ai entendu Yan qui rentrait. Je me suis arraché à quelques pensées inconsistantes et je suis allé voir.

— Tiens, c'est toi ? il a fait. Alors c'était juste une petite balade...

— Ouais, j'ai pas été embarqué dans des aventures extraordinaires. Je me suis assagi avec l'âge.

— T'as pas vu Jean-Paul ?

— Il est à côté, il est sur le divan. Il est rétamé.

— Hein ? Qu'est-ce que tu me chantes... ?

Il a filé dans le salon et j'ai écarté mon verre

in extremis pour le laisser passer sinon je le prenais en pleine poire, il avait encore une belle énergie pour un type qui rentre chez lui à trois heures du matin, il tenait la tête de Jean-Paul entre ses mains quand je suis enfin arrivé. J'ai bu un coup.

— Quand il m'a fait entrer, il était déjà dans le cirage. Ensuite il s'est coupé avec un morceau de verre, j'aurais voulu que tu voies le cirque. Il gueulait comme si j'allais l'égorger... Bon, mais faut pas que ça nous empêche de boire un verre tous les deux.

— Ça a l'air d'aller. J'ai l'impression qu'il dort.

— Y'a des chances. Il va nous laisser tranquilles.

— Ah, pourquoi es-tu toujours aussi désagréable ?

— Merde, c'est bien lui qui l'a cherché. Qu'est-ce qu'ils ont tous à m'emmerder avec mes bouquins, quel rapport ça a avec moi ?

— Il y a un sacré rapport.

— Bon, mais je suis assez chatouilleux là-dessus. Je me donne assez de mal quand je les écris, je trouve, pour qu'après on me laisse tranquille. Je fais pas le service après-vente.

— Ouais, mais n'oublie pas qu'aujourd'hui les gens attendent que l'artiste fasse son petit numéro.

— Je sais, j'ai toujours voulu mettre au point un truc de claquettes. Sinon mes bouquins ont pas besoin de moi, ce que je peux faire de mieux pour eux, c'est de fermer ma gueule.

— Ouais, dis donc, ça me fait penser que j'ai une faim de loup, t'as pas envie de quelque chose ?

— J'ai mangé que des pêches depuis ce matin.

On s'est replié sur la cuisine. Yan a vidé le frigo sur la table, rien que des conneries et du

172

fromage sous plastique et on s'est assis l'un en face de l'autre.

— A propos, qu'est-ce que t'as raconté à Nina ? j'ai demandé.

— Je lui ai dit de pas s'inquiéter.

— Je regrette que t'aies pas au moins une tomate, j'ai dit, quelque chose d'un peu plus frais. Je comprends pas que tu bouffes que des machins chimiques.

J'ai mangé du bout des lèvres alors que Yan c'était plutôt sérieux. Il a sorti une bouteille de vin mais j'ai refusé, je commençais déjà à avoir mon compte. J'ai quand même ouvert une bière parce qu'il faisait chaud, c'était vraiment un bel été, avec des nuits à dormir sur le carrelage ou rester debout et boire frais en espérant une légère brise sur les coups de quatre heures du matin.

— Je parie que tu as trouvé le moyen de craquer tout ton fric pendant ces deux jours, a fait Yan.

— Tu rigoles...

J'ai sorti tout le paquet que j'avais dans la poche, je l'ai posé sur la table, c'était MON fric, un tas de billets qui se tortillaient au milieu des miettes de pain. J'ai regardé ça un moment.

— J'ai envie de m'acheter quelque chose, j'ai dit. J'ai envie de me faire un beau cadeau...

— Fais pas le con.

— Hé, t'as pas une idée ? Ce truc me rend nerveux, tout d'un coup.

— Écoute, tu ferais mieux d'attendre demain. Étudie cette question à jeun.

Bon, je devais vraiment avoir trop bu parce que j'ai fait quelque chose que je fais jamais normalement, j'ai pris le paquet de billets dans une main et je l'ai laissé tomber en pluie sur la table. J'ai pris un regard profond, je voyais pas à un mètre :

173

— Regarde ça, j'ai fait, ce truc mène le monde depuis le commencement. Souris pas, chaque billet qui tombe est un maillon de la chaîne. Et pourtant, qu'est-ce que tu peux faire de ça à part te payer des merdes... ? Y'a pas grand-chose de valable sur terre qu'on puisse acheter avec de l'argent.

— Ah, tu dérailles... c'est des mots.

Je l'ai empoigné par le revers de sa chemise, j'ai fait un demi-tour pour serrer :

— Là, tu déconnes, laisse les mots tranquilles. Méprise pas mon outil de travail.

Ensuite on a vaguement rangé et il m'a proposé d'aller en fumer un dans le jardin. J'étais d'accord. Pendant qu'il s'occupait de notre affaire, j'ai sorti les enceintes et j'ai mis de la musique. J'ai pensé que les *Quatre Saisons* d'Harmonium ça donnerait une bonne ambiance. Je lui ai amené sa bouteille de vin et je me suis toléré une dernière bière. Je me suis allongé dans la chaise longue pendant qu'il roulait.

— Magne-toi, j'ai dit. Il va bientôt faire jour.

— Y'a longtemps que j'avais pas écouté ce truc, il a fait. Y'a au moins dix ans.

— Ouais. Je me souviens d'une fois où t'étais tellement raide, t'es resté accroché au casque et t'as pleuré de joie en écoutant ça, t'as fait un cinéma épouvantable.

— Je crois me souvenir, il a fait. C'est le soir où tu as passé plus d'une heure enfermé dans les chiottes et tu répondais à personne.

— La plupart des types avaient des gueules de satyres.

— T'as jamais pu blairer mes amis.

— Tu te trompes, mais ceux-là avaient des bras vraiment énormes. J'avais peur d'être déchiré.

On a fumé le truc en gardant la fumée au maximum et à la dernière bouffée, j'ai compris que j'allais rester prisonnier de la chaise longue, les genoux bloqués, cloué dans le petit matin, j'entendais Yan qui parlait doucement et me racontait des trucs mais je comprenais rien, je regardais le jour se lever et j'ai cligné lentement des yeux dans le premier rayon de soleil qui m'a embroché.

15

Le lendemain matin, quand je suis rentré chez moi, j'ai vu une bande de gens attroupés devant la porte, des concierges, des voisins, des connards, des retraités en robe de chambre, des cinglés. J'étais pas levé depuis très longtemps et je payais encore pour la veille et de voir cette espèce d'émeute devant chez moi, ça m'a complètement assommé. J'ai vacillé sous le soleil de midi et au moment où je poussais la porte du jardin, un type en uniforme s'est frayé un chemin parmi les mecs et s'est avancé vers moi. Ma première pensée a été de fuir mais au lieu de ça, j'ai sorti mes papiers et je les ai tendus au mec.

— Je m'appelle Philippe Djian, j'ai dit. J'espère que tout est en règle.

Il a pas jeté un regard sur mes papiers, c'était un jeune type costaud avec une clé à molette dans la main. J'avais encore jamais vu un type transpirer comme ça, il était trempé des pieds à la tête.

— C'est réglé, il a fait. Une de vos canalisations avait pété et pas moyen de mettre la main sur le robinet d'arrêt. On s'est un peu arrosé...

– Excusez-moi, je croyais que vous étiez de la police.

– Non. On s'occupe aussi des inondations, il a fait.

A ce moment précis, mon cerveau s'est paralysé, comme si le mec m'avait envoyé un coup de fouet dans la colonne vertébrale, qu'est-ce qu'il a dit ? Qu'est-ce qu'il est en train de me dire... ? Le type s'est barré alors que j'étais encore sous le choc. Ensuite tous les ahuris se sont tournés vers moi avec un franc sourire. Je leur ai indiqué la sortie :

– Bon, allez, barrrez-vous. Y'a rien à voir. Ça sera demain dans vos journaux.

Je suis rentré et je leur ai claqué la porte au nez. Y'avait une mare de flotte dans le couloir, deux bons centimètres et des reflets dansaient sur les murs et éclairaient le plafond, c'était pas un rêve ni une vision détraquée par le manque de sommeil, c'était le genre de truc qui pouvait vous faire vieillir de dix ans pendant deux ou trois jours. Hormis un léger clapotis, la baraque était silencieuse, c'était presque inquiétant.

– Nina ? j'ai appelé.

Rien, j'ai pataugé en faisant un crochet par la cuisine mais en fait je l'ai trouvée dans l'autre pièce, dans mon fauteuil, les genoux remontés et la tête penchée en avant. Elle était trempée aussi et j'ai pris une voix détachée :

– Faut pas se plaindre, j'ai dit. Il y a des types qui se retrouvent avec trois mètres d'eau dans leur baraque, pendant les inondations.

– Ça va, garde ça pour toi.

– Oui, j'espère pour eux qu'ils ont des femmes avec les nerfs solides.

Elle m'a envoyé un regard farouche :

– Dis donc, j'ai l'impression que tu t'es tiré au bon moment, hein... ? J'étais toute seule quand ce foutu machin m'a pété à la figure. T'es au courant… ?

J'ai rien répondu, j'essayais de penser à un moyen pour évacuer toute cette flotte, soit remplir des bouteilles, soit faire du feu ou grimper sur le lit et attendre. Mais elle a insisté :

— Je suis toute seule dans ce foutu appartement depuis trois jours !

— Écoute, j'ai dit, te casse pas la tête. C'est mon roman qui me fait ça, tu sais ce que c'est…

— Ha, ha, elle a fait, faudrait que je sois folle pour gober des trucs pareils !

— Bon sang, il y a plus urgent à faire que nous engueuler, il me semble.

Je me suis avancé dans la pièce, j'ai vérifié discrètement que mon roman s'était pas envolé et j'ai retiré mes godasses.

Toute cette merde nous a pris une bonne partie de l'après-midi et au fur et à mesure, Nina s'est détendue. Je sais être vraiment gentil quand je veux, je fais ça avec une aisance suprême et à la fin on trouvait ça presque marrant de frotter et d'essuyer côte à côte, c'était bon d'éponger ensemble, je lui racontais des conneries, je lui allumais des cigarettes, j'avais même cavalé jusqu'au marchand du coin pour lui ramener des glaces et un bâton de guimauve, c'était une belle fille, j'en avais pas eu souvent des comme ça, j'en avais même jamais eu pour être franc, ça me ferait chier de la perdre, j'ai pensé, mais comment faire, comment traverser cet océan d'écueils ?

Heureusement, le soleil inondait toute la pièce, je me suis dit que ça sècherait assez vite, je me suis dit qu'on aurait juste le temps de faire quelques courses et de revenir manger tranquillement ici tous les deux et écouter de la bonne musique. Mais il y a eu un contretemps. Je tordais ma dernière éponge et elle se tenait accroupie devant moi, de dos, et elle portait ces espèces de pantalons indiens, très larges, qu'un rayon de soleil traverse facilement. J'ai avancé une main entre ses jambes et j'ai attrapé son sexe à travers le tissu. Comme elle m'a pas envoyé sur les roses, j'ai fait glisser l'élastique de son froc et je me suis rincé l'œil tranquillement. Ensuite j'ai calé mon biceps entre ses fesses et j'ai plongé une main sous elle pour lui attraper les nichons. C'était bon. Je sentais ses grandes lèvres s'ouvrir sur mon bras. C'était vraiment génial.

Un moment après, on s'est à moitié endormi et les ombres se sont allongées dans la pièce. Je me suis levé en regardant le ciel rouge par la fenêtre et j'ai mis le cap vers la cuisine pour voir si je pourrais pas confectionner quelque chose d'à peu près mangeable. J'ai mis de la bière sur un plateau, des tomates, du fromage, cinq ou six yaourts et un sac de pain de mie. Au passage j'ai pris quelques couverts et le tour était joué.

Elle dormait, je me suis penché sur elle mais elle dormait vraiment. J'ai mis le téléphone en dérangement et je me suis installé dans un fauteuil. J'étais juste assis devant la glace, je voyais un type baignant dans une lumière dorée et crevant d'un coup sec un sachet de papier cristal. Parfois je m'aime, parfois je peux pas me saquer mais là je me voyais mal, je me suis approché et je me suis regardé dans les yeux. Au bout de cinq minutes, j'ai plus reconnu cette tête et je suis retourné m'asseoir pour manger, il aurait fallu quelque chose d'un peu plus incroyable pour me couper l'appétit.

Il y avait une sacrée ambiance quand je me

suis installé derrière ma machine, rien qu'une étrange lumière et un silence tendu, c'est dans ces moments-là que je suis le meilleur, tout ce qui sort de mon esprit est finement ciselé, transparent comme une source et dur comme de la pierre, je suis à deux doigts de cracher des diamants à travers la pièce, ce qui explique mon style, ce curieux mélange de pureté et d'intensité. Quinze ans de travail acharné, les gars.

Pendant plusieurs jours, ça a bien marché, j'ai abattu un travail de forçat, j'ai réussi à aligner une cinquantaine de pages qui se tenaient. J'avais passé toutes les nuits soudé à ma chaise, attendant de m'écrouler de fatigue au petit matin, quelquefois passablement éméché et les yeux gonflés par les cigarettes. Rien ne m'arrêtait, j'emmenais un bloc pour aller chier et j'avalais des sandwichs. Nina allait et venait, entrait et sortait, parfois elle me faisait sursauter quand je la croyais sortie ou je discutais avec elle quand elle avait filé dans je ne sais quelle balade insupportable en plein après-midi, de préférence du côté du trottoir pilonné par le soleil. Je la sentais nerveuse mais je faisais comme si de rien n'était, il y avait pas grand-chose qui pouvait m'atteindre à ce moment-là, j'y pouvais rien. Je sentais que les choses se dégradaient doucement mais je regardais ailleurs. Je voulais pas penser à ça.

Pourtant, j'aime écrire dans une ambiance sexuelle, j'aime quand elle se lève à trois heures du matin pour chercher un verre d'eau et que je la chope au passage, j'aime quand le drap glisse sous un rayon de lune et me fait apparaître un bras ou une cuisse argentée, j'aime quand elle vient me sucer au milieu d'un chapitre et que la machine continue à ronronner tandis que nous glissons sous la table, j'aime retourner au travail l'esprit débarrassé de toutes ces saletés, j'aime quand elle vient me masser la nuque et qu'elle reste silencieuse, j'aime quand elle se fait les ongles, j'aime ses ongles, j'aime ça écrire avec une femme dans les parages, une femme qui reste à portée de voix. Mais comment lui faire avaler que c'était sa présence qui comptait par-dessus tout, comment lui faire comprendre que j'étais pas dans mon état normal, comment venir à bout de toutes ces merdes qui nous compliquent l'existence, comment je pouvais faire pour écrire et vivre avec une femme en même temps ? Surtout ce genre de femme, gonflée de lumière et au meilleur de sa forme. Il fallait vraiment que je fasse un drôle d'effort pour plus penser à ça. Ensuite je me prenais pour un type courageux alors que j'étais qu'un pauvre connard hypocrite penché sur ses petites feuilles. J'étais pas beau à voir. J'étais un vrai fantôme.

J'ai même pas fait attention quand le plombier est venu et un après-midi j'ai trouvé un mec en casquette couché dans ma salle de bains. Les deux flics sont repassés aussi un matin, ils cherchaient toujours Cécilia mais cette fois-ci j'ai à peine entrebâillé la porte, j'étais prêt à leur claquer sur la gueule de toutes mes forces mais ces deux enfoirés ont pas insisté, je les ai trouvés moins en forme que la dernière fois. Sinon, je répondais même plus au téléphone, je voulais parler à personne et la seule visite que j'ai eue, c'est Yan qui s'est pointé un soir pour voir si j'étais pas mort.

Tous les gens un peu au courant évitaient ma compagnie quand je traversais ce genre de période, ils avaient pas envie de se retrouver avec cet ahuri incapable de s'intéresser à quoi que ce soit, cette espèce de taré au regard fixe.

Mais pas Yan, Yan me laissera jamais tomber, c'est pour ça qu'en fin de compte je vois l'avenir d'un œil tranquille, c'est son amitié qui a fait de moi un humaniste. Je peux pas blairer la plupart des gens que je rencontre mais j'imagine qu'il y a des hommes et des femmes sur terre qui valent vraiment la peine, c'est la première chose que je regarde quand je suis avec du monde, comme ça je peux savoir d'avance si la soirée va être fichue.

Il a frappé à la porte sur le coup d'une heure du matin et je suis allé ouvrir en bâillant. On s'est assis de chaque côté de la table qui me servait de bureau. J'ai rangé mes feuilles vite fait car il pouvait arriver un accident, qu'il renverse une bière ou qu'il y mette le feu avec une cendre, ça pouvait arriver et y'a de quoi se trouver mal quand on s'aperçoit qu'on a souffert pour rien. Quand on a souffert toute sa vie pour rien, je comprends qu'on finisse gâteux. J'ai glissé mes feuilles sous ma machine, comme ça j'étais à peu près tranquille.

— Hé, dis donc, j'ai fait, tu finis tôt aujourd'hui...

— Tu parles, j'y suis même pas allé. Merde, j'en ai vraiment jusque-là, tu sais. Depuis qu'Annie est rentrée, c'est devenu l'enfer à la baraque, c'est vraiment l'enfer.

— Comment ça se fait ? j'ai demandé.

— Ouais, Annie et Jean-Paul peuvent pas se saquer. Je les ai empêchés de se battre, ah quelle chierie, ils sont insupportables.

— Je crois qu'Annie aurait eu le dessus, tu crois pas ?

— Merde, elle fait rien pour arranger les choses. Elle lui laisse pas passer le moindre truc.

On est resté silencieux un moment, le silence est la plus grande merveille de ce monde misérable, ça je l'ai toujours su. Ensuite on a fumé et bu un peu sans se creuser la cervelle, on s'est retrouvé pieds nus et assis par terre sur des coussins, c'était le premier vrai moment de repos que je m'accordais depuis pas mal de temps. Ce salaud était tout simplement en train de faire un miracle. Voilà un truc que Nina aurait pas encaissé, elle aurait sans doute fait une remarque du genre et alors espèce de salaud, tu vois bien que tu arrives à lever ton nez de tes putains de feuilles quand tu en as envie. Et qu'est-ce que j'aurais pu répondre à ça ? Rien, rien du tout, parce qu'elle aurait eu raison. C'était d'accord, je m'arrêtais de bosser pour un ami mais pour-quoi je l'aurais fait pour elle ? C'était pas mon amie, c'était la femme qui vivait avec moi, c'était celle qui me voyait dormir, travailler, manger, chier, baiser, grimacer, rire et me prendre la tête à deux mains, c'était plutôt quelque chose, non ? Ce qu'elle voulait, c'était que je lui donne le meilleur de moi-même et c'est ce que j'essayais de faire mais j'étais obligé de lui donner aussi le pire avec, il arrive toujours un moment où on peut pas faire autrement.

Bon, j'ai donc bu une bière avec Yan et ça m'a fait du bien, je sentais la pression se relâcher. Le téléphone a sonné vers deux heures du matin mais ça m'a pas ennuyé, j'ai décroché d'une main tranquille, mon âme traversait un champ de blés mûrs à peine courbés par le vent, dans une vallée inaccessible.

— Allô oui... ? j'ai fait.

— C'est Marc, a fait la voix. Je veux lui parler... je veux lui parler tout de suite !

J'ai presque entendu ses dents grincer dans l'appareil. Il paraissait nerveux, vachement ner-veux, il respirait très vite.

— Tu veux parler à Yan ? j'ai demandé.

182

– Fais pas le con.

– Tu veux parler à Nina... ?

– Je te conseille de pas faire le con, il a grogné. Tu me connais mal.

– Écoute, y'a que trois personnes, ici et ça fait des jours que je suis pas sorti, tu comprends, alors je suis à moitié lessivé. J'aimerais mieux que tu ailles faire ce cirque ailleurs.

– Ha ha, il a fait. Comme écrivain, je te plaçais pas parmi les meilleurs mais je m'aperçois que tu vaux rien du tout en tant qu'être humain.

– Je me suis déjà fait cette remarque. Ne remue pas le couteau dans la plaie.

– Allez, merde, fais pas le salaud.

– Si tu veux parler de Cécilia, elle est pas ici. Et je suis au courant de rien. Peut-être que je vaux pas grand-chose comme individu mais je te mens pas.

– Raconte pas de conneries, je sais qu'il y a un truc entre elle et toi.

– Plus maintenant, j'ai dit. Je te mens pas.

– Ouais, j'en sais rien, il a fait.

– Comment ça, t'en sais rien ?

– Ouais, j'en sais rien, peut-être qu'elle est à côté de toi et qu'elle tient l'écouteur, hein... ? J'en sais rien.

– Je comprends ça.

– CÉCILIA, SI TU M'ENTENDS, LAISSE CE SALAUD, IL FAUT QUE JE TE PARLE !!! LAISSE CE SALAUD !!!...

J'ai eu l'impression qu'on m'enfonçait un pieu dans l'oreille, un pieu avec l'écorce.

– Écoute-moi bien, j'ai dit, ta cervelle est tellement chiffonnée qu'elle a dû passer par ton trou du cul. Rappelle-moi si tu veux, mais quand t'auras mis tout ça au propre.

J'ai raccroché en souriant à Yan.

– Cécilia s'est encore échappée, j'ai fait. Moi, cette fille, elle me fait marrer, c'est un bon

183

numéro. Elle ralentit pas d'un poil et des types sont renversés sur son passage.

— Comment veux-tu traverser cette vie sans être brisé au moins une fois ?

J'ai jeté un coup d'œil sur Nina qui dormait à quelques mètres à peine, je lui ai jeté un regard rempli de douceur.

— Ouais, j'ai murmuré, tu vois, moi, si je tombais sur une fille qui soit un mélange des deux, je crois que je serais vraiment bon pour l'asile. Mais j'aime bien y penser, on doit toujours garder au cœur le sentiment de l'Inaccessible.

Yan s'est levé en hochant vaguement la tête et il s'est planté devant la fenêtre.

— Le jour se lève, j'ai envie d'aller voir, il a fait.

— Si tu veux un bon conseil, reste planqué en attendant que ça se tasse.

— Tu rigoles, mais je suis vachement emmerdé.

— Je me mets à ta place.

— Je vais y aller. J'espère qu'ils se sont calmés.

Je l'ai accompagné dehors, jusqu'à sa bagnole et on a continué à discuter sur le trottoir. Il commençait à faire presque jour et je m'étais assis sur une aile de la Mercedes. J'ai fumé une cigarette dans le petit matin, dans cette rue silencieuse et morne pendant que Yan était plongé sous le capot.

— En ce moment, je perds de l'huile, il a dit.

— J'y connais rien, j'ai fait.

C'est juste au moment de partir qu'il a glissé une main dans sa poche et qu'il m'a tendu un morceau de papier.

— Merde, j'avais complètement oublié, il a fait. Moi j'ai des nouvelles de Cécilia. Je l'ai vue pas plus tard qu'hier. Elle m'a donné ce mot pour toi.

— Tu vas me faire croire que tu y penses seulement maintenant... ?

— Ben, je me suis demandé si j'allais te le donner. Je crois que cette fille est une source d'emmerdes.

— Pas plus qu'une autre, vieux. Pas plus qu'une autre, je t'assure...

Il a démarré en m'envoyant un petit baiser du bout des doigts et je me suis retrouvé tout seul avec mon petit papier plié en quatre, il faisait vraiment bon et je me sentais insouciant. J'ai ouvert le truc tranquillement, le silence de cette rue me donnait envie de rire. Le message disait : « J'aimerais bien te voir. Si tu vois une solution, appelle-moi. » C'était suivi d'un numéro de téléphone et c'était signé. J'ai souri. Dieu sait que j'avais eu de bons moments avec elle, oui de bons moments, elle avait une préférence pour les positions assise ou penchée sur le lavabo, jambes écartées, et j'ai continué à sourire, quand elle était sur le point de jouir son sexe se mettait à fonctionner comme une pompe et rien que d'y penser j'ai respiré un grand coup, c'est formidable une fille qui semble toujours d'accord pour baiser, ça entretient la bonne humeur. Mais elle avait aussi quelque chose de plus que ça, elle avait conscience d'avoir un esprit, c'est pour ça que je l'avais pas oubliée.

J'ai chiffonné le papier et je l'ai jeté dans le caniveau. Merde, j'ai pensé, quel genre de solution elle voulait que je trouve, dans quel piège insensé voulait-elle me précipiter ? Mon roman avançait vraiment bien depuis un moment et ça me rendait lâche, seul un type qui a déjà écrit un bouquin peut comprendre ça, on arrive à lutter contre l'angoisse de la mort mais impossible de faire face à une scène de ménage, le moindre cri m'aurait anéanti. J'ai chassé quelques bons souvenirs comme des slips minuscules, j'en avais bien déchiré la moitié ou alors quand elle me prenait la main et la fourrait entre ses jambes et s'excitait. Quand il peut, un bon écrivain doit faire passer son travail avant le sexe, tous les éditeurs sont d'accord là-dessus.

Je suis tout de même rentré avec un soupçon d'amertume au cœur. Je me suis allongé sur le lit à côté de Nina et je me suis mis une cigarette dans la bouche. Il y avait juste une lampe allumée au-dessus de ma machine. Et mon tabouret vide. En temps normal, un type grimaçait à cette place, et riait, et gémissait. Je suis resté planqué dans l'ombre, à passer en revue des images sexuelles, j'en avais plein la tête. J'ai pas réveillé Nina pour les mettre en pratique, c'était juste un petit exercice cérébral, de quoi bander mollement en attendant que le soleil se lève. J'ai fait une croix sur Cécilia avant de m'endormir. Je compte plus tous les sacrifices que j'ai dû faire pour devenir l'écrivain le plus tordu de ma génération.

16

Un matin, Nina m'a réveillé en sautant sur le lit avec un journal ouvert en grand. J'avais dû me coucher très tard une fois de plus, je me suis dressé sur un coude et j'ai cherché à m'orienter.

– Hein... ? Qu'est-ce qui t'arrive ?

– Regarde, elle a dit, regarde ça, il y a un article sur toi avec une photo de Nicholson. Aaah, j'adore ce type !

J'ai pris le journal et je me suis assis dans le

lit. Nicholson faisait la grimace en brandissant une arme, c'était une photo de film, c'était ce qui illustrait l'article. Je l'ai lu pendant que Nina posait sa tête sur mes jambes, j'ai réussi à le lire jusqu'au bout, ensuite j'ai envoyé valser le journal par-dessus mon épaule.

— La fille qui a écrit ça est pas très gentille avec toi, hein ? a fait Nina.

— Je lui en veux pas. J'ai tout de suite vu qu'elle avait des problèmes avec son style. J'aime pas frapper un adversaire qui est déjà au sol.

Nina a pris mon engin dans le creux de sa main et je me suis étiré. J'ai eu envie de me laisser faire, j'ai eu envie de me faire baiser, qu'elle me grimpe dessus, qu'elle m'écrase avec sa poitrine et qu'elle m'enfonce sa langue dans la bouche mais juste à ce moment-là, un bruit épouvantable est venu de la rue, un bruit de tôle déchirée. Ensuite, le crépitement du verre brisé. Puis à nouveau les coups frappés contre la tôle. J'ai eu le pressentiment que tout ce vacarme avait un rapport direct avec moi. Alors baiser m'a plus fait envie du tout, j'ai enjambé Nina et je me suis précipité à la fenêtre qui donnait sur la rue.

Putain de merde, j'ai dit, et je me suis habillé en vitesse.

— Ben, qu'est-ce qu'il y a ? a demandé Nina.

— C'est Marc, il est de l'autre côté de la rue. Il est en train de démolir ma voiture avec une barre de fer !

Elle s'est levée pour voir mais j'étais déjà sorti. J'étais pieds nus, j'ai traversé le jardin en boutonnant mon jean, j'entendais les coups qui pleuvaient sur ma bagnole et ça me faisait mal. Il était sur le trottoir d'en face, il accompagnait chacun de ses coups d'un grand cri.

— BOUGE PAS ! j'ai gueulé. ON VA S'EXPLIQUER, BOUGE PAS !!

J'ai sauté par-dessus le coffre arrière d'une voiture en stationnement et j'ai filé droit sur lui. Il faisait beau, j'avais le soleil dans les yeux et il avait cette barre de fer dans les mains. Je sais pas pourquoi il a couru de l'autre côté mais on s'est retrouvé de part et d'autre de ma voiture. On s'est regardé. Il était tout pâle, il semblait à bout de forces. Comme je disais rien, il a cogné une nouvelle fois sur le capot en gémissant. Il faisait beau, j'entendais la peinture qui s'écaillait, ma bagnole était complètement fichue maintenant, méconnaissable, je frissonnais doucement.

– C'est toi que je devrais démolir ! il a fait.

– T'as fait une grave bêtise, j'ai répondu. Laisse-moi te dire que tu t'es vraiment mis dans la merde.

Il a abattu sa barre une nouvelle fois sur l'avant du capot et les phares se sont orientés vers le ciel.

– T'es le pire salaud que j'aie rencontré, il a enchaîné. Je suis sûr que tu sais où elle est !

– Bon, je vois que tu remets ça.

– Ouais, je t'emmerde et ta bagnole c'est juste le début. Je vous laisserai pas une seconde tranquilles.

Je me suis approché de lui lentement, en faisant très gaffe mais il était tellement excité qu'il s'apercevait de rien.

– Hé, je crois que tu es complètement à côté, j'ai dit. Je crois que tu te fais de fausses idées.

Je me suis encore avancé d'un pas, j'ai commencé à calculer si j'avais le temps de lui sauter dessus avant qu'il puisse se servir de la barre, c'était pas joué. Il paraissait crevé mais c'était pas joué. Non, rien n'est jamais joué d'avance.

– Imagine que j'aie vraiment rien à voir dans

cette histoire, j'ai dit. Tu vois un peu ce que t'as fait à ma bagnole... ?

Il a hésité une seconde et je me suis jeté sur lui. On a roulé sur le trottoir comme des chiens enragés. J'essayais de l'étrangler et lui de me crever les yeux quand je me suis senti arraché du sol.

C'était les flics. Celui qui m'avait soulevé avait des bras énormes, envahis de poils roux. J'ai seulement remarqué qu'il y avait du monde autour de nous, la plupart étaient des cons en bermuda ou des vieux hébétés. J'ai retrouvé mon calme petit à petit et j'ai expliqué aux deux flics que c'était MA bagnole et que n'importe quel honnête homme pouvait perdre son sang-froid quand on touchait à sa voiture. Le flic m'a approuvé en souriant. L'autre tenait Marc sur le capot d'une camionnette avec une clé de bras.

Ils m'ont demandé les papiers de la bagnole, je suis allé les chercher, je suis tombé sur Nina. Je l'ai embrassée sauvagement et je suis retourné voir les flics. Ils avaient déjà installé Marc à l'arrière de leur voiture. Tout en regardant les papiers, le flic a demandé :

— Vous portez plainte ?

— Non, j'ai dit.

— Vous devriez porter plainte.

— Je sais pas ce qui me retient mais je vais lui laisser une chance.

Le flic m'a regardé avec insistance, en clignant des yeux, on était en plein soleil et moi je portais pas de visière, j'ai enfoncé mes mains dans mes poches arrière et j'ai attendu que ça se passe.

— Bon, il a fait. J'espère que c'est bien réfléchi... ?

— Je peux pas réfléchir à une chose pareille, j'ai dit. Non, pas de plainte.

Il a hoché la tête avec une moue dégoûtée

puis ils sont partis. J'ai fait le tour de la bagnole sous le regard d'une poignée d'irréductibles qui se décidaient pas à foutre le camp, une belle bande de débiles, jouissant et puant sous le soleil. Le pare-brise était mort. Tous les carreaux étaient morts, l'intérieur de la bagnole ressemblait à une boîte de cachous translucides et le cadran était enfoncé, d'une manière générale tout était déchiré, tordu, éventré, abîmé. Il avait juste épargné les pneus. L'état de la carrosserie les mettait en valeur. Je me suis tourné vers les gens et j'ai envoyé un coup de talon dans un pneu.

– Approchez, c'est des bons, j'ai dit. Ils ont pas dix mille kilomètres. C'est des pneus super, je suis prêt à discuter. J'attends vos propositions.

Chacun a regardé son voisin puis ils ont tous décidé de partir comme s'ils avaient reçu un appel du néant. J'ai essayé de les retenir.

– Faut être cinglé pour laisser passer une chance dans cette vie, les gars !

Ensuite je me suis retrouvé seul. Je me suis aperçu que je m'étais éraflé le coude en tombant, ça commençait à me cuire. J'ai traversé la rue en faisant la grimace et je suis rentré chez moi. Je me suis assis sur une chaise, j'ai bu un coup et Nina s'est occupée de mon bras.

– Ça y est. Maintenant je me retrouve sans voiture, j'ai dit.

Je me suis senti vaguement déprimé, je savais que j'aurais plus de forces pour le restant de la journée.

– Aujourd'hui, je vais me reposer, j'ai dit. Ça va me faire du bien.

Nina a poussé un cri de joie et à partir de ce moment-là, je me suis plus occupé de rien du tout. Je me suis laissé un peu vivre. Rien dans le cerveau, rien dans le cœur.

17

Le mec était petit, chauve, il tournait autour de moi comme une mouche excitée. Je marchais vite, je passais devant les bagnoles sans ralentir, sans regarder les prix, toutes ces bagnoles étaient chiantes, elles étaient même pas laides, ça reflétait bien l'esprit d'une époque, aveugle et terne. Le type m'a rattrapé au bout de l'allée, il m'a pris par un bras :

— Bon sang, il a fait, écoutez-moi. Je suis là pour vous aider. Qu'est-ce que vous cherchez au juste ?

— Je veux me faire plaisir, j'ai dit. Je voudrais quelque chose d'un peu marrant.

— Comment ça, « un peu marrant »... ?

— Je suis trop jeune pour mourir d'ennui. Et j'ai un boulot qui m'oblige à m'entourer d'un minimum de folie.

— Ah... vous êtes acteur ? il a fait.

— Ouais, vous me reconnaissez pas ? Je suis l'Ange Exterminateur du Point-Virgule.

— Non, c'était dans quel film ?

— *Comme un torrent*.

On s'est payé encore toute une allée d'un pas rapide avant qu'il se décide à réfléchir. Il m'a fait signe et je l'ai suivi jusqu'au hangar, on s'y est mis à deux pour faire coulisser les portes. C'était une sorte d'atelier avec des moteurs suspendus à des chaînes, des moteurs posés dans tous les coins et une odeur d'huile chaude, les types étaient tous partis manger et l'endroit était silencieux.

A gauche, il y avait une voiture sous une

bâche. Le type m'a regardé, j'ai eu l'impression qu'il venait de prendre dix ans :

– J'ai celle-là, il a dit. C'est la voiture de ma femme. Mais comme elle s'est tirée, je vends sa voiture, je fais de la place. Vous trouvez pas ça normal ?

– C'est le minimum.

Il a tiré sur la bâche comme à regret et j'ai pu voir l'engin, j'ai pu voir la merveille, aucune comparaison avec tout ce que j'avais eu, je me suis senti traversé par un courant de folie.

– Coupé Jaguar XK 140, il a murmuré. Vous auriez dû la voir au volant quand elle remontait la rue avec un bras à la portière et ses cheveux blonds qui brillaient à l'intérieur comme une lumière divine...

Je souriais. Je me suis rendu compte que je souriais comme un taré mais impossible d'arrêter ça. J'ai contourné le petit bijou sans dire un mot et ensuite je me suis décidé, j'ai ouvert la portière et je me suis assis à l'intérieur, j'ai remué mon cul sur le cuir rouge, j'écoutais rien de ce qu'il racontait sur les boutons, je m'en fous, je lui ferai répéter, je me sentais vraiment à l'aise à ce moment-là, je réfléchissais pas du tout.

Je lui ai demandé combien il en voulait. Il a dit un chiffre.

– Dans ce cas, j'ai dit, je vais en prendre que la moitié. Mais ça me dérange pas, je fais rarement monter quelqu'un à côté de moi.

Il était penché au-dessus de ma tête, les mains appuyées sur le capot, il faisait des grimaces.

– Écoutez, il a gémi, il faut que je me débarrasse de cette voiture comprenez-moi... Vous voyez, chaque fois que je rentre dans l'atelier et que je la vois, je pense à ma femme. J'avais acheté cette voiture pour notre anniversaire de mariage, elle voulait une voiture verte avec des sièges rouges, c'était une enfant, je sais pas ce qui lui a pris...

Il est resté un moment les yeux dans le vague. Je me suis raclé la gorge et il m'a annoncé un nouveau chiffre.

— Parfait, j'ai dit. Si vous faites encore un bel effort, je vous mets tout en liquide sur la table, je paye comptant et je vous débarrasse de ce mauvais moment. Je serais heureux de pouvoir vous aider.

Après une discussion acharnée, on est tombé d'accord. Tout mon fric y passait, oui, c'était de la folie mais je vivais vraiment un délicieux moment, je m'étais encore jamais fait un tel cadeau. J'ai souvent été à zéro au niveau fric, j'ai même eu un peu faim des fois et j'ai souvent failli manquer de cigarettes, ça faisait de moi un connaisseur en cadeaux, je pouvais mettre des degrés dans le plaisir. Avec un coupé Jaguar XK 140, le thermomètre était passé au napalm. C'était de la folie mais qui peut résister à la folie ?

— J'aurais voulu que vous la voyiez quand elle tordait le rétroviseur pour se remettre du rouge à lèvres, il a ajouté.

Machinalement, j'ai touché le rétro pour voir si elle l'avait pas détraqué. Ensuite on a conclu l'affaire, on s'est installé dans son bureau pour régler les détails et le soleil inondait la pièce, quelle belle journée c'était, quelle sensation agréable de se torpiller soi-même, d'avancer le pied qui va vous basculer dans le vide, je savais qu'un type sans argent est comme une feuille morte, je crois que j'ai une attirance morbide pour l'insécurité.

J'allais partir quand le type m'a fait une proposition :

— Vous me promettez de plus jamais passer

devant chez moi au volant de cette voiture et je vous fais le plein d'essence. Faut que j'arrive à oublier.

– À ce prix-là, vous me reverrez plus jamais, j'ai répondu.

J'ai fait un tour avec la bagnole et ensuite je suis rentré. J'ai éprouvé un frisson désagréable en voyant mon ancienne voiture, j'ai préféré me garer un peu plus loin. Je suis descendu en jetant des regards autour de moi mais la rue était déserte, le cinglé était pas dans les parages. La maison était vide aussi. J'ai pris une douche froide. Il faisait chaud, j'ai mis de la musique, un de ces après-midi d'été avec la lumière animale du soleil qui cognait les murs, j'ai rien trouvé d'excitant dans le frigo à part de la bière fraîche mais j'étais même pas sûr d'avoir faim, j'avais pas envie de faire grand-chose, seulement ce putain de roman m'appelait, j'étais entré dans la dernière ligne droite après trois cents pages d'errances et maintenant les choses se compliquaient pour moi, je savais que j'aurais plus une seconde de tranquillité. Ça avait quelque chose d'effrayant d'une certaine manière mais je savais que ce serait comme ça jusqu'à la fin, jusqu'au chorus final, je compte pas ma peine comme écrivain, je serais enfin riche si on me payait les heures supplémentaires.

Jusqu'au coucher du soleil, j'ai procédé à la correction d'une dizaine de paragraphes, fumant et descendant quelques bières dans un silence total. Je me suis levé une fois pour vérifier que la bagnole était bien à sa place, EN PARFAIT ÉTAT, et j'ai monté la musique d'un cran avant de me rasseoir, j'ai allumé la lampe sur ma table. Je me suis remis à travailler pendant que les autres sortaient, s'amusaient et baisaient et j'avais pas la moindre chance de rattraper ça un jour, c'était quand même assez chiant et continuant sur cette pensée, je me suis demandé ce que foutait Nina, pourquoi elle était pas là. J'ai griffonné un petit poème rageur sur les inconvénients qu'il y a de vivre avec une femme mais j'ai pas réussi à épuiser le problème.

Vers onze heures, elle était toujours pas rentrée et je pouvais difficilement me concentrer sur autre chose, j'étais incapable de travailler. C'est toujours emmerdant quand une fille envahit votre âme, je crois que j'ai horreur de ça. C'est souvent à cause d'une fille que je suis incapable de faire le vide dans mon esprit, c'est parce qu'il y a toutes ces filles que j'ai pas la force de me retirer dans un petit monastère zen et de passer aux choses sérieuses, mais ça fait rien, j'essaierai de m'en tirer autrement, ça fait rien, je vais essayer de trouver mon chemin au pays des blondes platine et des brunes sauvages, je vais pas tenter de m'échapper, j'ai besoin de ces éclairs tordus qui vous accrochent à une femme, je me demande toujours lequel va dévorer l'autre, je me demande lequel en a le plus envie des deux mais à peine relevé je cherche toujours où se trouve la case du départ. Je me demande comment un type peut choisir la souffrance à la paix intérieure, je regrette de pas être un type détaché, je me demande si le résultat sera à la mesure de mes efforts, je me demande si je vais pouvoir arracher un bout de paradis.

Je me suis forcé à écrire. C'était tellement mauvais que j'ai eu le moral à zéro, parfois je me demande si un taré a pas écrit ça à ma place. C'est un moment sinistre que de se retrouver seul dans une pièce à minuit et de se rendre compte qu'on a écrit ça, que ce truc qui vaut rien est sorti tout naturellement de votre cerveau, pourquoi est-ce que par moments un homme vaut rien du tout ? Pourquoi la nature fait-elle des choses si monstrueuses, pourquoi la folie est-elle toujours aussi proche de nous, pourquoi, hein, pourquoi ?

J'ai pas pensé à me suicider et je suis allé manger une orange dans la cuisine. La nuit était vraiment noire et on voyait rien du côté de la plage, rien qu'un trou noir et frémissant. Qu'est-ce que peut faire un type seul, sans argent, sans inspiration, sans aucune envie alors que la nuit commence, qu'est-ce que j'ai bien pu faire pour mériter ça ?

Je suis allé jusqu'à la bagnole, j'ai joué un peu avec les boutons et je suis revenu. Je me sentais pas mieux. Si elle avait été là, silencieuse et vivante dans mon dos, je me serais pas senti aussi mal, à ma place n'importe qui se serait demandé ce qu'elle était en train de déconner, n'importe qui aurait eu besoin d'un peu de chaleur. Ce qu'il y a de chiant avec les autres, c'est qu'ils ont leur vie, leurs problèmes et ce fameux instinct de conservation.

J'ai fait un peu de lessive pour me changer les idées, je lui ai lavé trois culottes, dont une avec des taches de sang, j'ai dû frotter comme un dingue. Ensuite je me suis roulé un joint et je suis allé pendre les culottes dans la salle de bains avec le truc coincé entre les lèvres. Je me sentais nerveux. Elle était pas là mais toutes ses affaires étaient là, ses tee-shirts, ses flacons, ses serviettes, comme si elle avait été invisible, comme si elle me prenait vraiment pour un con et d'ailleurs tout ça commençait à me faire chier, tchic tchac, des grosses gouttes tombaient des culottes et explosaient entre mes pieds, j'ai tiré sur le fil et le truc s'est cassé en deux, les culottes ont claqué sur le mur et glissé au fond de la baignoire, le silence est revenu. Je suis resté planté là une seconde, il y avait un petit air frais, plutôt agréable. Je me suis demandé d'où ça venait, eh bien ça venait de ce carreau qu'une fille avait pété, parce que les filles faisaient des trucs comme ça, comme péter un carreau, comme envahir la salle de bains, comme se tirer quand on a besoin d'elles, une fille pouvait attraper votre vie et la tordre dans tous les sens, une fille était capable de vous clouer sur la Croix et ensuite de vous découper en mille morceaux. Je me sentais excité, c'était sûrement la pleine lune ou alors une de ces nuits où l'écrivain est réduit en bouillie et où je me retrouve seul en attendant un miracle, dans le silence et l'ennui et l'amer- tume et la faim, seul et complètement lessivé.

Mais en vérité Nina y était pour rien et Cécilia non plus, ni aucune des autres, en fait j'étais nul, bon à rien, sans forces, j'avais été incapable d'aligner une seule phrase dans l'après-midi ou bien des trucs comme il y a cent ans, des phrases avec des gueules de momies, qu'est-ce que je pouvais faire avec ça, comment faire du feu avec du papier humide, comment sauver un type qui va se noyer quand on s'accroche à lui ? Et puis peut-être que j'étais aussi nul comme baiseur, pourquoi pas, et nul comme type, nul comme ami, nul dans n'importe quel exercice de mon existence, nul dans les moindres détails, nul comme ce connard dans la salle de bains qui s'est battu avec trois culottes et qui gagne par abandon.

J'ai pas eu de mal à me retrouver dans une ambiance sinistre, j'ai avalé quelques bières et j'ai plongé dans la noirceur de mon âme pendant un bon moment, affalé sur le fauteuil et luisant de transpiration. La chaleur était tombée d'un seul coup mais j'avais pas l'intention de bouger. Il n'y avait rien à faire.

Quand j'ai entendu la clé tourner dans la serrure, j'ai jeté un coup d'œil au réveil. Trois heures et demie du matin. J'étais un peu saoul mais j'ai eu assez de réflexes pour éteindre la lampe du bureau avant que la porte ne s'ouvre. Je me suis redressé dans le fauteuil. On voyait pratiquement rien mais je l'ai quand même repérée dans le noir, elle a failli renverser une chaise et s'est arrêtée. Elle devait croire que je dormais, j'ai deviné le coup d'œil qu'elle a lancé vers le lit mais il faisait trop sombre et ensuite elle a foncé à la salle de bains. Elle a allumé et je me suis cru au cinéma, je la voyais parfaitement bien, de dos, penchée au-dessus du lavabo et se regardant dans la glace. Je me suis pas levé tout de suite, j'adore regarder les gens à leur insu, surtout une belle fille avec une petite jupe rouge et le cul en arrière, surtout par une nuit chaude et moite, après dix ou douze heures d'attente.

Au bout d'une minute, elle a fait glisser son slip et l'a balancé dans un coin. Sur le moment, j'ai pas compris pourquoi elle avait fait ça, je me suis dit voilà encore quelque chose d'étrange, elles font pas les mêmes trucs que nous, elles sont marrantes mais dans la seconde qui suivit, j'ai été saisi d'un pressentiment terrible et je me suis levé. Je suis arrivé dans son dos sans qu'elle m'entende approcher, je me suis collé derrière elle et je l'ai embrassée dans le cou. Elle était saoule, à moitié dans le cirage, elle puait l'alcool d'une manière invraisemblable, ahurissante, on s'est regardé le temps d'un éclair dans la glace et elle a baissé les yeux en riant, ça devait être vraiment drôle. J'ai enfoncé un genou entre ses jambes pour les écarter et avant qu'elle puisse faire un geste, je lui avais glissé trois doigts dans la chatte.

J'ai retiré ma main et j'ai ramené du sperme sur mes doigts. Ce truc-là m'a scié complètement et je me suis essuyé dans son dos. Je m'étais quand même pas attendu à quelque chose d'aussi brutal, je suis pas encore tout à fait détaché de ce genre d'histoires, j'ai des côtés assez frustes. Bon enfin j'ai pas pu digérer ça et mon poing l'a attrapée par le tee-shirt, j'aurais pu facilement la soulever si j'avais voulu. Elle a poussé un petit cri mais tout en continuant à rire. Je l'ai foutue dehors, j'ai attrapé son sac sans desserrer les dents et je l'ai foutue dehors. Je l'ai entendue trébucher dans les graviers pendant que je claquais la porte, j'aurais voulu qu'elle se casse vraiment la gueule, qu'elle se fracasse le crâne et je serais allé baiser son cadavre, j'étais chaud, j'ai eu envie de boire frais en vitesse.

J'étais penché sur le frigo quand j'ai entendu la clé trifouiller dans la serrure, non mais je rêve, elle essayait de rentrer, je rêve, j'ai fait un bond jusqu'à la porte et j'ai ouvert. Je lui ai arraché la clé des mains, elle tenait à peine debout. Il faisait très noir dehors, je pense que le ciel devait être bas.

— Je te conseille de pas en faire trop, j'ai dit.

Elle a levé les yeux sur moi. Elle avait des yeux comme j'aimais, ça me faisait chier de penser que le truc de l'autre lui coulait peut-être le long des jambes à ce moment-là, ça me rendait nerveux.

— Bon Dieu, elle a murmuré, qu'est-ce qui te prend... ?

— Faut que je sois tranquille pour finir mon roman, j'ai dit. Je vais plus te servir à grand-chose.

Elle allait ouvrir la bouche mais je lui ai coupé la parole :

— Écoute, j'ai dit, j'ai pas envie de discuter

avec toi. Tu m'emmerdes. Maintenant je vais essayer d'aller dormir.

J'ai fermé la porte pour de bon et je suis allé m'asseoir dans la cuisine, j'ai descendu des bières en silence. C'est dur de perdre une fille, c'est dur de voir que quelque chose s'est brisé. J'avais passé une dure journée.

Je me suis levé et je suis allé ouvrir la porte. Elle était toujours là, j'aurais juré qu'elle avait pas bougé d'un pouce.

– Qu'on soit bien d'accord, j'ai dit. J'ai VRAIMENT pas envie de te parler.

Je l'ai laissée entrer. Elle a disparu sans un mot dans la salle de bains et j'ai regardé un moment par la fenêtre. J'ai entendu l'eau couler dans la douche. Sans argent, sans inspiration, sans femme, debout à quatre heures du matin sans ressentir la moindre étincelle de vie, oh baby, quel putain de monde sans pitié, est-ce que tu es vraiment sûre que Tout est dans Tout ?

Quand je suis sorti, l'eau coulait toujours dans la douche, le jour se levait. Je me suis mis au volant de mon super-cadeau mais sans éprouver aucun plaisir, rien n'aurait pu me faire plaisir, je me sentais insensible à tout, j'étais vidé et crevé et sonné par les bières et les retours du joint et j'avais les yeux qui piquaient. Le temps que je me secoue un peu et que je trouve mes clés, j'ai vu la portière s'ouvrir et Nina s'est engouffrée dans la voiture. Elle avait les cheveux encore tout mouillés, elle m'a lancé un regard fiévreux. La douche semblait l'avoir dessaoulée à moitié.

– Descends, j'ai dit.

– Espèce de salaud, elle a fait. Pour qui tu te prends... ?

– Je suis le mec qui va te sortir de cette voiture.

– Hé, tu crois que j'ai que ça à faire, qu'à

200

attendre, tu crois que j'ai envie de rester debout dans ton dos pendant que t'es barré dans ton foutu bouquin à la con... ?

— Je crois que t'aimes un peu trop baiser. Voilà ce que je crois.

— Ça va. Tu vas pas en faire une montagne.

— T'es une fille avec des idées modernes, j'ai dit... Mais tu peux pas savoir à quel point ces idées-là me font chier.

— Et d'abord, qu'est-ce que c'est que cette voiture ?

— Te casse pas, essaie pas de détourner la conversation. Je t'ai demandé de descendre.

Au lieu de ça, elle a pris une cigarette sur le tableau de bord, elle l'a allumée nerveusement.

— Alors on est encore mal partis tous les deux, elle a fait.

— On aura essayé, j'ai dit.

Elle a jeté sa blonde par la fenêtre en me regardant et ensuite elle est descendue. Seulement au lieu de fermer la porte, elle s'est penchée vers moi avec les yeux brillants :

— T'ES QUAND MÊME UN VRAI CONNARD...!! elle a crié. TU COMPRENDS JAMAIS RIEN!!!

J'ai senti une bouffée de chaleur m'envelopper comme si elle avait craché des flammes dans la bagnole.

— D'ACCORD, j'ai braillé, T'AS MIS LE DOIGT DESSUS! J'AVAIS CRU QUE JE POUVAIS TE FAIRE CONFIANCE!!

Elle s'est écartée de la voiture et s'est plantée au milieu de la rue, les poings sur les hanches, frappée en pleine tête par le premier rayon de soleil levant.

— TOUT CE QUE TU AS BESOIN, C'EST D'UNE MACHINE À BAISER, PAS D'UNE FEMME!! elle a fait.

Je suis sorti pour lui montrer que je pouvais gueuler aussi fort qu'elle :

— OUAIS, MAIS OÙ PEUT-ON TROUVER CETTE MER-VEILLE... ? ?

— HA HA, TOUS LES TYPES DANS TON GENRE SE RETROUVENT AVEC CE GENRE DE PROBLÈME ! elle a ricané.

J'ai rien répondu, je savais qu'elle me laisserait pas le dernier mot, j'ai juste posé mes mains à plat sur le capot, j'ai regardé à gauche puis à droite en hochant la tête et je suis remonté dans la bagnole. Elle me quittait pas des yeux.

J'ai mis le contact et j'ai déboîté doucement, je l'ai vue disparaître dans le rétro, la plus belle fille que j'aie jamais eue.

18

J'ai dû réapprendre à vivre seul. Ça m'a pris un bon moment, il y a un rythme à trouver, ça m'a pris peut-être plusieurs jours, il y a tout un tas de problèmes chiants à régler mais on s'en tire toujours, plus ou moins bien.

En général, le matin, je faisais quelques courses d'un air hébété ou absent, je suis toujours assez long à me réveiller quand je suis seul, quand la baraque reste silencieuse et sombre et que j'ai ce grand lit pour moi tout seul. Je devais faire un effort pour pas penser à elle, je travaillais un peu plus, en musique et quand il n'y avait rien d'autre à faire, j'allais piquer une tête dans les vagues et je regardais les mouettes.

Parfois des gens passaient me voir ou je me retrouvais dans des petites fêtes, le soir, mais rien de vraiment important, je finissais générale-ment à moitié saoul et je rentrais seul, même pas fatigué, je restais pendant des heures les yeux ouverts dans le noir, allongé sur les draps avec une carafe d'eau à côté.

Et un matin, il m'est arrivé une catastrophe épouvantable, c'était la fin de l'été et les matinées étaient douces, j'étais jamais debout avant dix heures. J'ai bu mon café et je suis sorti dehors, je m'attendais à rien de précis. Comme d'habitude, j'ai ouvert la boîte aux lettres et alors je suis tombé sur cette merde incompréhensible, j'ai trouvé une lettre m'annonçant que mon petit chèque était suspendu pour je ne sais quelles raisons absurdes, un truc que j'avais pas rempli, ou pas envoyé à temps, ou pas retrouvé, je sais pas, il suffisait que j'aie oublié de signer un de leurs questionnaires à la con pour que toute la machine se détraque. Bon sang, s'ils me suppriment ça, je suis fait comme un rat, j'ai pensé. Et ils l'ont fait. Ils m'ont carrément coupé les vivres. C'est là que j'ai compris que j'avais fait une connerie en achetant une Jaguar mais tout est lié.

Je suis tombé sur une espèce de type au téléphone, un type qui avait l'air de lutter contre le sommeil :

— Qu'est-ce qui arrive ? j'ai demandé. Je comprends pas...

— Ben à mon avis il doit manquer une pièce à votre dossier ou quelque chose comme ça, mais je peux rien vous dire de plus... Il faudrait voir la machine.

— Il faudrait voir la machine ? ? ? j'ai fait.

— Ouais, tout est classé dans la machine et on est en panne depuis trois jours. Il faut attendre.

— Hey, écoutez, je suis pas du tout en mesure de pouvoir attendre. Je vais être obligé de manger, de payer mon loyer, tout le monde s'en fout dehors que votre machine soit en panne...

— Sans compter, il a ajouté, que tout ça va

nous faire prendre du retard, ça va pas arranger les choses.

– Putain, vous rigolez ? j'ai demandé.

– Oh non, j'ai plus la force, il a fait. Quand je vois toutes ces piles de dossiers en retard devant moi, j'ai plus la force.

Je pense qu'il me restait de quoi tenir une dizaine de jours, il fallait pas traîner, il fallait trouver une solution en vitesse. Il fallait que je laisse tout tomber et que je m'occupe de gagner du fric, je sentais que j'allais encore m'envoyer une galère, ça faisait longtemps, ça faisait presque un an, j'avais été tranquille pendant un an, bien sûr c'était un petit chèque ridicule mais j'avais pu tenir avec ça et maintenant c'était fini.

C'est dur de trouver du boulot mais c'est encore plus dur de trouver du boulot rapidement. Je me suis décidé pour une petite annonce qui payait les types à la journée, pour de la manu-tention, je me voyais déjà avec une blouse et des cartons à remplir, le truc où j'aurais du mal à lutter contre le sommeil, l'œil rivé à la pendule comme un type perdu en pleine mer et nageant vers une bouée. Mais j'avais pas le choix, je suis pas comme ces types qui se laisseraient mourir de faim plutôt que d'abandonner leur œuvre et je me suis donc couché de bonne heure pour me réveiller en forme. À plus tard, mon petit roman chéri, j'ai fait avant de m'endormir, puisse le poing de mon talent défoncer le cul des mecs qui me forcent à t'abandonner.

Je me suis levé tôt et je me suis rendu à l'adresse indiquée. Je me sentais un peu bar-bouillé mais je me suis pas inquiété, ça me faisait toujours ça quand je trouvais un nouveau boulot. Je me suis garé dans une espèce de cour où des types attendaient en fumant des clopes et en grimaçant vers le ciel. Tout le monde s'est tourné vers moi quand je suis descendu de la voiture. Peut-être qu'ils avaient encore jamais vu un écrivain en chair et en os, je me suis dit, peut-être un des meilleurs à des kilomètres à la ronde... ? Je me suis avancé vers les mecs et j'étais le seul en tenue normale, ils portaient tous des bleus ou des shorts, ils étaient plus ou moins vieux, plutôt baraqués et je me suis rendu compte aussi qu'ils avaient des ÉNORMES godasses aux pieds. Je me suis senti mal à l'aise avec mes tongs, j'avais le modèle avec les semelles aux couleurs de l'arc-en-ciel et une tresse argentée qui sortait entre les doigts de pieds. J'ai fait celui qui se souciait pas de ce genre de détails, je me suis enfoncé les mains dans les poches et j'ai souri aux alentours.

Un type a grimpé sur le plateau d'une camionnette, avec un tas de feuilles à la main, un type avec une petite moustache, dans les trente-cinq ans et la peau très blanche, maladive, il devait peser dans les cinquante kilos mais ses yeux étaient plutôt durs. Il a regardé dans ma direction :

— Hé, vous, il a fait, le gars à la Jaguar, vous êtes sûr que vous vous êtes pas gouré... ? Vous êtes sûr que vous voulez du travail ?

— Sûr et certain, j'ai dit. Vous pensez bien que cette bagnole est pas à moi, mon vieux, je serais incapable de faire le plein du réservoir...

Il m'a regardé de la tête aux pieds, ensuite il nous a fait signe de grimper dans la camionnette et il s'est mis au volant. On a traversé la ville debout à l'arrière, cramponnés sur les côtés et puis un type s'est assis par terre et j'en ai fait autant. On a roulé un bon quart d'heure dans la campagne ensoleillée et quand on s'est arrêté, je savais même pas de quoi il s'agissait, ça m'était égal de manutentionner des boîtes ou des couches de bébé ou de la purée en flocons, j'avais pas de préférence. On est tous descendus, on s'est retrouvé à l'ombre d'un mur gris. Le type a fait un petit speech :

– Bon alors écoutez-moi, il a fait. Ici, on est EN BAS et la petite colline que vous voyez derrière moi, c'est EN HAUT. Ceux qui ont déjà travaillé sur ce chantier connaissent le problème. Les autres vont voir que c'est très simple. Écoutez-moi, il y a pas un seul engin qui puisse grimper ça. Vous me direz que les types qui vont vivre ici sont tous des cinglés car ils seront obligés de laisser leur voiture en bas et je suis bien d'accord avec vous, bon, mais n'empêche que notre boulot à nous c'est de prendre les matériaux EN BAS et de les amener EN HAUT. Aujourd'hui on se met par quatre et vous commencez par me monter ça.

Il désignait le mur gris qui nous faisait de l'ombre, mais j'avais mal regardé, c'était pas un mur, c'était des poutrelles en béton précontraint empilées les unes sur les autres, peut-être deux ou trois cents poutrelles de six mètres de long avec des fers de huit.

Le type a sauté dans son engin, il s'est mis face à la pile et avec l'élévateur il a attrapé la première poutrelle et l'a descendue à 90 centimètres du sol. Quatre gars se sont détachés du groupe et ont croisé leurs bras autour du machin en béton.

– OKAY ?? a braillé l'enculé.

Puis il a baissé les pattes de son engin et les quatre types se sont retrouvés avec tout le poids de la poutrelle dans les bras. J'ai eu l'impression qu'ils s'étaient enfoncés de dix centimètres dans la terre battue, mais non, ces types avaient simplement rapetissé de dix centimètres, les os de la colonne vertébrale s'étaient soudés les uns sur les autres. Bordel de Dieu, j'ai pensé, et je me suis mis à rire pendant que les mecs démarraient en zigzag et attaquaient la côte en plein soleil, oh bordel de Dieu, mais j'avais les moyens d'échapper à ça.

On a formé quatre équipes, j'ai fait partie de la dernière et je me suis retrouvé qu'avec des vieux. Je me suis mis à l'arrière. Le type devant moi avait des cheveux blancs et des bras fins comme des allumettes.

– Hé, je lui ai dit, ça va aller… ?

– J'ai plus la force, mais j'ai la technique. Je vais sûrement t'étonner, l'ami.

– Je veux bien te croire…

– OKAY?? a braillé l'enculé.

Je me suis cramponné au machin. Ça devait peser dans les trois cents kilos avec des arêtes coupantes et j'ai cru mourir quand on a eu tout ce poids dans les bras, j'ai regardé le haut de la colline et j'ai cligné des yeux. Il y avait quelques baraques perchées à mi-chemin avec des arbres et des jardins à l'ombre et le sentier serpentait dans l'herbe grillée. On a commencé à marcher, le mec à l'avant a craché par terre avant d'entamer la côte.

– Déconnez pas, il a fait, si y'en a un qui lâche, on peut se casser une patte.

J'ai compris pourquoi les types avaient des grosses godasses. Ça ferait peut-être un bon coup de pub, l'Écrivain Aux Pieds Broyés.

Je crois que j'ai jamais fait un truc aussi dur de ma vie, c'était vraiment à la limite de mes forces. Quand on est arrivé à la hauteur des baraques, le chemin a tourné et personne pouvait plus nous voir d'en bas.

– Bon, allez merde, on pose ! ! a fait le type de tête.

On a lâché la saloperie sur le bord du chemin

et je me suis redressé en grimaçant, la sueur me dégoulinait entre les yeux et impossible de déplier mes doigts. Si le temps de travail avait été proportionnel à l'effort, je crois que ma journée se serait arrêtée là, au milieu de cette côte, je serais redescendu tranquillement et j'aurais encaissé ma paye sans rougir, « on peut pas dire que c'est de l'argent volé ! » j'aurais dit à l'enculé, et je serais rentré chez moi.

Mais au lieu de ça, la journée venait juste de commencer et j'étais mort, j'avais les avant-bras éraflés et brûlés par la sueur et l'angoisse de me faire sauter une jambe dans cette histoire me serrait la gorge. Par-dessus le mur d'un jardin, on pouvait voir un type assis au bord d'une piscine avec un verre à la main et une blonde qui bronzait sur une serviette jaune. Ça m'a pas redonné des forces mais on a ramassé la poutrelle et on s'est farci les deux cents derniers mètres en soufflant comme les damnés de la terre, suant et trébuchant et les muscles vrillés. On a croisé les autres équipes qui redescendaient en rigolant et ces connards couraient presque, j'ai toujours eu du mal à comprendre les autres, je me demande comment on peut marcher vers l'enfer en chantant.

Quand on est arrivé en haut, on a posé notre truc et le type qui était en tête m'a fait un clin d'œil en disant « et d'une ! » et si j'avais pas été au bord de la syncope, j'aurais enchaîné mais oui, pauvre con, « et d'une ! », encore une centaine de voyages et le tour est joué, t'es à deux doigts de la retraite mais tu vas te retrouver dans un bel état si tu t'amuses à vendre tes dernières forces au premier cinglé venu. Je me serais bien assis seulement mes petits copains fonçaient déjà vers la descente. J'ai cherché du regard le mec qui devait nous surveiller avec un fouet, l'enfoiré qui nous interdirait un petit moment de repos, mais il y avait personne dans le coin et les autres avaient une espèce de feu au cul, ce qui m'agace c'est que ce sont des êtres humains comme moi, je pigeais vraiment pas.

J'ai marché à côté du vieux qui avait des petits bras, j'ai trouvé qu'il avait l'air d'avoir bien encaissé.

– Écoute, j'ai fait, j'ai trente-quatre ans, je suis dans la force de l'âge mais je suis prêt à accepter quelques tuyaux.

Il s'est arrêté, il a hoché la tête en souriant :

– Ce qu'il faut, il a dit, c'est que t'en prennes un minimum dans les reins et un maximum avec les bras. Essaie de pas te niquer les reins l'ami, tire tant que tu peux sur tes bras.

Au deuxième voyage, j'ai fait ce qu'il disait, j'ai tiré sur mes bras et au troisième voyage aussi, mes veines gonflaient et mes muscles étaient raides comme des bouts de bois. On s'arrêtait à chaque fois à mi-chemin et j'allais reluquer la bonne femme sans raison précise, je regardais l'eau de la piscine, les petits éclairs d'argent et l'ombre des arbres et je me disais qu'est-ce qui t'arrive, qu'est-ce qui te fait croire que c'est plus dur pour toi que pour les autres… ?

Pourtant, c'était bien l'impression que j'avais, j'étais le seul qui avait pas envie de rigoler. Et la gueule de l'autre enculé à chaque voyage, avec sa bouteille thermos coincée sous les fesses et qui gueulait parce que ça allait pas assez vite, c'était peut-être ça que je trouvais le plus dur, c'était sûrement ça qui me foutait en l'air. J'ai le chic pour me retrouver dans des boulots délirants.

À midi, l'enculé nous a distribué des casse-croûte et de la bière tiède. J'en ai pris trois

209

canettes. Tout le monde semblait heureux. Je me suis trouvé un coin à l'ombre et je me suis écroulé dans l'herbe. Avant de m'endormir, j'ai jeté un coup d'œil au tas de poutrelles, il avait pratiquement pas diminué et le chemin qui grimpait la colline était comme un serpent poignardé par une chaleur hystérique, dors bien petit.

On a remis ça en début d'après-midi. Les types rigolaient moins mais ils gardaient une bonne cadence et petit à petit, je me suis habitué à la douleur, j'avais l'esprit engourdi. Je grimpais le dos plié en deux, je commençais à connaître toutes les merdes un peu dangereuses, les trous et les pierres qui dépassaient, les chardons et les ronces, mes pieds étaient noirs de poussière mais toujours vivants, j'étais toujours vivant, l'écrivain le plus près de la mort mais vivant.

J'avançais les yeux rivés au sol. Dans un moment d'absence, déchiré par le soleil, je me suis mis à regarder le vieux devant moi, j'ai essayé d'étudier sa technique. J'ai mis au moins une minute avant de comprendre ce que fabriquait ce vieux salaud.

— HÉ PUTAIN, ÇA VA ?? TU TE FAIS PAS TROP CHIER... ? ? ?

Il a tourné la tête à moitié, il a pris une voix essoufflée :

— Hein ? Qu'est-ce que ça veut dire... ?

— JE VAIS TOUT LÂCHER SI TU CONTINUES À FAIRE LE CON ! ! !

Il a rien répondu mais j'ai senti le poids diminuer dans mes bras, j'ai trouvé que ça allait bien mieux comme ça, j'ai repris confiance en ma jeunesse, ça m'a fichu bêtement les larmes aux yeux, mais quand j'ai mal partout ça me vient facilement, je m'inquiète pas pour ça, j'ai vu assez de larmes dans ma vie.

210

Quand on est redescendu, le vieux était blanc comme un mort et la nana finissait de bronzer, elle a jeté sa serviette sur l'épaule et elle est rentrée dans la baraque. Le soleil était moins chaud, une heure agréable pour écrire ou faire une petite balade en suçant une glace, ou lire quelques poèmes à l'ombre, ou jouer avec une fille, non ?

À la fin de la journée, l'enculé nous a ramenés dans sa camionnette et cette fois-ci personne ne disait plus un mot et on était tous assis, rien qu'une bande de types lessivés avec l'œil éteint. J'avais mal aux doigts, j'ai passé un petit moment à les masser avant de pouvoir les ouvrir correctement.

Le type nous a réunis dans un petit local à moitié désert, il s'est assis derrière une table de camping, sur la seule chaise qui se trouvait là, et on est resté debout autour de lui, on a attendu qu'il se décide à sortir le fric. Au lieu de ça, il a posé ses mains sur la table et les a contemplées silencieusement pendant au moins une minute et on a pas bougé, on était une douzaine de connards fiévreux suspendus à ses gestes.

– Dites-moi, les gars, écoutez-moi un peu... il a fait. Est-ce que vous croyez que je suis le type qu'on peut prendre pour une poire ? Est-ce que vous croyez que ça va continuer comme ça et demain et après-demain et les jours suivants quand je vois que le travail avance pas ? Merde, je me décarcasse pour vous trouver du boulot alors que la majorité d'entre vous devrait déjà être à la retraite, mais ça fait rien, je me dis, ça fait rien, fais-leur confiance, ils sont encore capables de faire du bon boulot, ils vont te montrer que tu t'es pas trompé. En fait ce que vous avez fait aujourd'hui, trois ou quatre trous du cul de seize ans auraient pu faire davantage.

Je voudrais savoir si vous me suivez bien, si vous comprenez ce que je suis en train de vous dire... ?

Quelques types ont marmonné derrière et l'enculé nous a regardés en hochant la tête :

– Demain, il faudra en monter au moins le double si vous voulez passer à la caisse.

Je sais pas mais on s'était vraiment crevé avec les poutrelles c'était un boulot à peine humain et il trouvait qu'on en avait pas fait assez, à son avis on s'était pas encore assez tué pour lui. Je suis toujours nerveux quand je suis en bas de l'échelle, j'ai toujours l'impression que le prix de ma sueur est sous-estimé. Je lui ai donné mon avis sur la question :

– C'est simple, j'ai dit, pour faire le double de travail on a qu'à se mettre seulement à deux par équipe et on est pas obligé de s'arrêter pour bouffer et si ça suffit pas on peut venir un peu plus tôt le matin, je crois qu'on peut y arriver comme ça...

Il m'a lancé un regard mauvais mais je l'ai bloqué avec un regard encore plus mauvais, j'avais mal partout. Il a sorti le fric, seulement avant de commencer la distribution, il a tenu à mettre les choses au point.

– Bon, vous vous débrouillez comme vous voulez, je m'en fous, mais il va falloir vous y mettre. On a ces foutus délais à respecter et avec moi le boulot a toujours été fini dans les temps, je rigole pas avec ça, les gars.

– Ouais, mais on est pas assez nombreux, a fait un type.

– Hé, toi, tu crois peut-être que c'est la première fois que je m'occupe de ce genre de travail, tu crois que je sais pas le nombre exact de types qu'il me faut.... ? ? ? Mais si y'en a qui sont pas d'accord, c'est très bien, tchao les mecs, je pourrai facilement vous remplacer par des gars plus solides et qui auront pas peur de gagner leur argent. J'oblige personne, je veux qu'on soit bien d'accord là-dessus.

On a rien répondu, on s'est écrasé, on en avait tous marre d'attendre ce fric, la nuit tombait dehors pendant qu'il nous faisait son cinéma. Voyant qu'on trouvait rien à redire, il a souri. On est passé en file indienne devant lui, j'ai allumé une cigarette en attendant mon tour, j'en ai distribué à droite à gauche. Le local commençait à puer la sueur froide. Quand je suis arrivé devant lui, il a posé quelques billets sur la table et un peu de monnaie. J'ai failli m'étrangler.

– Hé, une minute, il doit y avoir une erreur...

Il a levé doucement les yeux vers moi, je sais pas pourquoi mais j'éprouve une haine particulière pour un enculé quand il a mon âge, peut-être parce qu'on a vu le monde changer en même temps et qu'on se retrouve malgré tout chacun d'un côté de la barrière, enfin j'ai senti que je devenais tout blanc, j'ai senti qu'il attendait ce genre de question. Je venais de lui faire vraiment plaisir.

– Merde... il a fait. Où tu trouves une erreur, toi ?

– J'ai pas la même chose que les autres, vous avez vu ?

– Ce que j'ai vu surtout, c'est le nombre de bières que tu t'es enfilées...

– Trois, j'ai dit. J'ai juste bu trois bières dans la journée. Ça me paraît raisonnable quand on fait un boulot pareil en plein soleil et qu'à chaque pas on avale un nuage de poussière... Trois malheureuses bières... !

– Bon, c'est pas le problème, il a tranché, et tant que tu fais ton boulot, tu peux boire toutes les bières que tu veux. Mais dis-moi... tu as quand même pas cru que c'était moi qui allais les payer, ne me dis pas ça...

J'ai été incapable de lui dire un mot, je suis resté debout devant lui à tirer sur ma cigarette, les mâchoires bloquées, c'était comme dans un mauvais rêve, je me suis senti triste et fatigué, j'ai ramassé les billets et la monnaie sur la table pendant que l'autre croisait les mains sur son ventre et se balançait sur sa chaise d'un air satisfait.

J'allais sortir mais je suis revenu sur mes pas. J'ai attrapé quelques pièces de monnaie dans ma poche et je les ai balancées sur la petite table.

– Je viens de me demander si le service était compris, j'ai fait.

D'un coup sec, il a balayé mes pièces, il les a envoyées en l'air et elles ont roulé par terre pendant une seconde. Bon, vas-y, mets-lui cette table sur la gueule, je me suis dit, fais-le MAINTENANT ! Les mecs se sont écartés autour de moi, ils ont bien vu ce qui allait se passer parce que j'ai avancé d'un pas vers ce moins-que-rien.

Pourtant, au dernier moment quelque chose m'a retenu, c'était comme si on m'avait poignardé dans les reins. Un type qui a vraiment besoin d'argent a toujours un poignard dans les reins et puis j'étais plus un écrivain, je pouvais plus faire le malin, j'étais simplement un type comme les autres, fatigué, sans argent, sans femme et asticoté par un petit chef de cinquante kilos.

Je suis sorti sans un mot. J'ai trouvé le bar pas trop loin et j'ai commandé deux citrons glacés, sans sucre. Je me suis un peu détendu avec les jeux électroniques mais il me restait une boule dans l'estomac c'est toujours éprouvant de pas aller jusqu'au bout, de retenir ses pulsions, mais au niveau fric j'étais vraiment au bord du précipice et il y a toujours un petit moment de

214

panique à passer, on commence à faire gaffe à plein de choses.

J'avais faim mais j'avais pas envie de manger seul et le mieux c'était de me faire inviter. J'ai acheté quelques trucs avant de reprendre la voiture et j'ai foncé chez Yan. J'ai trouvé personne mais j'avais rien de spécial à faire, je l'ai attendu dans la voiture en grignotant, en fumant des cigarettes, complètement lessivé, les muscles douloureux et les avant-bras brûlants, je suis resté un long moment comme ça et j'ai été surpris par le sommeil, j'ai glissé en travers des sièges.

Je me suis réveillé au petit matin avec le dos en compote. Il y avait du vent. J'ai arrêté un type qui passait pour lui demander l'heure. J'avais juste le temps de foncer pour arriver au boulot. Il y a des matins où la vie est sans goût. Parfois il faut vraiment s'accrocher pour croire en quelque chose, il faut faire un effort terrible. Il y a des matins où la vie est une herbe folle torturée par le vent.

19

On a porté ces fameuses poutrelles pendant quatre jours. Chaque soir, à l'heure de la distribution, je passais un sale moment, j'empochais l'argent sans broncher mais avec des espèces de crampes dans le ventre. Surtout que j'avais fait devant lui un rapide calcul et au prix où il faisait la bière ça voulait dire que chaque fois que j'en buvais une j'avais grimpé un coup pour rien, j'avais sué et souffert et gémi pour rien, je m'étais tué pour une toute petite bière. Bien sûr, il avait rien trouvé d'anormal à ça, il m'avait regardé en souriant et ce soir-là, j'avais roulé pendant deux ou trois heures avant de rentrer, j'avais pris des petites routes désertes à moitié perdues dans la campagne, c'était une espèce de douche pour me nettoyer de tout ça, j'avais les carreaux grands ouverts et je me trimbalais dans la nuit pour reprendre un peu de forces, pour me débarrasser des derniers lambeaux de cette journée atroce. Ce soir-là, je me suis écroulé sur mon lit les bras en croix, ce soir-là et les autres.

J'ai eu l'impression que ces quatre jours ont duré mille ans. Je m'étais pas rasé une seule fois et j'avais de beaux cernes sous les yeux, à ce train-là j'allais finir par tomber mat et personne viendrait me relever au milieu de cette colline, le visage déchiré par les chardons et les ronces, les lèvres éclatées par la chaleur. N'empêche que vers la fin du quatrième jour, on a grimpé la dernière poutrelle et j'ai été pris d'un rire nerveux tout là-haut et les trois autres et moi on s'est assis une petite minute pour laisser la vie revenir en nous.

C'était bon de savoir qu'on avait fini, on a respiré un grand coup, je pouvais pas déplier mes doigts mais on était quand même venu à bout de ce tas de merde, on en avait fini avec ça et la journée était terminée. On est redescendu lentement dans la douceur du soleil couchant. L'enculé nous attendait tout en bas, il avait sauté de son engin et nous regardait arriver. On a rejoint les autres avec un sourire extatique. Je me suis essuyé la figure dans mon tee-shirt et je me suis dirigé doucement vers la camionnette, c'était bon de rentrer après un magnifique combat, le corps et l'esprit réunis dans l'ivresse de la fatigue, le regard braqué sur le ciel orangé et quelques oiseaux noirs qui piaillaient et tournoyaient dans l'air tiède. Mais la voix de l'autre a claqué dans mon dos comme une lanière de feu :

— HÉ DJIAN, TU VEUX QU'ON TE FILE UNE CHAISE AVEC UN COUSSIN POUR TON CUL... ? ? ! !

Je me suis retourné mais il s'intéressait déjà plus à moi, il s'est adressé à toute la bande :

— Il reste encore une bonne demi-heure, les gars. On va grimper quelques sacs de ciment avant de rentrer...

Quelques types ont blêmi. Je me suis rapproché du groupe pour arranger les choses, c'était normal que le type se rende pas compte, il suffisait de lui expliquer le truc calmement, c'était ce qu'il fallait faire en premier.

— Écoutez, j'ai dit, c'est pas grand-chose une demi-heure et vous avez vu, toutes les poutrelles sont en haut maintenant. On a rudement bien bossé. Mais c'est vrai qu'on est un peu sur les genoux, ça crève les yeux...

Il a fait semblant de pas m'avoir entendu, il m'a pas regardé. Il a fait un signe de tête en direction des palettes de ciment qui s'entassaient un peu plus loin.

— Bon, allez-y et surtout faites gaffe de ne pas m'éventrer des sacs, il a fait.

J'ai tourné les talons et j'ai marché vers la camionnette. Je me suis installé derrière le volant sans jeter un seul coup d'œil derrière moi. L'enculé a braillé quelque chose que j'ai pas compris, j'ai tourné la clé de contact. Avant de démarrer, je me suis penché dehors en tenant la porte ouverte :

— SI Y'EN A QUI VEULENT RENTRER, C'EST MAIN-TENANT ! ! j'ai crié.

Mais ils ont pas bougé et dans la seconde qui suivit, j'ai vu l'enculé accroché à ma portière, grimaçant comme un fou furieux.

217

– T'es viré, Djian, sors de l'à... t'es viré, mon vieux, il a grogné.

Dans un accès de rage, il a essayé de m'attraper à travers le carreau mais heureusement je lui ai coincé le bras et je l'ai tordu sauvagement à l'envers. J'ai éprouvé un plaisir un peu spécial en l'entendant hurler. Ensuite je l'ai lâché, il s'est rétamé par terre et j'ai démarré.

J'avais pas fait cent mètres qu'un type a enjambé la vitre arrière et s'est installé à côté de moi. C'était le vieux qui avait travaillé avec moi, celui avec des bras comme des allumettes.

– Eh ben, je crois qu'on a perdu notre boulot, il a fait.

– Ouais, ça m'en a tout l'air.

– Note bien que ça m'est complètement égal, il a ajouté.

– Ouais, ben ça je peux pas en dire autant. Je suis dans une mauvaise passe.

Il s'est marré dans son coin, les mains posées à plat sur les cuisses.

– T'es jeune, il a fait. Ouais, t'es encore jeune, t'as pas fini d'en voir...

On a traversé la ville avec une cigarette brûlante aux lèvres. J'ai garé la camionnette devant le local désert et le vieux et moi on a décidé d'aller boire un coup un peu plus loin pour se changer les idées et tirer un trait sur l'enfer.

Vers une heure du matin, je suis sorti du bar en titubant légèrement. Le vieux s'était endormi sur une table et j'avais profité que le patron ait le dos tourné pour filer en vitesse. J'avais laissé un billet sur la table, je pensais que ça serait suffisant, j'avais compté large mais je me voyais mal en train de ramener un vieil ivrogne à sa femme, je pouvais pas faire un truc comme ça. On avait passé un bon moment ensemble, on avait déconné avec la serveuse, son cul m'excitait

avec son petit tablier blanc, on s'était pris aussi
quelques fous rires sur des conneries et parfois
il disait tu sais j'ai pas envie de mourir du tout,
il disait ça avec le regard dans le vide et je lui
répondais moi non plus j'ai pas envie de mourir,
personne ici a envie de mourir, imbécile, et
ensuite on se faisait amener des verres en vitesse,
on voyait voler le petit tablier blanc, on trouvait
qu'on était pas assez sonné.

J'étais pas du tout en état de conduire. J'ai
déboîté lentement et je me suis tenu serré à
droite comme une limace peureuse, je me demandais même si je serrais pas trop, n'y pense pas,
je me disais, pense pas à ça, t'es incapable de
conduire, enfoiré, mais tu t'en tires pas mal,
t'endors pas surtout, t'as pas encore fait une
seule connerie depuis le départ, tu vas y arriver,
tu vas le faire, je te dis. Mes mains transpiraient
sur le volant, je transpirais de partout, je roulais
à 40 et heureusement, le coin était assez désert.
Cent mètres avant d'arriver à un carrefour, je
commençais déjà à freiner et je regardais plusieurs fois dans tous les sens, bon sang, je me
disais, si chacun avait une voiture neuve y'aurait
moins d'accidents, dommage que tout le monde
ait pas quelque chose à perdre.

J'ai mis deux fois plus de temps mais je suis
arrivé sans encombre. Je me suis assis sur la
table de la cuisine et je me suis passé de la
pommade sur les bras, un truc bien gras et bien
sûr j'en ai mis deux fois trop, comme si j'avais
trempé mes bras dans un pot de miel, merde
de merde je savais plus quoi faire avec ça. Nina
aurait trouvé un moyen pour réparer ça, je me
serais amené vers elle en grimaçant et je l'aurais
laissée faire. Je me suis demandé où elle était,
je me suis demandé si elle pensait à moi de
temps en temps comme je pensais à elle. Je me

suis traîné jusqu'au lit en gardant les bras écartés du corps. Je devinais encore son parfum dans les draps et un matin je l'avais regardée disparaître dans mon rétroviseur. J'ai pensé je serai heureux si je la retrouve dans une autre vie, j'espère que je serai moins seul dans une autre vie, j'espère que tu me feras pas un coup pareil une nouvelle fois, espèce de fille de pute. Ensuite je suis parti dans un sommeil agité, le corps brisé en mille miettes.

Le lendemain matin, quand je me suis réveillé, on était un samedi midi. J'ai un peu traîné mais j'avais envie de rien, j'avais mal partout, je pouvais rien faire. Je suis retourné au lit. Quand je me suis réveillé la deuxième fois, c'était dimanche midi. Le téléphone sonnait depuis déjà un bon moment quand je me suis décidé à décrocher. C'était Yan. Je lui ai dit que j'étais pas prêt mais qu'il avait qu'à passer à la maison. J'ai filé sous la douche et j'ai laissé l'eau couler sur mon crâne en fermant les yeux. Je me sentais un peu triste. J'ai attendu que ça se passe.

Yan s'est pointé et on a pris ma voiture, on a trouvé un coin avec des magasins ouverts. On a essayé de réfléchir avant de descendre et de s'embarquer dans une partie de lèche-vitrines.

— Ah merde, j'aime pas être pressé, j'aime pas faire ça au dernier moment... Ah, en plus j'ai aucune idée, a fait Yan.

— Bon, une yaourtière ou un grille-pain ou une connerie dans ce goût-là...

Il m'a regardé en haussant les épaules.

— Oh et puis merde, j'ai dit, compte pas sur moi pour trouver une idée de génie. Ça m'amuse pas tellement d'y aller.

On a fait une vingtaine de mètres sur les trottoirs et dans un magasin quelconque on a

220

trouvé un truc pas trop mal, avec juste la pointe de mauvais goût nécessaire et on l'a acheté. Le type nous a fait un paquet cadeau avec le cobra empaillé, dressé sur sa queue, il avait deux perles noires à la place des yeux, ça faisait un chouette cadeau.

Il y avait déjà un monde fou quand on est arrivé. J'ai garé la voiture, j'ai pris le cobra sous mon bras et on a cherché les deux tourtereaux. Les gens se baladaient dans le jardin avec des verres et des amuse-gueules, certains étaient couchés sous les arbres et d'autres plongeaient dans la piscine. On s'est rabattu sur la maison et toutes les baies étaient grandes ouvertes et on les a trouvés dans le salon avec le sourire aux lèvres, ils avaient l'air en pleine forme, santé, fric, jeunesse, ils avaient l'air intouchables. Marc s'est avancé vers moi les bras tendus :

– Bon sang, il a fait, tu peux me croire. Je suis content que tu sois venu.

Je lui ai collé le cobra dans les mains en lui adressant un vague sourire et je me suis dirigé vers Cécilia. Encore une fille qui me laissait tomber, une fille qui sortait de ma vie, heureusement que j'avais l'estomac solide. C'est quand même con d'être un écrivain de ce niveau et de voir que la vie me réserve que des merdes, privé de femme, privé d'argent, privé de ces moments de bonheur intense que procurent quelques pages un peu chiadées. Elle me regardait en souriant gentiment, ça pouvait pas être pire, c'était mortel après la semaine que je venais d'endurer, C'ÉTAIT MORTEL DE VIVRE CET INSTANT PRÉCIS AVEC TOUS CES CONS AUTOUR DE NOUS ALORS QUE J'AURAIS DONNÉ MON ÂME POUR LA BAISER, JE LE JURE. Je me suis repris aussitôt, j'ai arrêté de divaguer et j'ai mis une main sur son épaule d'un air décontracté :

— J'espère que ça se fait toujours d'embrasser la mariée, j'ai dit.

— Bien sûr. Amène-toi, elle a fait.

Je me suis penché vers elle, j'ai mis ma figure dans ses cheveux et c'était comme un léger suicide, comme un coup d'aile près des flammes.

— T'étais ma dernière chance, je lui ai dit

Ça l'a fait rire.

— Garde ça pour tes bouquins, elle a fait.

— Tu rigoles, j'ai dit, je mettrais pas une connerie pareille dans un bouquin. Je sais bien que personne y croirait. C'est trop difficile à piger.

Je lui ai envoyé un regard glacé et je suis sorti dans le jardin. Je me suis arrêté sous un palmier pour essayer de repérer le buffet, je voyais tous ces connards déambuler avec des verres pleins, il faisait une chaleur orageuse, je me sentais énervé. Les femmes lançaient des rires aigus et les types transpiraient sous le soleil, ils se tenaient par petits groupes colorés et discutaient et chacun voulait s'en tirer le mieux possible, ils semblaient tous prêts à baiser et chaque regard brillait du même désir secret, du même besoin tragique, du style oh regardez-moi, écoutez-moi, aimez-moi, je vous en prie me laissez pas tout seul… En tant qu'écrivain, je suis heureux de vivre une époque où la plupart des gens sont cinglés, torturés par la solitude et obsédés par leur forme physique. Ça me permet de travailler tranquillement mon style.

J'étais là en train de me demander quelle direction j'allais prendre quand une femme m'a pris par le bras, une femme sur le déclin avec un sourire violent et bronzée à mort.

— Quelle chaleur, elle a fait. Je peux vous aider à trouver un verre si c'est ce que vous cherchez…

Elle portait une robe en lamé, elle semblait incapable de se tenir tranquille là-dedans, sans compter une paire de nichons incroyable et un parfum délirant.

Je l'ai suivie et j'ai pu constater que le bar était quelque chose de sérieux. Je me suis fait confectionner un Blue Wave pendant que la bonne femme restait accrochée à mon bras comme une poupée de caoutchouc, je sentais pas vraiment sa présence, je sentais rien de spécial sinon que j'étais un type en plein soleil réalisant lentement qu'il s'est pointé au mariage d'une ex- et j'ai eu la vision fugitive d'un pont emporté par un raz-de-marée furieux. J'ai vidé mon cocktail et j'en ai demandé un autre, ensuite j'ai trouvé un endroit à l'ombre et j'ai pu m'asseoir un peu dans l'herbe, légèrement à l'écart. La femme était toujours là, c'était un vrai moulin à paroles mais visiblement ce qu'elle disait n'avait aucune espèce d'importance, elle-même n'y prêtait pas attention, tout ce qu'elle faisait c'était de me regarder avec insistance comme si elle voulait m'ensorceler ou m'avaler vivant. J'ai supporté son baratin cinq minutes et puis je me suis allongé sur le dos, j'ai fermé les yeux.

– Ce que j'aime, c'est les filles de seize ans, j'ai dit. Quand elles ont un ou deux poils sur la chatte et qu'elles sont prêtes à tout donner.

J'ai soulevé un œil et je l'ai vue s'éloigner et se perdre au milieu des autres sous une drôle de lumière. Si j'étais un type cynique, je dirais qu'elle retournait apporter sa contribution à la folie générale. Parfois j'oublie tout le côté marrant des choses.

J'étais en train de grignoter des trucs en discutant avec le type qui tenait le bar quand Marc s'est amené. Il m'a attrapé par les épaules et j'ai trouvé qu'il avait pris de l'assurance, il sou-

223

riait comme un type qui vient de toucher le gros lot pour la troisième fois.

— Il faut qu'on reste copains, il a dit. Je regrette tout ce que j'ai fait.

J'ai fait semblant de réfléchir un moment et j'ai hoché la tête.

— Bon, c'est d'accord, j'ai dit. Je bois à votre santé à tous les deux.

Il a eu l'air ravi et s'est empressé de sortir un carnet de chèques de sa poche. Il s'est mis à en remplir un au milieu des amuse-gueule et me l'a tendu.

— C'est pour l'histoire qui est arrivée à ta voiture, il a expliqué.

J'ai jeté un coup d'œil au chèque. La voiture valait même pas la moitié de ça, Marc était devenu un type sérieux.

— Dis donc, j'ai fait, les affaires ont l'air de marcher...

— Ouais, je peux dire que j'ai plus de soucis à me faire. Mon père me fait hériter de son vivant. J'aime autant te dire que je vais pouvoir me mettre à écrire plutôt sérieusement. Je sens que je suis prêt à foncer, mon vieux.

Je l'écoutais plus vraiment, je pensais à ce fric qui me tombait du ciel, ça voulait dire que j'allais pouvoir respirer un moment et ça m'a rendu euphorique, j'ai eu l'impression d'avoir un temps incroyable devant moi, c'était comme si je m'étais retrouvé en plein ciel.

Je me suis senti le cœur léger tout le restant de l'après-midi, et le soir, au moment où le soleil se couchait, j'ai piqué une tête dans la piscine déserte. J'étais en train de faire la planche en regardant les étoiles quand une fille a sauté du plongeoir. Ça a fait des vagues autour de moi. C'est toujours quand on est en train de goûter à la tranquillité qu'elles s'amusent à faire des vagues, quand c'est pas une bonne tempête ou un tremblement de terre, souvent elles font exactement le contraire de ce qu'on voudrait et Cécilia, aujourd'hui, elle battait tous les records. Elle a fait surface à côté de moi. Je devais être malade car je me suis senti déchiré par son visage, cette fille me faisait vraiment quelque chose mais j'étais quand même pas assez fou pour laisser paraître quoi que soit.

— Belle soirée, j'ai dit.

Elle m'a envoyé un de ces regards auxquels je peux pas résister mais j'ai résisté, je sais pas pourquoi mais je me sentais plutôt à l'abri dans l'eau et le fric de Marc m'avait redonné la pêche. Je lui ai fait un sourire à la con pour qu'elle comprenne que c'était pas la peine de se fatiguer. Mais rares sont les filles qui comprennent ce genre de message et la preuve c'est qu'elle a insisté :

— Dis-moi, elle a fait, qu'est-ce que c'est que cette connerie que tu m'as racontée tout à l'heure... ?

— Je plaisantais, j'ai dit.

— J'en suis pas certaine, elle a fait.

— Bon, c'est vrai, t'as raison. Je vais sûrement me foutre en l'air parce que t'es irremplaçable, on trouve pas facilement des filles comme toi, des filles qui savent abattre leur jeu au bon moment...

— Oh, ça suffit, elle a fait. Arrête ça, je t'en prie, je connais Marc depuis que je suis toute petite, on a presque été élevés ensemble, alors pourquoi pas lui, qu'est-ce que ça change... ? Et son père voulait pas lâcher un seul billet avant qu'il soit marié, oh merde, ça t'amuse de faire l'imbécile, ça t'amuse de me raconter des trucs comme ça... ?

— Écoute, j'ai dit, je commence à avoir un peu froid. Ça te fait rien de continuer sans moi ? Je vais essayer d'aller me mettre un ou deux trucs sous la dent, je dirai à Marc de venir voir si t'as besoin de rien.

Je suis sorti de la piscine sans qu'elle réagisse. Il faisait bon, je me suis séché et rhabillé sans faire attention à elle, on peut pas toujours choisir la voie la plus difficile, on peut pas toujours être prêt à tenir tête à une fille à moins d'être complètement inconscient, il faisait vraiment bon maintenant et j'avais la forme, j'ai marché vers les lumières de la baraque.

20

Pendant les jours qui suivirent, j'ai fait une bonne cure de musique, je suis pas sorti de chez moi et j'avais réglé les boutons sur une puissance suffisante. Je pouvais entendre aucun bruit de l'extérieur, le téléphone était débranché et tous les rideaux étaient tirés. Ça m'a rendu à moitié cinglé mais la baraque était remplie d'énergie, la baraque était comme un poumon artificiel et je noircissais des pages avec une passion frénétique, ça m'évitait de penser à ces deux filles.

Quand je pouvais pas faire autrement, je fixais un point devant moi et je le quittais pas des yeux. Je deviens compliqué avec l'âge, je deviens complètement foireux, même, je le pensais vraiment, c'était de ma faute si ces deux filles m'obsédaient, c'était parce que je le voulais bien, parce que je m'étais fourré dans la tête qu'elles représentaient quelque chose dans ma vie, je m'amusais à manipuler ce genre d'idées avec un plaisir malsain. C'est bon de souffrir juste ce qu'il faut, ça aiguise les sens et y'a rien de tel pour écouter de la musique, c'est ce que je faisais et entre parenthèses, je suis tombé à genoux devant le dernier Talking Heads, impossible de résister à un truc comme *This Must Be the Place*, impossible de pas se sentir gonflé à bloc.

Un matin, je sortais pour aller faire quelques courses et je me suis aperçu que le temps avait changé. L'air ne sentait plus la même chose, l'été était vraiment fini maintenant. Il avait plu pendant la nuit et les trottoirs étaient encore mouillés, la rue était d'une netteté incroyable avec une dominante bleue. Il y avait du vent, ça m'a réveillé d'un seul coup, j'ai été pris dans un tourbillon humide de feuilles mortes. Je me suis arrêté en ville à un truc de lavage automatique et pendant que j'attendais mon linge, un orage formidable a éclaté, le ciel a viré au Déluge sans prévenir.

Les premières gouttes ont éclaté sur le sol avec un bruit d'œuf cassé et les éclairs ont suivi. Il y avait que des femmes dans le magasin et les éclairs se succédaient à une cadence rapide, le tonnerre faisait trembler les murs tandis que la rue se transformait en torrent. J'ai regardé ces femmes pressées contre la vitrine, je les entendais discuter et pousser des petits cris et pendant ce temps-là, des chemises d'homme tournaient dans les machines, toutes ces femmes vivaient avec des types, bien sûr, et je me tenais un peu en arrière pour les observer, toute cette pluie me donnait sacrément envie de baiser mais laquelle était l'oiseau rare ? Est-ce que parmi ces quelques femmes il pouvait pas y en avoir une qui se sente un peu seule et qui ait la matinée à perdre ?

Mais ce genre de choses ne m'arrivait pas à moi, j'ai jamais eu la chance de baiser une inconnue dans le quart d'heure qui suivait. Quand l'orage a cessé, je suis sorti avec mon linge propre et j'ai marché lentement jusqu'à la voiture. Pourtant personne m'a appelé, personne m'a tiré par la manche, personne m'a foutu la main aux fesses.

J'ai traîné un peu dans un supermarché et là j'en ai vu des superbes, des filles presque pliées en deux sur leur chariot à roulettes, avec les cuisses nues et d'autres avec les bouts dressés sous un petit pull, mais elles semblaient toutes en train d'accomplir un acte tellement extraordinaire que rien ne pouvait les arracher à leur petit monde et je passais tout près d'elles, me cognant à leur regard vide pendant qu'elles réfléchissaient au menu de la semaine. Ce qui me rendait vraiment malade, c'était que la journée venait juste de commencer mais je savais que c'était foutu d'avance, il valait mieux que j'essaie de penser à autre chose.

J'ai préféré rentrer et me remettre à travailler. Je me suis calé sur le lit avec des chips, des joints et de la bière et je me suis mis à penser à mon roman. J'avais l'impression de tirer une immense couverture hors de l'eau et le truc scintillait sous la lune au fur et à mesure que je le remontais, c'était un exercice fatigant mais je pouvais tenir le coup pendant des heures. Parfois je me demandais lequel de nous deux existait vraiment. En général, quand je me levais, c'était pour passer derrière ma machine, sinon je m'endormais sur le lit et je remettais ça au réveil, je remettais ça jusqu'à ce que ça vienne et quand toutes les jointures de mes doigts avaient craqué, je fermais les yeux et je me massais les tempes. Je crois que c'est une bonne formule d'alterner le plaisir et la douleur, ça met tout de suite dans le bain. Mais ce jour-là, ce qui m'a arraché à mon boulot, c'est un petit oiseau gris qui est entré par la fenêtre.

J'ai levé un œil pour le regarder tourner dans la pièce, c'était la fin de l'après-midi et je me sentais sans forces. Ensuite il a foncé vers la fenêtre comme une flèche mais il s'est gouré, il a choisi le battant qui était resté fermé et s'est assommé dans le carreau. Il a roulé sur le sol comme une grenade dégoupillée. Je me suis levé d'un bond et je l'ai ramassé, je l'ai pris dans mes mains. Son bec était pas cassé, c'était une chance et sinon je voyais rien qui clochait, sauf qu'il restait sans bouger avec les yeux ouverts.

J'ai cavalé jusqu'à la cuisine et j'ai mis de l'eau dans une soucoupe. Je lui ai tenu un peu la tête pendant qu'il buvait, j'espérais qu'il allait s'en tirer, moi aussi j'espérais que j'allais m'en tirer. Au bout d'un moment, j'ai essayé de le faire tenir sur ses pattes mais il a glissé sur le côté, ses toutes petites jambes tournées vers le plafond. Je suis allé au bord de la fenêtre, histoire de lui donner un peu d'air et de lui montrer le ciel pour l'encourager. L'air frais m'a fait du bien. Le ciel était légèrement nuageux, rose et bleu. J'ai fait une nouvelle tentative et cette fois il a tenu sur ses pattes, je me suis dit qu'on commençait à voir le bout du tunnel.

Au lieu de ça, il a suffi d'un petit coup de vent, trois fois rien mais cet idiot a pas eu la force de se cramponner et il a dégringolé par-dessus bord. J'ai entendu un petit bruit mat. Oh merde, j'ai pensé, ce coup-ci ça va l'achever, il a pas eu le temps de se remettre, il a pas eu la moindre chance.

Je suis sorti dehors, j'ai fait le tour de la baraque en cavalant. Quand je l'ai retrouvé, il avait l'air dans les pommes. Un chat a miaulé dans les buissons, je me suis baissé vite fait pour ramasser mon copain.

– Hé, machin, t'es toujours vivant ? j'ai
demandé.

Il a ouvert un œil et j'ai respiré, on faisait
une bonne équipe tous les deux, on était des
durs à cuire. On est rentré en roulant des méca-
niques. Je lui ai donné quelques gouttes de lait,
je sais pas s'il a apprécié mais moi je me suis
envoyé le reste de la bouteille.

Vers dix heures du soir, il s'est envolé. J'ai
fermé les fenêtres, éteint la lumière et je suis
sorti. Dix minutes après, je me garais devant
chez Marc. J'ai sonné, Cécilia est venue ouvrir.

– Oh, elle a fait. C'est toi... ? Je te croyais
mort.

– Non, pas vraiment, j'ai dit. Je passais dans
le coin.

– On a de la chance... Peut-être que tu as le
temps de boire un verre ?

Elle a tourné les talons sans attendre et je l'ai
suivie jusqu'au salon. Chouette baraque.
Chouette fille. Où était ma putain d'étoile ?

Je venais juste de m'asseoir avec mon verre,
on s'était pas encore dit un mot quand Marc est
descendu en coup de vent, les cheveux ébouriffés
et pieds nus. Il a foncé à la cuisine et il est
ressorti avec une bouteille de coca. Il allait
regrimper les marches quand il m'a vu. Il m'a
souri d'un air absent.

– Ah... salut, il a fait. Hé, heu, hé, tu m'excuses, hein... ? Je suis en plein dans mon roman,
tu sais ce que c'est. Je suis en train de faire un
malheur.

J'ai hoché la tête en levant mon verre dans
sa direction et la seconde d'après il avait disparu.

– Je savais pas qu'on pouvait marcher au coca.
Il a l'air en pleine forme, j'ai dit.

Elle s'est assise en face de moi avec les yeux
brillants. Ça lui allait bien, un peu d'intensité

fait de mal à personne, c'était quelque chose d'agréable de regarder cette fille, de se laisser envahir par la beauté étrange de son visage. J'aurais bien aimé arracher cette tête et la ramener chez moi. C'est surtout le visage qui m'accroche chez une fille, je sais que je vais passer beaucoup plus de temps avec son visage qu'avec le reste. J'avais cet air dans la tête, *This Must Be the Place*, je l'entendais carrément, incroyable comme ce truc pouvait me filer la patate, je pouvais sentir la caresse du destin. J'étais relax mais prêt à bondir comme un chat, j'avais quelques vies en réserve.

— Tu as déjà lu les trucs de Marc ? elle a demandé.

— Non. Mais je connais sa méthode.

— Cette fois-ci, il a l'air de vraiment s'y mettre.

— Il suffit pas de s'y mettre. Ce qu'il faut, c'est pas pouvoir faire autrement. Écrire, c'est ce qu'il reste quand on a le sentiment d'avoir tout essayé.

— Ouais, ben y'a une chose que t'as pas essayée, t'as jamais essayé de te regarder vraiment. Y'a pas un seul truc qui t'intéresse en dehors de toi. Tu te fous complètement des autres.

— Ça m'étonnerait, j'ai dit, j'en suis pas encore arrivé là. Sinon dis-moi ce que je suis en train de faire ici.

— Hé, je croyais que tu passais par là, non... ? Peut-être que t'avais un petit moment à tuer...

— La vérité, c'est que j'avais envie de te voir. C'est aussi con que ça.

Elle a souri sans retenue.

— Dis donc, je peux à peine croire ça, elle a fait. Tu t'es dérangé EXPRÈS pour venir me voir... ?

— Tu peux pas comprendre.

— Ouais, je suis juste une fille un peu idiote, mais essaie quand même de m'expliquer ça.

Juste à ce moment-là, Marc a refait un voyage à la cuisine. Ce coup-ci, il avait un sandwich au jambon dans la main. Il m'a fait un signe.

– Hé, vraiment, tu m'excuses, vieux... il a fait.

J'ai fait oui de la tête et il s'est tiré.

– Ça a l'air de marcher fort, j'ai dit. Mais il a ce qu'il y a de mieux : du fric, une femme, de l'inspiration...

Elle s'est levée sans un mot et m'a resservi un verre, un grand verre plein. Elle est restée plantée devant moi sans bouger. J'ai bu la moitié de mon verre, je l'ai posé et ensuite je me suis penché en avant, j'ai croisé mes bras derrière ses fesses et j'ai appuyé ma joue sur son ventre. Sa main s'est posée sur ma tête. Je me suis senti fatigué, je me suis demandé si le paradis était pas l'immobilité totale et pourquoi la vie était découpée en rondelles, pourquoi est-ce que tout semblait si facile, pourquoi c'était pas toujours comme ça, je me suis demandé si quelque chose valait vraiment la peine au fond.

Je me suis déplacé un peu pour pouvoir attraper son sexe entre mes dents mais j'ai heurté le verre avec mon coude et le truc s'est renversé sur la moquette, nom d'un chien, une tache de 50 de diamètre au moins. Cécilia a poussé une sorte de gémissement animal et elle m'a repoussé.

– Oh non, c'est pas possible ! elle a fait.

– Qu'est-ce qu'est pas possible ? j'ai demandé.

Elle a piqué un sprint vers la cuisine et s'est ramenée avec un rouleau de papier. Elle a arraché des feuilles pour éponger.

– Écoute, j'ai dit, on s'occupera de ça plus tard...

– T'es tellement MALADROIT ! !...

– Bon sang, oublie ça, reviens ici.

– T'as vu ça ? T'as vu comme c'est POIS-

SEUX ? ? ! ! Comment je vais faire pour enlever ça ?

– Nom de Dieu, laisse tomber cette foutue moquette, TOI ET MOI ON EST DES ÊTRES HUMAINS !

– Oh merde... elle a pleurniché. Pourquoi t'as posé ce verre n'importe où ?

J'ai failli me lever pour la secouer par un bras mais Marc s'est pointé juste à ce moment-là. Il a froncé les sourcils en voyant la tache.

– Hé, vieux, tu m'excuses, j'ai dit.

Sans un mot, il s'est approché de la tache, il s'est baissé pour la toucher du doigt. J'ai eu l'impression qu'il venait de prendre un coup de matraque derrière les oreilles.

– T'as vu ça... ? j'ai fait.

Il a tourné vers moi sa tête de zombie, il était très pâle.

– Non... c'est rien, il a dit.

– J'aime mieux ça... Et ce roman, il paraît que tu tiens le bon bout ?

– Cécilia, merde, va chercher de l'eau.

– Je sais ce que tu éprouves. Quand tu te mets à écrire et que ça marche. À ce moment-là, plus rien n'existe, on est vraiment coupé du monde...

Elle lui a apporté l'eau, ils semblaient vraiment préoccupés tous les deux, je me suis demandé s'ils avaient reçu une mauvaise nouvelle.

– Il faut que tu saches une chose, j'ai dit, il faut pas t'occuper de moi quand tu es en train de bosser, je serai pas vexé, je sais qu'il y a rien d'autre qui compte dans ces moments-là...

– Bon Dieu, Cécilia, tu pouvais pas amener une brosse ! ! ? ?

Elle a cavalé, il a frotté, elle se mordillait les lèvres pendant qu'il s'activait. Je suis allé me servir un verre et je suis retourné m'asseoir.

– Je vais même te dire une chose, j'ai ajouté,

233

ça fait plaisir de voir un type en train de fonctionner, un type enchaîné à son roman.

– Ça s'en va pas ! VA ME CHERCHER DES PRODUITS, MERDE ALORS !!!!

Elle a ramené des tas de flacons de la cuisine. Je la reconnaissais pas, je crois que si la moitié de ma baraque avait brûlé quand elle vivait chez moi, elle aurait simplement bâillé, elle aurait pas trouvé ça très grave. J'ai eu envie de lui dire qu'elle faisait un mauvais rêve, que c'était rien d'autre qu'une tache idiote sur un bout de moquette, qu'elle avait dix-huit ans, oui, c'est impossible qu'à dix-huit ans un truc pareil puisse avoir la moindre importance, je sais que c'est impossible, on peut pas avoir un esprit aussi tordu à dix-huit ans, ni même après, qui pourrait me faire croire qu'un bout de moquette puisse rendre quelqu'un à moitié cinglé, ou un bout de n'importe quoi d'autre, d'ailleurs.

Ils se sont mis tous les deux au travail avec une barre au milieu du front, ils ont mis le paquet avec l'énergie d'un jeune couple et j'ai eu le temps de les regarder tranquillement, en silence, j'ai eu le temps de m'envoyer encore un verre pendant qu'ils shampouinaient leur machin, bah, c'était comme ça, le monde était rempli de violence, ce genre de spectacle était le pain quotidien et on pouvait remercier le ciel si on s'en sortait à peu près vivant.

Je me suis levé sans dire au revoir et ils ont pas levé la tête non plus mais je connaissais la sortie. J'ai traversé le jardin légèrement saoul, les nerfs à vif, en fait j'avais deux solutions, soit rentrer chez moi pour noircir quelques pages lugubres sur la nature humaine, soit trouver autre chose.

Je me suis assis dans la bagnole et pendant cinq minutes j'ai été incapable de faire quoi que ce soit sauf regarder la nuit autour de moi et les lumières, j'avais l'impression d'être une espèce de menhir planté dans le sable, une pierre vivante et solitaire qui essaie de pas perdre espoir malgré tout. J'ai fumé une cigarette tranquillement, la tête renversée sur le dossier, si une étoile me tranchait pas la gorge je savais que j'allais tenir le coup, comme n'importe quel petit trou du cul qui tient un peu à sa peau.

J'ai filé jusqu'à la boîte de Yan, j'avais envie de voir des gens bouger autour de moi et avec un peu de chance je pourrais me détendre un peu en échangeant quelques mots sans importance avec une personne, c'est vrai que par moments c'est les autres qui vous empêchent de glisser jusqu'au fond. Je me suis garé juste sous l'enseigne, juste là où c'est interdit mais je tenais pas à faire des kilomètres à pied, j'aurais été incapable de faire ça, l'alcool m'était descendu tout droit dans les jambes.

– Oh... a fait Yan. Regardez ce qui nous arrive...

Il y avait du monde et beaucoup de fumée et Yan discutait avec deux types tout en essuyant des verres. Je connaissais les types de vue sauf que maintenant ils avaient les cheveux verts, j'ai laissé deux tabourets entre nous.

J'ai fait une grimace à Yan et pendant qu'il me servait, j'ai jeté un coup d'œil à la salle et j'ai pas eu de surprise. À la fin de l'été, cette boîte redevenait un ramassis d'intellos et d'artistes et la bataille était rude pour se maintenir à la pointe, heureusement que Yan avait réussi à dénicher une licence pour vendre de l'alcool, ça permettait de maintenir l'enfer à distance. Parfois, un de ces types pouvait carrément vous assommer de paroles et vous l'auriez tué s'il avait pas braqué sur vous son regard paralysant.

Sans avoir une attirance morbide pour le vide, comment pouvait-on faire pour se retrouver dans un endroit pareil ? La plupart des personnes présentes semblaient sortir tout droit d'un cimetière humide et la musique était chiante.

— Écoute, j'ai dit à Yan, commence par virer le type qui s'occupe des disques et ça ira mieux...

— C'est Jean-Paul qui s'occupe des disques en ce moment.

— Bon, oublie ce que j'ai dit. Putain, souviens-toi que t'es mon meilleur ami, n'oublie jamais ça...

Je regardais dans mon verre quand deux filles ont grimpé sur les tabourets qui me séparaient des Martiens, deux filles d'un modèle récent, le regard fou et les nerfs en compote. La brune qui se trouvait près de moi était pas mal, la blonde cassait pas des briques, elles ont commandé deux tequilas et la brune a froissé une boîte de Valium dans le cendrier, elle était au poil cette fille, elle jouait son rôle à la perfection. Yan m'a demandé où j'en étais de mon roman et je lui ai répondu que ça allait oui oui et ensuite il a servi quelques trucs dans la salle et je me suis retrouvé seul. La brune m'a poussé du coude :

— Hey, dans un de tes bouquins il y a un type qui baise avec une fille en la barbouillant de gelée de cerise. Est-ce que je me trompe ?

— Je sais plus, j'ai dit.

— Eh ben ça existe pas. La gelée de cerise ça existe pas, j'ai fait tous les magasins, tu peux demander à ma copine... J'ai cherché partout et ça existe pas !

J'ai rien répondu. Peut-être qu'elle avait raison mais qu'est-ce que ça pouvait bien me foutre ?

— D'ailleurs, elle a ajouté, je t'ai éreinté dans un article.

– Ça a pas été trop dur ? j'ai demandé.

– Pas plus que ça...

– C'est marrant que ça soit une fille qui cherche à descendre mon œuvre. Peut-être que vous vous êtes filé le mot... ?

– Je sais pas de quoi tu veux parler.

– J'en suis sûr.

– Pour être franche, j'ai même pas pu finir ton bouquin. Ça me faisait trop chier...

J'ai regardé par terre et je me suis mis à rire, j'étais un peu raide mais quand même, les gens sont vraiment incroyables. Je lui avais rien fait à cette fille, c'était la première fois que je la voyais et elle me fonçait dessus sans raison. D'ailleurs quand j'ai vu cette paire de lunettes glisser de sa poche et tomber juste sous mon talon, j'ai compris que Dieu s'était mis de mon côté. J'ai attrapé mon verre, je l'ai vidé et je me suis excusé auprès de la fille :

– Je dois y aller mais je suis content de t'avoir connue... j'ai dit.

J'ai pivoté sur les binocles et le verre gauche a explosé dans la moquette avec un bruit de bonbon écrasé. Elle s'est aperçue de rien, peut-être qu'elle cherchait un nouveau truc pour m'esquinter et je me suis éloigné rapidement vers la salle.

Je venais juste d'atteindre un coin plongé dans l'ombre quand je l'ai entendue gueuler :

– OÙ EST-IL CET ENFANT DE SALAUD...???!!!

Elle a poussé une sorte de rugissement et s'est lancée à ma poursuite. Je me suis dirigé vers le fond de la salle plié en deux, bousculant des tables et priant pour que cette fille ait seulement deux dixièmes dans chaque œil.

Je suis arrivé à la sortie de secours et j'ai pas hésité, j'entendais le vacarme qu'elle faisait derrière moi, elle se rapprochait à toute allure, j'ai ouvert la porte et je me suis redressé pour cavaler tout le long du couloir. J'ai tourné à gauche et je suis arrivé devant une porte en fer et ensuite je me suis retrouvé dehors, dans un terrain abandonné envahi de chardons bleus. Je me voyais mal foncer durant un ou deux kilomètres droit devant moi, je voulais pas m'éloigner de ma voiture, surtout après une journée pareille, je sentais bien que j'avais plus vingt ans.

J'ai levé la tête et j'ai vu l'enseigne de la boîte qui clignotait au-dessus de la terrasse, pas très haut. J'ai pas eu de mal à attraper le rebord en sautant et je me suis hissé jusqu'à la terrasse. L'enseigne grésillait et changeait de couleur, il faisait presque bon. J'avais à peine jeté un regard autour de moi que la porte en fer s'est ouverte à toute volée et la brune a fait quelques pas dehors. Je me suis planqué. Elle piétinait furieusement les brins d'herbe et passait sans arrêt la main dans ses cheveux. Elle me tournait le dos.

— ÇA FAIT RIEN, DJIAN, JE T'AURAI MON VIEUX !!!

Sans cette fille, la nuit aurait été silencieuse, la terrasse était balayée par des vagues de couleur tendre et j'ai regretté de pas pouvoir profiter calmement de tout ça, de pas être un homme au cœur pur.

— TU PEUX ME CROIRE, TU POURRAS PLUS ÉCRIRE UNE SEULE LIGNE. JE VAIS M'OCCUPER DE TA PUBLICITÉ... !

Sans cette fille, les chardons bleus auraient scintillé sous la lune et j'aurais aspiré deux ou trois bouffées d'air iodé, j'aurais pas demandé plus que ça.

— JE SUIS SÛRE QUE T'AS PAS DE COUILLES. T'AS EU TORT DE ME FAIRE UN TRUC PAREIL, DJIAN, PARCE QUE MAINTENANT T'ES FINI !!

Sans cette fille, peut-être que j'aurais pas perdu

238

mon temps, peut-être que j'aurais siroté mon verre au bar pendant qu'une blonde surchauffée aurait essayé de me draguer.

— DJIAN, JE TE JURE QUE TU VAS PAS COMPREN-DRE... !

Sans cette fille en fin de compte, j'aurais pu me féliciter d'avoir trouvé un coin agréable mais rien n'est gratuit ici-bas et il faut savoir payer avec le sourire.

Elle continuait à me promettre les pires horreurs si je sortais pas de mon trou mais ça me faisait bâiller de plus belle. J'ai allongé mes jambes et j'ai relevé le col de mon blouson. Je me serais sûrement endormi si elle avait pas changé de tir.

— JE ME DEMANDE COMMENT NINA A PU TE SUP-PORTER PLUS D'UN QUART DE SECONDE...

Rien que le fait d'entendre prononcer son nom, j'ai cru recevoir un coup de fouet. J'ai sauté aussitôt de la terrasse jusqu'en bas et je me suis retrouvé devant la brune. En temps normal, j'aurais réfléchi avant de faire ce genre d'acrobatie mais c'est pas la mort trente-quatre ans, on peut se faire encore confiance parfois et ça s'était passé au poil, la fille a eu un mouvement de recul.

— Dis donc, j'ai fait, vous êtes quoi au juste... ? Une espèce de confrérie ?

Peut-être que j'étais un peu saoul mais j'ai vu une flamme briller dans ses yeux.

— J'en sais rien, elle a sifflé, mais je peux te dire une chose, c'est que vous les mecs, vous êtes vraiment finis. Maintenant on va vous montrer ce qu'on sait faire...

— Comment va-t-elle ? j'ai demandé.

— Qu'est-ce que tu crois, tu crois qu'on a besoin d'avoir un mec qui nous prenne par l'épaule pour aller bien ?

– T'es une espèce de gouine ?

– Non, je suis pas une ESPÈCE de gouine. C'est ce que tu voudrais hein, ça serait plus simple pour ta petite cervelle. Mais tu te goures, mon pote, j'adore baiser avec des mecs. Et je me prive pas, seulement je les oublie vachement vite !

Elle souriait de toutes ses dents.

– Écoute, j'ai dit, on va pas se chamailler comme des enfants, je viens d'avoir une idée…

– N'y pense plus, elle a fait. T'es pas du tout mon genre.

– Je suis pas non plus du genre inoubliable.

– Je veux bien te croire, ça sûrement, mais n'empêche que c'est non.

Elle a eu un petit rire vainqueur et elle m'a planté là. Formidable, cette journée était vraiment formidable.

Je suis rentré au bout d'un petit moment, j'ai fermé la porte, j'ai traversé la salle, j'ai bu un dernier verre, j'étais écœuré, je suis sorti, j'ai cherché mes clés et je me suis installé derrière le volant. J'allais démarrer quand la brune a tapé au carreau. J'ai ouvert la porte et elle a grimpé à côté de moi.

– On va aller chez toi, elle a dit. Je reçois jamais un type dans mon appart.

On a fait tout le trajet sans dire un mot et une fois arrivés, elle m'a coincé dans l'entrée et m'a roulé une pelle de tous les diables en m'attrapant par les cheveux. Ensuite elle a jeté un œil sur les bouquins empilés le long d'un mur et elle en a levé un au-dessus de sa tête :

– Ouvre les yeux, elle a fait, sur dix bouquins publiés aujourd'hui, neuf sont écrits par des femmes.

– Sur dix femmes qui sont publiées aujourd'hui, neuf écrivent comme des hommes, j'ai dit. C'est pour ça que c'est mauvais.

240

– Il y a des types qui vous donnent la corde pour les pendre, elle a ricané. Tu fais partie de ceux-là.

Après ça, elle s'est déshabillée et j'ai suivi le mouvement. Pendant que je défaisais mes lacets, elle s'est assise sur un coin de mon lit et s'est branlée en fermant les yeux.

– Hé, je peux t'aider, si tu veux, j'ai proposé.

– Non, personne peut faire ça aussi bien que moi. Je te demande une petite minute.

Je me suis allongé sur le lit et j'ai attendu. J'ai lutté pour éloigner toutes les pensées néga- tives qui m'assaillaient. En plus toutes ces filles avaient l'air de se connaître, ça paraissait insensé et moi je m'étais jamais senti aussi seul. J'avais intérêt à y aller mollo.

Le lit a tremblé un peu. Elle est restée un instant parfaitement immobile puis s'est age- nouillée près de moi.

– Écoute, elle a fait, j'aime autant que tu restes sur le dos et moi je vais grimper sur toi. C'est moi qui vais donner le rythme, si ça te dérange pas.

J'ai rien répondu.

– D'accord ? elle a fait.

– Ouais. J'en ai rien à foutre, j'ai murmuré.

21

J'ai mis un moment avant de comprendre qu'aucune fille pouvait remplacer Nina. Dans l'ensemble, ça m'a rendu plus heureux, je pensais à elle de temps en temps comme le type qui cavale ouvrir son coffre pour jeter un œil sur ses lingots, j'aimais bien penser à elle. Pourtant j'ai pas essayé de la retrouver, rien que cette idée me paralysait, la seule fois où j'ai fait son numéro de téléphone ça s'est passé d'une drôle de façon, j'allais porter le combiné à mon oreille quand j'ai senti un courant glacé s'emparer de mon bras et la seconde d'après je me suis vu en train de fracasser l'engin sur le bord de la table. J'ai jamais recommencé.

Pendant quelque temps, j'ai eu une vie parfaitement réglée. J'avais résolu mon éternel problème de fric en trouvant un boulot à mi-temps le matin et ça me laissait tout le reste de la journée pour écrire ou rien faire du tout.

C'était un magasin de meubles. Mon boulot consistait à charger ma camionnette avec les commandes tout en évitant de me faire coincer par la femme du directeur, une grosse avec un chignon qui avait trouvé le moyen de lire un de mes bouquins. Oooohh, mais comment faites-vous pour écrire des machins aussi pornos ? Ça, c'était la première chose qu'elle m'avait demandée. Sinon je devais m'occuper que des petites livraisons, ça dépassait jamais la table de nuit ou le lampadaire en fer forgé, il y avait d'autres types pour la catégorie armoire ou buffet, des types plus grands et plus forts que moi et qui avaient des camions.

J'avais des tonnes d'escaliers à monter mais dans l'ensemble c'était pas fatigant, j'ai fait certaines journées sans m'en apercevoir, comme des journées de bureau. En plus de ça, je m'en tirais pas trop mal, je fonçais et j'avais toujours fini vers onze heures, je faisais de grands détours avant de rentrer, je rêvassais. Si j'avais le malheur de rentrer trop tôt, la grosse me tombait dessus et m'entraînait toujours dans les coins sous prétexte de faire son putain d'inventaire.

— Oh, jeune homme, vous êtes déjà rentré ?

242

Vous tombez bien. Allons jeter un coup d'œil sur le stock de tapis, il faut que je vérifie quelque chose...

Le coin des tapis était un vrai labyrinthe et les trucs s'empilaient presque jusqu'au plafond, vous étiez jamais certain de pouvoir vous retrouver. On s'est arrêté devant les imitations de pièces uniques 100 % acrylique, elle s'éventait avec un carnet qu'elle tenait dans la main.

— Jésus Marie, quelle chaleur, vous ne trouvez pas... ?

— Je supporte bien mon pull, j'ai dit.

— Bon, ne perdons pas de temps. Essayez de trouver une échelle, mon garçon...

J'ai ramené l'échelle. Je regardais ailleurs en attendant qu'elle me dise quoi faire, je l'entendais respirer violemment. Les piles de tapis étaient très rapprochées les unes des autres, tout ce truc-là sentait le piège.

— Allez-y, grimpez en haut de l'échelle. Il faut qu'on les compte un par un.

Je suis arrivé en haut et, cramponnant l'échelle d'une main, j'ai commencé à compter les tapis. Dix secondes après, j'ai senti l'échelle qui tremblait sous moi et j'ai jeté un œil, j'ai vu la grosse qui attaquait les premiers barreaux, il faisait sombre, c'était monstrueux. J'ai retenu mon souffle, je suis resté paralysé trois secondes et ensuite elle a planté ses nichons dans mes reins. Elle a fait comme si de rien n'était.

— Vous vous occupez de la pile de droite, je m'occupe de celle de gauche, elle a fait.

Je me suis accroché aux franges d'un tapis.

— Écoutez-moi, j'ai dit, on va finir par se casser la gueule, je vous jure qu'on va se péter la gueule... !

— Voyons, cessez de gesticuler... Ne faites pas l'enfant !

243

Elle a dû en profiter pour grimper d'un échelon car j'ai senti son ventre glisser sur mes fesses et ensuite elle m'a carrément éperonné et l'échelle a vibré de haut en bas.

— Madame, j'ai besoin de ce boulot, déconnez pas. C'est dangereux, on est au moins à dix mètres...

Elle a éclaté de rire :

— Dix mètres, ha ha écoutez-le... dix mètres ! Mais mon pauvre petit oiseau, il y a même pas trois mètres, tu n'as rien à craindre...

Heureusement, j'ai réussi à lui glisser dans les mains et j'ai fait un rétablissement pour me retrouver au sommet de la pile.

— Bon sang, ne soyez pas stupide ! elle a sifflé.

J'ai sauté d'un tas sur un autre tas, j'ai plongé sur des matelas un peu plus bas et la poussière m'a fait éternuer, après ça je me suis laissé glisser jusqu'au sol et j'ai regagné la sortie.

Ce qu'il y avait de bien avec cette femme, c'est qu'elle vous accueillait le lendemain matin avec le même sourire, c'était facile de voir qu'elle vous en voulait pas du tout, chaque jour semblait vraiment un nouveau jour pour elle, c'était une super carte qu'elle tenait dans son jeu, une espèce de joker lumineux.

Parfois, les autres prenaient du retard dans les livraisons et je me retrouvais avec des sommiers et des matelas à livrer, le truc vraiment marrant, j'adorais faire ça. Le fils de la patronne était censé m'aider dans ces cas-là, je l'emmenais avec moi, on se parlait pas beaucoup. On avait mis rapidement les choses au point :

— Dis donc, ce que t'écris, c'est des polars ?

— Non.

— Ah d'accord... je vois le genre.

La plupart du temps, quand je conduisais, il dormait. Il avait un air carrément idiot quand il dormait, sa mâchoire inférieure pendait. C'est rare que les gens qui aiment pas mes bouquins, je finisse pas par les trouver idiots au bout d'un certain temps. De toute façon, je préférais avoir à côté de moi un idiot endormi qu'un type normal éveillé, j'aime pas tellement parler, surtout le matin.

Donc il dormait et on devait livrer un matelas et un sommier à l'autre bout de la ville. Il faisait frais mais le ciel était bleu avec des nuages, j'étais arrêté à un feu rouge, l'esprit aux trois quarts vide, un bras à la portière mais tout ça n'avait pas une existence réelle, les moteurs tournaient au ralenti.

Quand le feu est passé au vert, j'ai démarré et juste à ce moment-là, j'ai aperçu Nina qui tournait au coin de la rue. J'ai freiné à mort. L'idiot a piqué du nez en avant et la bagnole qui nous suivait a enfoncé les portes de la camionnette. Dans le rétro, j'ai eu l'impression que la bagnole avait essayé de grimper à l'arrière. L'instant d'après, Nina avait disparu et j'ai entendu des portières qui claquaient avec un bruit sec.

On a perdu au moins un quart d'heure à remplir les papiers, le type était visiblement en état de choc et je me suis démerdé pour qu'il ramasse tous les torts pendant que Bob, le fils de la patronne, essayait de redresser un pare-chocs à coups de botte. On gênait la circulation, les mecs nous dépassaient avec un sourire méchant et les premières gouttes sont tombées juste au moment où on signait les derniers trucs. J'ai remis la camionnette en route et on a roulé avec les portes arrière qui pendaient sur leurs gonds, ça faisait un petit courant d'air humide.

— Dis donc, Bob, j'ai dit, j'espère que tu as tout vu... T'as vu ce con alors que j'étais TOTALEMENT à l'arrêt ? Je suis content que tu sois là, ce genre de truc paraît tellement con que personne veut jamais y croire...

Il a hoché vaguement la tête, il était à nouveau sur le point de s'endormir. Il avait raison et moi, dans le fond j'en avais rien à foutre, sans ce bruit de ferraille j'aurais même complètement oublié l'incident, il pleuvait mais j'avais attrapé mon rayon de soleil, elle avait toujours l'allure d'un ange, en plus sexy, ça faisait un petit moment qu'on était plus ensemble, je me suis demandé si un enculé quelconque en avait profité et j'espère que t'as été gentil avec elle, tête de nœud, j'espère que tu t'en es bien tiré.

Je me suis garé devant l'immeuble où on devait livrer le matelas et le sommier et j'ai fait la grimace, c'était une vieille bâtisse de six étages et le numéro de l'étage était précisé sur le bon, SIXIÈME ÉTAGE, PORTE GAUCHE, en général les escaliers avaient tendance à rétrécir à partir du cinquième et c'était toujours un connard du sixième qui se faisait livrer le buffet de six mètres de long ou le sommier en 190 parfaitement maniable.

J'ai attendu que la pluie s'arrête en laissant fonctionner les essuie-glaces, par moments l'image de Nina me traversait l'esprit, j'étais comme ce type qui veut se lever à tout prix et qu'une main douce et tranquille rassoit, je commençais à fatiguer.

J'ai arrêté de déconner à la première éclaircie, j'ai envoyé mon coude dans les côtes de Bob et je lui ai indiqué la baraque d'un signe de tête.

– Moi réveiller toi, j'ai dit. Moi pas pouvoir faire autrement.

Il a grogné et on est descendu. N'étant pas le fils du patron, il était entendu que c'était moi qui devais faire le boulot, Bob n'était là que pour les trucs impossibles. Porter un matelas tout seul n'est pas un truc impossible mais il y a rien de plus chiant au monde, c'est presque l'horreur. Bob a grimpé à l'arrière de la camionnette et il m'a chargé le matelas sur le dos. Merde, c'était quand même lourd, et tellement mou, y'avait aucune prise dans cette saloperie, j'ai traversé la rue en zigzaguant, on aurait pu croire que je venais d'être attaqué par une méduse de l'espace et que ce truc allait me sucer la cervelle.

Arrivé dans le hall, je me suis appuyé contre un mur et j'ai envoyé un coup de pied dans la porte de la concierge. Quand j'ai entendu la porte s'ouvrir, j'ai pris un peu d'air sous mon matelas et j'ai gueulé le nom du type.

– Il est pas là ? j'ai demandé.

– Pourquoi il serait pas là ?

– Pour rien, j'ai dit.

Je me suis dirigé vers l'escalier et au passage j'ai accroché un extincteur et j'ai failli l'arracher du mur ainsi qu'une petite hache d'incendie dans son cadre en verre.

Je suis arrivé tant bien que mal jusque devant la porte du sixième gauche, j'ai sonné et un type est venu ouvrir, un type en maillot de corps avec l'air borné. J'ai traversé l'appart avec mon machin sur le dos, accrochant plus ou moins quelques trucs au passage, j'avais mon compte, j'ai toujours la sensation d'être un esclave quand je trouve ce genre de boulot, ça me fait cet effet à la première goutte de sueur et ensuite je suis comme un loup blessé aux aguets, je deviens hypersensible, je suis légèrement blanc de visage. J'ai enfoncé le bon de commande dans la main du gars et je suis redescendu. J'ai secoué Bob :

– Si le sommier passe, ça sera de justesse, j'ai dit. Mais ça m'étonnerait que ça passe.

Bien sûr, j'avais vu juste, on est resté coincé

dans le dernier tournant, impossible d'avancer d'un millimètre sans abîmer quelque chose, on avait beau essayer dans n'importe quel sens, c'était impossible. Le client nous regardait faire sur le palier du haut, eh oui, mon pote, j'ai murmuré, c'est comme ça et nous on s'est crevé pour rien, sans compter qu'il va falloir redescendre cette connerie.

— Et alors, qu'est-ce qui se passe ? a fait le type.

— On a pas la place, j'ai dit.

— Allez-y, ça doit forcément passer. Vous vous y êtes mal pris.

— Non, vous comprenez pas... ça peut pas marcher, le sommier est trop grand.

— Comment ça ? Il FAUT qu'il passe, remuez-vous un peu.

J'étais peut-être un esclave mais je connaissais mon maître et le directeur de la boîte avait donné des consignes très précises pour faire face à ce genre de situation. Ne rien tenter qui pourrait endommager notre marchandise ou mettre en danger la vie d'un de nos employés. J'étais entièrement d'accord et j'allais appliquer ce truc-là à la lettre, ce type me plaisait pas du tout. J'ai fait un signe de tête à Bob :

— Bob, on fait demi-tour, j'ai dit.

Le client a dégringolé les quelques marches qui nous séparaient, il a mis une main sur le sommier.

— Hé, vous vous foutez de moi ? il a demandé. On est presque arrivé.

— Peut-être bien qu'on est presque arrivé, j'ai dit, mais vous voyez, cet escalier est comme une espèce d'entonnoir, c'est pas la peine d'insister. Je connais mon boulot...

En tant qu'écrivain, je trouve tous les gens

248

formidables mais en tant que chauffeur-livreur je tombais la plupart du temps sur des cons.

— Ah merde, poussez-vous un peu, laissez-moi faire, il a dit. Y'a juste une petite bosse qui gêne, y'a vraiment rien du tout et ensuite ça passera.

— Bon sang, lâchez-ça, j'ai dit. Je suis responsable de ce truc tant qu'il est pas livré.

— Alors mon gars, tu peux considérer qu'il EST livré, seulement faut se donner un peu de mal. Comme t'as pas l'air décidé, je vais être obligé de te montrer.

Le temps d'un éclair, je me suis demandé ce que je foutais là, j'ai cherché mes chaînes et le type en a profité pour se glisser derrière le sommier et il s'est mis à forcer comme un âne en s'accrochant à la rampe et bien sûr, c'était exactement ce qu'il fallait pas faire, il est devenu rouge et les veines de son cou se sont gonflées de sang.

— Je crois qu'il va réussir à le coincer pour de bon, a fait Bob.

— LE CLIENT NE DOIT PAS INTERVENIR DURANT LA LIVRAISON, ARTICLE SEPT!! j'ai gueulé.

Mais c'était trop tard, l'autre avait parfaitement réussi son coup, un angle du sommier était planté de dix centimètres dans le plafond et un autre était coincé dans la rampe. Il nous a regardés avec un air idiot, suant légèrement et les cheveux en bataille. J'ai envoyé une claque sur le sommier, le truc a vibré comme une corde de piano.

— Putain, ça c'est bien joué, j'ai dit. Maintenant on est pas dans la merde !

On a passé dix bonnes minutes à essayer de dégager ce maudit sommier, l'escalier commençait à se remplir de curieux mais on arrivait à rien, on secouait simplement l'immeuble et le

truc bougeait pas d'un millimètre, j'ai abandonné.

– Tu viens, Bob ? j'ai dit.

J'allais me tirer mais le type m'a retenu par
un bras :

– Hé, vous allez quand même pas laisser tout
ça en tas... ?

J'ai dégagé mon bras.

– Je considère que ce sommier est livré, j'ai
dit. Je vous souhaite du bon temps.

– Dis donc, ça serait trop facile, a fait le
type.

– Essaie de m'empêcher de passer et tu fais
un vol plané dans la cage d'escalier, j'ai dit.

J'ai commencé à descendre les marches mais
une mémé aux cheveux bleus m'a bouché le
passage, on aurait dit une espèce d'oiseau perdu
dans la neige, je la dépassais d'une tête, elle
sentait la violette.

– Oh monsieur, elle a pleurniché, je dois rentrer chez moi, vous comprenez, je dois rentrer
chez moi...

– Mais bien sûr, madame, vous inquiétez pas.
Seulement c'est ce monsieur, là, qui a coincé le
sommier, moi j'y suis pour rien, je l'avais prévenu, je lui avais dit de toucher à rien. Alors
maintenant, qu'il se démerde.

Il paraît qu'il y a un âge où elles entendent
plus rien, où elles comprennent plus rien et Dieu
sait quoi encore, il paraît qu'on devient comme
ça, incroyable. Elle s'est cramponnée à mon bras
avec sa main blanche, elle a roulé des yeux
comme si j'étais le Sauveur.

– Dites, monsieur, je peux pas rester dehors
à mon âge... je commence à avoir faim, vous
savez.

– Ouais, moi aussi j'ai faim. Arrangez-vous
avec lui.

250

– Ooooooohhhhhhooohhoooo, mais qu'est-ce que je vais devenir… ?

Il y avait une fille, juste derrière la vieille, une fille qui mâchait du chewing-gum. Elle a ajouté son petit grain de sel :

– Hé, mec, elle a fait, tu veux que je te dise, je trouve que t'as pas beaucoup de cœur… Enfin, mec, tu t'imagines si on te faisait un coup pareil… ? Je crois que tu charries un peu, mec.

J'ai regardé le type. Il souriait très nettement. J'ai regardé la vieille, j'ai regardé la fille, j'ai regardé les gens dans l'escalier, j'ai regardé Bob, j'ai compris qu'on attendait quelque chose de moi.

– Bon, d'accord, j'ai dit, laissez-moi passer. Bob, tu bouges pas de là, je vais chercher le matériel.

– Quel matériel ? a crié Bob.

J'ai poussé quelques personnes et je suis descendu en quatrième. Je suis arrivé en bas vraiment échauffé, les jambes tremblantes, parfois la vie vous attrape dans une langue de feu et impossible de résister, j'ai fait péter le petit carreau d'un coup avec mon coude et j'ai chopé la hache. Hé hé, je dois dire qu'on l'avait bien en main et elle tranchait comme un rasoir, le temps de reprendre mon souffle et j'ai bondi dans l'escalier avec la rage au cœur.

Les gens se plaquaient au mur à mon passage et quand je suis arrivé à la hauteur du type, il s'est mis à faire la grimace, il y a eu un silence de mort.

– Écoute-moi bien, je lui ai dit, je vais t'enlever une grosse épine du pied mais si tu fais un seul geste, j'envoie ta cervelle sur les murs. Est-ce que t'as bien compris ?

Il a hoché la tête en regardant ailleurs. Ensuite je me suis bien défoulé, j'ai démoli le sommier à la hache, j'en ai fait un tas d'allumettes, le tout en un temps record, tout le monde était resté figé sur place. Je venais juste de finir le travail quand j'ai vu Bob détaler comme un lapin.

— MERDE, LES FLICS !! il a gueulé.

Je me suis débarrassé de la hache et j'ai couru comme un fou derrière lui, j'étais saisi d'une peur irraisonnée et ces étages en finissaient pas, je me demandais s'ils avaient cerné la rue.

Quand on est arrivé dehors, j'ai rien vu, le coin était parfaitement désert.

— Où t'as vu des flics ? j'ai demandé.

On a encore traversé la rue au pas de course et on a sauté dans la camionnette. Je voyais toujours rien à l'horizon.

— Écoute, t'es con de faire des trucs comme ça, j'ai dit. T'es le roi des cons.

Il s'est marré.

Il faisait beau maintenant, le ciel était clair, je me suis arrêté au retour dans un bar et je lui ai payé un verre. Pendant que je vidais le mien, il a foncé vers le juke-box et on a pu entendre quelques vieux rocks pas trop mauvais. Je l'ai regardé et j'ai révisé mon jugement à son sujet, je trouvais qu'il se comportait bien. On avait fait de la bonne publicité pour la boîte de papa-maman et on avait aussi déglingué la camionnette mais je voyais bien que ces histoires lui faisaient ni chaud ni froid, il était plutôt en train d'écouter la musique les yeux fermés. Ça fait du bien de temps en temps de voir qu'on est pas tout seul sur le chemin, ça élargit la route pendant un petit moment, c'est quand même mieux que rien. À la fin des disques, Bob est revenu s'asseoir à côté de moi.

— Dis donc, j'ai fait, à part écouter du rock et lire des polars toute la journée, qu'est-ce que tu fais... ?

– Je trouve que ça fait déjà pas mal, il a répondu.

– C'est vrai, t'as raison, j'ai dit. J'oubliais que les Voies du Ciel sont impénétrables.

– En général, il y a pas grand-chose qui vaille vraiment le coup, il a ajouté.

– Garde ce genre de bonne nouvelle, j'ai dit. Je me sens le cœur un peu brisé ce matin, mais j'accepterais volontiers que tu m'offres un verre.

– T'es pas de mon avis ?

– Non, sûrement pas, moi je trouve que tout est formidable. Ce verre que tu vas m'offrir sera une vraie bénédiction.

Ensuite on est rentré. Bob a tellement arrondi les angles que je me suis pas fait virer et j'ai pu toucher ma paye hebdomadaire.

Il y avait un long week-end en vue et j'avais rien envisagé de spécial. En passant devant un grand magasin je me suis garé et je suis allé faire quelques courses, je me suis payé les trucs les plus délicieux pour changer. Je me suis payé une télé aussi. Passer un week-end pluvieux devant la télé à grignoter quelques trucs avec de la bière en pagaille, ça faisait partie des choses que Nina m'avait fait découvrir et je voulais voir si on pouvait faire ça tout seul. Peut-être que depuis le temps, les programmes étaient devenus meilleurs. Peut-être qu'elle allait faire la même chose que moi, peut-être qu'elle allait passer ces deux jours toute seule chez elle, avec la télé allumée ? Peut-être qu'elle penserait à moi en tripotant le bouton des chaînes ? Ça doit pas être très dur de penser au seul type qui se levait trois fois dans la nuit pour bouger l'antenne.

22

Le dimanche matin, le téléphone a sonné :
– Bonjour, je voudrais parler à Philippe Djian.
– Lequel ? j'ai demandé.
– ...
– De toute façon, je fais pas de livraisons le dimanche.
– Je suis son éditeur, a fait la voix.
– Oh, enchanté, comment allez-vous ?
– Bien, je vous remercie. Et vous-même... ?
– Ça va dans l'ensemble.
– Alors, dites-moi... Et ce roman, est-ce que ça avance ?
– Ouais, mais je suis en train de cerner quelque chose de fragile. C'est assez délicat.
– Je vous fais confiance, il a dit.
– Je vous remercie, monsieur.
– Au fait... Est-ce que vous avez besoin d'argent ?
– Pardon, monsieur ?
– Oui, je me demandais si vous n'étiez pas un peu gêné en ce moment...
– Je suis coincé, j'ai dit.
– Bon, ne vous inquiétez pas, je vous envoie un chèque.
– Je crois que je me sens déjà mieux.
– Ne vous laissez pas importuner. S'il y a un problème, appelez-moi.
– D'accord, j'ai votre numéro.
– Je crois en vous, Djian. Je suis fier de vous éditer.
– Je me sens comme un coq en pâte chez vous.
– J'espère qu'un jour on aura le plaisir de se rencontrer, il a fait.

– J'espère aussi.

– Travaillez bien.

– Je vais m'ouvrir les veines.

Il a raccroché avant moi. Héééééé... mais c'était une belle journée qui s'annonçait malgré le petit vent frisquet et les nuages. Je suis sorti en quatrième et j'ai dévalisé tous les marchands de pizzas du coin, ensuite je suis allé chercher du vin, j'ai secoué ce dimanche douillet par les pieds jusqu'à ce que j'aie trouvé tout ce qu'il fallait pour organiser une soirée d'enfer.

J'ai passé une partie de l'après-midi à envoyer des coups de téléphone et entre-temps je me servais des grands verres de vin frais, je tenais la forme, ça me faisait plaisir de voir que quelqu'un croyait en moi, ça éliminait tous les autres, sans parler de ce chèque miraculeux, je me disais qu'un type qui croit en vous et qui en même temps vous pose un chèque sur la table, c'est qu'il y croit VRAIMENT, j'ai trinqué en me regardant dans la glace, si tu continues comme ça, j'ai dit, t'auras une piscine pour tes quarante ans, tu pourras bientôt signer des notes avec tes initiales. Ensuite j'ai fait quelques préparatifs avec mon verre à portée de la main, j'étais d'une humeur éblouissante et je reconnais que je me suis laissé avoir, ce petit vin paraissait léger comme de l'eau et j'avalais quelques trucs salés au passage.

Quand les rigolos sont arrivés, je tenais difficilement sur mes jambes, heureusement que je pouvais me cramponner aux filles pour les embrasser. Mais je m'en tirais pas trop mal dans l'ensemble, Yan a été le seul à remarquer l'ampleur du désastre. Il m'a mis une main sur l'épaule et s'est penché à mon oreille :

– Je te donne pas une heure, il a fait.

– Va te faire enculer, j'ai répliqué.

Une heure après, j'étais toujours là, je lançais des assiettes en carton à travers la pièce et c'était moi qui gueulais le plus fort.

Au milieu de la nuit, un vent violent s'est levé, les plus balèzes étaient encore debout et j'étais assis par terre à côté d'une fille que je connaissais pas, ça faisait un moment que j'attendais qu'elle me drague. Elle avait prétendu qu'elle aimait mes bouquins alors je me demandais ce qu'elle attendait au juste. La musique me cassait les oreilles, on entendait des éclats de rire venant de la cuisine. Je me suis levé tant bien que mal en m'appuyant au mur et envoyant quelques sourires par-ci par-là, je me suis dirigé vers la sortie.

Le vent devait souffler à cent vingt ou cent trente et c'était tout à fait ce qu'il me fallait, cet ouragan allait me nettoyer la cervelle et je retournerais m'occuper de cette fille dans un petit moment. J'ai enfoncé mes mains dans mes poches et je me suis tourné face au vent, je me suis laissé gifler le visage avec une infinie jouissance et ensuite demi-tour et je me suis mis à vomir à l'horizontale, pas une seule goutte est tombée à mes pieds.

Je suis resté plié en deux pendant quelques minutes avec le nez brûlant et les cheveux à moitié arrachés de la tête, j'étais vraiment cuit. Je voyais de la lumière chez moi, des ombres qui passaient devant la fenêtre, à l'intérieur il y avait des gens qui discutaient, qui s'amusaient, qui prenaient un peu de plaisir à être ensemble et moi je trouvais le moyen d'être sorti dehors, dans le vent et dans la nuit et pourtant j'étais pas plus fort qu'eux, j'avais besoin de tout ça moi aussi mais je suis tellement con et pendant une seconde j'ai ressenti une tristesse à tout casser, le truc ridicule qui vous scie les jambes et vous tord les bras et j'ai encore lâché quelques paquets en plein vent, les yeux remplis de larmes et même le vent gémissait.

Un journal est venu me claquer dans les jambes et j'ai lu le gros titre :

LE ROCK'N'ROLL EST MORT

Sans me vanter, je trouve que je valais guère mieux, je me sentais dans un état de faiblesse épouvantable et j'ai mis un bon moment avant de récupérer.

Le vent est tombé un peu, je me suis décidé à rentrer. J'ai frappé et la fille est venue m'ouvrir. Pas belle mais un côté néo-beat assez agréable, ces filles-là me rendaient dingue quand j'avais vingt ans.

— Oh, elle a fait, je sais pas si c'est le vent mais tu as une drôle de tête.

— C'est rien, c'est parce que je suis pas rasé. Ça me donne un air fatigué.

Je suis rentré en sachant bien que la meilleure chose qui pouvait m'arriver c'était de me cramponner à quelqu'un jusqu'à la fin de la soirée pour pas me sentir trop seul, quelqu'un qui pourrait me border dans mon lit et baisser la lumière. Au lieu de rejoindre les autres elle s'est appuyée au mur près de la porte, les mains coincées derrière les fesses. Très peu de lumière, un effort négligeable, j'ai tout de suite vu que c'était maintenant ou jamais.

Je me suis collé contre elle, j'ai fouillé d'une main entre ses jambes et j'ai cherché sa bouche, seulement elle m'a repoussé instantanément et j'ai failli perdre l'équilibre.

— Bon sang, tu te crois tout permis ? elle a fait.

J'avais du mal à mettre mes idées en place.

J'ai cherché une cigarette dans mes poches, je l'ai allumée et j'ai regardé la fumée s'étaler au plafond.

— Comme tu as aimé l'œuvre, je me demandais si tu pouvais pas faire quelque chose pour l'artiste... j'ai dit.

— Oh, ça va, ça n'a aucun rapport !

— Comment ça, aucun rapport ? Est-ce que tu plaisantes... ? Tu crois que ma vie en serait là si y'avait pas ces sacrés romans... ?

— J'en sais rien, mais ça me dégoûte la manière dont tu as fait ça.

— T'as envie de me faire croire que tu m'as pas attendu exprès pour ça ? Pourquoi t'es restée là au lieu de retourner gentiment à ta place ? Qu'est-ce que t'as dans la cervelle... ?

— Je sais pas si t'es au courant, mais on peut avoir envie de parler avec une personne, simplement parler...

— AH, ME FAIS PAS MARRER !!

— Mais je m'aperçois que t'as vraiment trop bu pour piger ça.

— Ouais, ben tu veux me parler et moi je veux te baiser. Pourquoi on ferait pas affaire ensemble... ?

Elle s'est décollée du mur et en passant près de moi elle a envoyé la réponse :

— Eh bien tu vois... ça m'étonnerait que j'y gagne au change.

Je suis resté un moment à réfléchir dans l'entrée mais j'avais la tête qui tournait, je me suis dit que je ferais mieux de reprendre un peu l'air, surtout que j'avais rien de précis à faire. Je suis donc retourné en plein vent et au bout d'un moment je me suis senti mieux, je devais commencer à éliminer de l'alcool. J'ai fait un tour jusqu'à la plage, j'ai regardé la mer démontée mais j'ai vite trouvé ça chiant et je suis retourné à la baraque.

Il restait quatre ou cinq personnes dans la cuisine, je les ai aidées à finir les pizzas. Il y avait un barbu assis en face de moi.

— Dis donc, il a fait, on est là pour fêter quoi au juste ?

— C'est rien, vieux, quelques royalties qui viennent de tomber...

— Putain... toi au moins tu te fais pas chier.

— Crois pas ça, vieux... Oh SURTOUT crois pas ça !

Dans l'autre pièce, j'ai retrouvé ma copine. Elle était assise dans un coin, sur un bout de tapis.

— Dis donc, est-ce que je peux m'asseoir à côté de toi ? j'ai fait.

— Si tu veux.

Je me suis assis en me collant à elle. J'ai attendu cinq minutes.

— Dis donc, est-ce que je peux mettre ma tête sur tes jambes ?

— Si ça t'amuse...

Je me suis installé confortablement sur mon oreiller en cuisse de femme et là j'ai trouvé un peu de repos. Je suis resté un long moment comme ça, comme un machin torpillé qui se décide pas à couler et elle a pas essayé de bouger, elle m'a pas fait le coup des fourmis et même au bout d'un certain temps elle m'a caressé les cheveux. À mon avis, elle avait ce qu'elle voulait, je veux dire jouer avec ma tête sans s'occuper du reste.

— Dis donc, j'ai fait, oublie pas de reposer cette tête tout doucement quand tu t'en iras.

Le lendemain matin, quand je me suis réveillé, j'étais tout seul. Il devait être une heure de l'après-midi et je me suis retrouvé dans un bordel épouvantable. Je suis allé dans la cuisine pour avaler deux aspirines. Le ciel était clair mais la vue de tout ce désordre autour de moi me fichait encore plus mal au crâne, un de ces connards avait même distribué des tonnes d'assiettes en carton et toutes ces saloperies jonchaient la pièce comme un tas de confettis géants. Je me suis assis sur un coin de la table en bâillant, j'en avais pour des heures avant de remettre un peu d'ordre dans tout ça et je me sentais découragé d'avance, il aurait fallu un miracle pour me tirer de là.

J'ai bu un café et dans un premier temps, j'ai téléphoné à la boîte. Pendant que Bob cavalait chercher sa mère, j'en ai profité pour me limer les ongles et changer de chemise, je l'imaginais dévalant du fin fond du magasin en se tenant la poitrine.

– Allô, elle a fait.

– C'est moi, je suis désolé mais je suis tombé malade. Je tiens à peine sur mes jambes.

– Rien de grave, j'espère… ?

– Je crois pas. Mais de toute façon, dès que je redescends au-dessous de 39, je reprends le boulot. Vous en faites pas.

– Tenez-moi au courant, mon garçon.

– Oui, d'accord, je voulais vous appeler ce matin mais j'étais trop faible.

– Ne vous inquiétez pas. Accrochez-vous…

– Je fais que ça.

J'ai raccroché et ensuite, en regardant autour de moi, j'ai pu constater que le miracle était pas arrivé, les petits nains s'étaient pas pointés pour faire le ménage pendant que je donnais mon coup de fil. J'ai quand même débarrassé les assiettes posées sur ma machine à écrire et ensuite je l'ai secouée dans tous les sens pour faire tomber les miettes, ça fait déjà longtemps que je me suis aperçu que les gens respectent rien, j'ai pas été étonné.

Mais après ça, j'ai pas été capable de faire autre chose. J'ai erré d'une pièce à l'autre en essayant de trouver une manière logique de commencer le rangement mais les choses étaient tellement imbriquées que mon esprit cafouillait. Ma vie ressemblait à ça, les choses semblaient entassées les unes sur les autres, sans lien apparent mais en fait tout se tenait, la seule différence c'est que j'avais pas à faire le ménage dans ma vie et je préférais que ça reste comme ça.

Au bout d'un moment, j'ai pensé avoir trouvé la bonne solution, je me suis dit il faut simplifier tout ça, tu vas chercher deux ou trois grands sacs dans la cuisine et tu balances TOUT dedans. Même les couteaux et les fourchettes… ? Ouais, ne cherche pas à te compliquer, tu es au-dessus de ça, ne me dis pas que tu vas enfiler un tablier et passer une heure avec les bras plongés dans la mousse et une mèche qui te tombe sans arrêt sur les yeux, n'oublie pas que tu as un public, mon salaud.

J'ai cavalé jusqu'à la cuisine mais ce plan d'acier a coulé tout bêtement à pic. Aujourd'hui, un type qui tombe en panne de sacs-poubelle se retrouve dans une situation critique étant donné qu'une baraque se remplit toute seule au fur et à mesure et que les saloperies font des petits à la vitesse de la lumière. Bon, tout ça se présentait vraiment mal et impossible de savoir si j'avais faim ou soif, je faisais rien, je ressentais rien, peut-être que je devrais me fabriquer un de ces trucs pointus avec lesquels les mecs ramassent les feuilles mortes et transpercer quelques assiettes ?

J'étais penché au-dessus de l'évier bouché, j'étais en train de remorquer quelques trucs au bout d'une fourchette quand on a frappé à la porte. J'ai lâché la fourchette et je suis allé ouvrir. C'était Cécilia. Ça m'a fait plaisir de voir que ça me faisait ni chaud ni froid, je l'ai laissée entrer, elle avait l'air de tenir la forme.

Elle a regardé autour d'elle en sifflant :

– Hé... on se croirait dans une caverne !

– Ouais, je suis en plein rangement. Je viens de me lever.

– Et elle était bien, cette soirée ?

– Très bien. On a pas changé la face du monde.

– Et bien sûr, tu avais invité des tas de gens... ?

– Oui, dans l'ensemble c'est toujours les mêmes.

Elle est restée silencieuse un instant et j'ai remarqué qu'elle vibrait des pieds à la tête. Mais je savais que c'était râpé maintenant avec cette fille.

– Et alors, j'ai fait, qu'est-ce qui t'amène... ?

Elle a enfoncé ses poings dans ses hanches et m'a regardé très attentivement. Ses yeux brillaient comme des guirlandes de Noël.

– Et je peux savoir pourquoi tu m'as pas invitée ? elle a demandé.

– Bien sûr... c'est comment déjà, ton nom ?

Elle a changé de couleur, puis elle a fracassé son sac sur la table et s'est tournée vers la fenêtre. J'ai vu une tache se former sur le sac.

– Je crois que t'as cassé quelque chose, j'ai dit.

– Enfin merde, qu'est-ce que tu as contre moi ?

– Écoute, j'ai dit, j'ai du boulot. Sois gentille. On se reverra un de ces quatre...

Elle m'a fait face d'un bond. Je mentirais si je disais qu'à ce moment-là je l'ai pas trouvée attirante et tout, mais c'était encore meilleur de la tenir à distance et j'étais prêt à mettre le paquet. Parfois je suis pas à prendre avec des pincettes.

Je devais avoir le sourire d'un tueur de filles car elle s'est retenue de me sauter à la figure.

Elle a tendu un bras par-dessus la table, un doigt pointé vers moi, mais aucun son voulait sortir de sa bouche. La baraque était toute chaude, traversée d'éclairs bleus et je trouvais ça formidable, ça voulait dire qu'avec une fille y'avait toujours quelque chose de bon à prendre, je crois que le jour où il y aura plus une seule fille sur mon chemin, je me tranche la gorge d'une oreille à l'autre. Je la voyais dans un clair-obscur avec un fil d'or posé sur la tête mais ça m'a pas fait trembler, je dirais même qu'à ce moment-là j'étais en train de me recharger les nerfs, j'aspirais toute l'énergie qui flottait dans la pièce. Je crois qu'elle l'a remarqué, elle a dû réfléchir à toute vitesse pour trouver un moyen de changer son jeu. La bonne manœuvre consistant à amener l'autre sur son terrain, elle a essayé de m'entraîner dans un marathon :

— Dis-toi bien une chose, elle a fait, je partirai pas d'ici tant que tu m'auras pas dit ce qui va pas !

Dans l'ensemble, elles tiennent mieux la distance que nous, elles savent garder leur souffle, ça m'est déjà arrivé de me réveiller en sursaut dans le lit d'une fille et de me sentir meurtri. J'ai regardé autour de moi tout ce bordel épuisant, j'ai pensé au fric qui allait tomber, j'ai pensé à mon roman, j'ai pensé à moi et j'ai plaqué mes deux mains sur la table.

— Eh bien, c'est parfait, j'ai répondu. C'est tout ce que je voulais ! !

J'ai à peine mis dix secondes pour empoigner mon manuscrit, mon carnet de chèques, ma machine à écrire et quelques fringues, je venais d'avoir une idée de génie, je me demandais pourquoi j'y avais pas pensé plus tôt.

— Bon sang, qu'est-ce qui te prend... ? ? elle a fait.

— Oublie pas de fermer le compteur en sortant, j'ai dit.

Un rayon de soleil m'a cueilli à la porte et m'a ouvert le chemin jusqu'à la voiture, c'était bon signe. Pas une seule personne vivante à l'horizon. J'ai grimpé dans la Jaguar et j'ai démarré comme une fusée.

Mon manuscrit claquait au vent sur le siège du passager, la seule chose qui valait la peine, après tout, peut-être la seule et unique chose vraiment réelle dans tout ça.

23

Je me suis garé près de l'hôtel en fin d'après-midi et j'ai sonné à la réception. Le type m'a reconnu.

— Je voudrais bien avoir la même chambre, j'ai dit.

— Écoutez, il a fait, j'aimerais bien que nous n'ayons pas les mêmes problèmes que la première fois...

— Y'aura pas de problèmes, j'ai dit. Je peux vous payer d'avance.

— Ça me paraît plus raisonnable, il a fait.

J'ai donc signé un chèque et il m'a tendu les clés d'un air satisfait.

À une époque, j'avais habité cet hôtel pendant huit ou neuf mois, je travaillais sur les docks et j'y avais écrit mon premier bouquin. J'avais connu ces moments pénibles où l'on doit trifouiller la sortie de secours pour éviter de passer devant la réception, j'avais eu une période un peu noire cette année-là mais je m'en étais sorti.

— Je vous indique pas le chemin, a fait le type.

— Cette fois-ci, je prendrai le petit déjeuner dans ma chambre, j'ai dit.

264

– Oh... on dirait que de l'eau a coulé sous les ponts.

J'ai rien répondu à cet abruti, j'ai pris l'ascenseur jusqu'au huitième et j'ai retrouvé ma chambre. Ça m'a fait quelque chose et en plus rien n'avait changé, le porte-savon était toujours cassé et il fallait toujours tirer comme un cinglé pour ouvrir la fenêtre. Une échelle de secours passait juste devant et la nuit, quand la lune plongeait en plein dessus, je pouvais rester des heures à regarder ça de mon lit, c'était ça ou rien.

Le soir tombait, j'ai posé mes trucs dans un coin et je suis allé prendre une douche. Ensuite, je suis resté étendu à poil sur le lit, il faisait bon, malheureusement y'avait pas de lune et le truc dehors n'était rien qu'une ombre noire sans âme, c'était dommage, il manquait quelque chose à mon bonheur. J'ai avalé ce genre de machin qui vous tient éveillé et vous secoue les plumes et je me suis levé d'un bond, j'ai installé la table devant la fenêtre, j'ai attrapé mon manuscrit et j'ai commencé à lire la première page.

Vers deux ou trois heures du matin, je me suis aperçu que je claquais des dents et je me suis levé pour fermer la fenêtre. J'ai jeté un coup d'œil en bas, dans la rue, les néons donnaient une impression de rivière colorée et les bagnoles se faufilaient au milieu comme des torpilles argentées, ça me faisait du bien de changer un peu de paysage malgré que j'aimais pas beaucoup celui-là. Je dominais plusieurs pâtés de maisons et rien que de voir ça, je me sentais écœuré, je pouvais presque sentir la sueur des gens qui habitaient l'immeuble en face, je trouvais qu'ils étaient trop près et ce qu'il y a de chiant dans une ville, c'est qu'il y a trop de gens à la fois. Mais c'était parfait pour ce que j'étais venu faire et je me suis remis au boulot enroulé dans une couverture délavée, changeant un mot, déplaçant une virgule et clignant des yeux jusqu'au petit matin.

Dès que les magasins se sont ouverts, je suis descendu pour faire quelques courses. J'avais les yeux rouges, je me sentais fatigué sans avoir du tout envie de dormir. Il y avait du monde dans les rues, dans les magasins, dans les bagnoles, dans les étages, c'était quelque chose que j'avais un peu oublié, des centaines de milliers d'individus qui se réveillaient en même temps, je voulais plus vivre ça. J'ai atterri dans un petit bar de quartier et j'ai avalé deux cafés en desserrant à peine les mâchoires, quand je suis sorti le ciel était tout blanc.

J'ai acheté quelques trucs indispensables ainsi que des cigarettes et de la bière et je suis retourné à l'hôtel. J'ai poireauté devant l'ascenseur en regardant les gens qui prenaient leur petit déjeuner dans la salle et dans l'ensemble c'était pas des marrants, ils avaient tous l'air de réfléchir à quelque chose, c'était vraiment le coin idéal pour travailler en paix.

Je suis resté enfermé toute la matinée, il a plu pendant une petite heure et je suis descendu juste après pour avaler quelque chose dans un self. J'ai repris mon manuscrit dès que j'ai pu et j'ai terminé la lecture vers huit heures du soir. J'étais crevé. J'ai remis les feuilles en ordre et je me suis glissé dans les draps. J'étais pas mécontent d'en être arrivé là.

Le lendemain matin, je me suis assis devant la fenêtre, j'ai installé la machine sur la table et j'ai attaqué sec. J'étais pas un écrivain à la mode, je faisais partie d'aucun courant et j'avais pas d'idée particulière à défendre, ça me laissait pas mal de liberté, je pouvais me laisser emporter et chercher un peu de jouissance, je pouvais enfoncer mon doigt dans les coins un peu sensibles et y'avait pas un seul connard à l'horizon. Ça ressemblait à une course folle sauf que je savais où j'allais.

J'étais vraiment au calme, l'hôtel était silencieux dans la journée. Je connaissais rien d'aussi mortel que cette chambre mais elle avait l'avantage de vous laisser l'esprit tranquille et de vous faire oublier l'heure, en plus de ça les prix étaient corrects et les draps étaient changés deux fois par semaine. J'adore ça voir quelqu'un en train de s'occuper de mon lit et secouer les oreillers dans un rayon de soleil, c'est ce que j'aime dans les hôtels et la nuit vous avez l'impression de pouvoir vous envoler à travers la fenêtre ou le sentiment qu'il va vous arriver quelque chose. Je me levais sans arrêt pour aller pisser et un peu plus tard un type est entré dans la chambre à côté et il a mis sa radio à fond. J'ai dû envoyer quelques coups de pied dans le mur avant de retrouver le fil de mes pensées, je voulais à tout prix finir ce chapitre avant de m'arrêter un peu, même si je devais m'arracher les mots un par un.

Ça m'a amené assez tard dans la nuit. J'ai vaguement entendu qu'on frappait à la porte et je me suis retourné au moment où elle s'ouvrait. Une blonde en robe de chambre, dans les quarante ans avec des cheveux sur les yeux.

– Hey, dites donc, j'arrive pas à m'endormir, moi, avec votre machine électrique, là.

– Quelle heure il est ? j'ai demandé.

– Bon, ça va, laissez tomber, de toute façon j'arrivais pas à m'endormir. Vous connaissez un truc pour dormir, vous ? Je crois que j'ai essayé à peu près tout.

Elle a traversé la chambre et s'est approchée de la fenêtre.

– La mienne donne sur une cour, elle a fait.
C'est pas très marrant.

– Vous voulez une bière ?

– Je veux bien mais à propos, qu'est-ce que
vous fabriquez au juste… ?

– J'écris un bouquin.

Elle m'a regardé avec des yeux ronds.

– C'est pas vrai… elle a dit.

– Je vous le jure, j'ai dit.

– Bon sang, c'est formidable… Quoi, un livre
avec une histoire et des personnages, une vraie
histoire… ? ? ?

– Ouais, vous avez mis le doigt dessus…

Elle s'est assise sur un coin du lit avec la
canette, elle a regardé le plafond en souriant :

– Bon sang… je peux pas vous dire ce que
ça me fait mais je trouve ça formidable !

– J'apprécie beaucoup ce que vous me dites…
Vraiment.

– Je crois que c'est quelque chose qui m'aurait
vraiment plu, je crois que j'aurais adoré écrire
des livres.

– C'est un bon départ.

– Vous moquez pas de moi.

– Je suis très sérieux, la passion c'est ce qui
fait briller les choses.

On a bu un coup et elle s'est laissée aller en
arrière sur le lit, mais sans découvrir ses jambes,
c'était juste histoire de se relaxer et j'ai facilement
vu la différence, je me suis étiré sous la table.

– J'en connais une qui sera encore complètement crevée, demain. Je vais encore en entendre,
elle a fait.

– C'est pas trop dur ? j'ai demandé.

– Non, je travaille dans un self pas très loin,
je me fatigue pas trop. Ce qui est dur, c'est de
rester debout toute la journée avec les chevilles
gonflées et de respirer ces odeurs de bouffe.

— Merde, j'imagine ça.

— Ouais et si ça continue, j'en sortirai pas. J'arrive même pas à économiser de quoi prendre un appart dans le coin. Je crois que ça me ferait du bien si je pouvais trouver un appart. Peut-être que je pourrais dormir normalement.

— Vous êtes seule ? j'ai demandé.

— Ouais, je suis veuve, pas d'enfant. Je suis pas certaine d'avoir tiré un bon numéro mais je me plains pas, j'ai été très heureuse avec un type pendant plusieurs années, je crois que j'ai eu ma part.

Elle s'est mise à rire en tirant ses cheveux en arrière.

— C'est peut-être pour ça que j'arrive plus à dormir, elle a fait. Peut-être que j'en ai plus besoin… ? ? ? !

— T'as vraiment un moral d'acier, j'ai dit. Je suis content de te connaître.

— Crois pas ça. Je pourrais te faire pleurer si je voulais. Je pourrais te parler pendant des heures de mon bel amour envolé, je te clouerais sur ta chaise.

— Tu veux une autre bière… ? J'ai rien d'autre.

— Je te remercie mais je vais essayer d'aller dormir. Je vais essayer de te laisser sur une bonne impression.

Elle s'est levée, elle a posé une main sur mon épaule et s'est penchée par-dessus moi pour jeter un œil sur la feuille glissée dans la machine à écrire.

— J'espère que tu écris quelque chose de bien, elle a dit. J'espère que t'es un grand écrivain.

— Si tu aimes une seule de ces pages, j'ai dit, c'est que je suis un grand écrivain.

— Non, tu te fous de moi, j'y connais rien…

— Personne n'y connaît rien.

Elle a pris une feuille au hasard et elle est

retournée s'asseoir sur le lit. Je me suis levé. Je suis allé sucer mon feutre près de la fenêtre et dans le lointain on entendait des sirènes d'ambulance ou les pompiers ou les flics et ça s'arrêtait jamais, il fallait vraiment avoir de la merde dans les oreilles pour s'habituer à ça.

– Je peux voir la suite ? elle a demandé.

Je lui ai passé les derniers feuillets et ça a pris encore un moment, j'ai eu le temps de descendre tranquillement une ou deux canettes. Ensuite elle m'a tendu le paquet en souriant.

– Je crois que je vais aller me coucher, elle a dit. Mais tu peux continuer, ça me dérangera pas.

– Je te remercie, j'ai dit. Passe quand tu veux.

Je suis resté pratiquement une semaine sans sortir et le forcing était payant, un beau petit paquet de pages, le truc déjà assez épais entre les doigts et qui pèse un peu. À part ça, la grande question était : « Qu'est-ce qui peut pousser un type de trente-quatre ans, au meilleur de sa forme, à rester cloué des journées entières sur une chaise, plus une bonne partie de la nuit ? »

Non, la connerie n'expliquait pas tout, en fait la bonne réponse était : « Ce qui pousse un type à écrire, c'est que ne pas écrire est encore plus effrayant. » Je me demande comment je pouvais garder le sourire avec des idées pareilles, n'empêche que j'avais le moral au beau fixe. Les journées étaient belles, peut-être qu'on allait avoir droit à un été indien et ça me donnait une bonne lumière pour mon roman. Je sentais que j'allais bientôt toucher la fin, tous les fils se resserraient et je pouvais me laisser porter, mon style devenait plus liquide, je suis pour la bonne vieille méthode qui consiste à contenir au début pour ensuite laisser filer, c'est la plus naturelle.

Je me suis payé une journée de repos avant de m'y replonger, j'ai bu mon café au lit et ensuite je me suis rasé. J'ai planqué mon manuscrit sous le lavabo avant de sortir. J'ai toujours planqué mes manuscrits, de toute façon j'ai jamais été un type détaché, ça représentait quelque chose pour moi, j'encule la dérision.

Je suis allé manger dans le self où travaillait ma copine et j'ai juste pu lui faire un clin d'œil parce que le truc était bourré de monde, oui, non seulement ils se levaient en même temps mais ils bouffaient en même temps, ils bossaient en même temps et ainsi de suite c'était très subtil, c'était l'aboutissement de toute une civilisation, j'encule la décadence.

En sortant, j'ai relevé le col de mon petit blouson à cause du vent mais le ciel était quand même vraiment bleu. Je suis allé faire un tour dans les coins que je connaissais histoire de traîner un peu et ensuite je suis allé voir *Rambo*, le film de Stallone, super, j'encule l'avant-garde.

Quand je me suis retrouvé dehors, le ciel était jaune-rose, les gens forçaient l'allure pour rentrer chez eux avant la nuit, ça foutait une mauvaise ambiance. J'ai décidé d'aller me coucher pour être en forme le lendemain matin et je suis rentré. C'était pas un programme très réjouissant mais je connaissais plus personne ici et j'avais marché une bonne partie de l'après-midi. En rentrant dans le hall de l'hôtel, j'ai croisé ma copine, elle avait fini son service.

— Je vais manger chez ma sœur, elle a fait. Si t'es seul, je t'emmène.

— Je suis seul, j'ai dit.

La sœur était pas mal mais je me suis coltiné son mec pendant toute la soirée, il m'a pas lâché d'un pouce, un blondinet avec une coupe romantique et un pull débardeur à losanges.

— Hey, vieux, il a fait, laissons les filles s'occuper de la cuisine et allons écouter un peu de folksong en prenant un verre. J'ai tous les disques de folksong que tu peux imaginer, vieux...

— Sans rire... j'ai dit.

En plus de ça, ce type prenait des cours de tennis, des cours de guitare, des cours de dessin, il prenait des cours d'à peu près n'importe quoi et c'était très intéressant, je savais pas si je devais rire ou pleurer et je bâillais en me cachant derrière mon verre.

J'ai reçu le coup de grâce vers la fin du repas parce que la blonde a eu le malheur de lui dire que j'écrivais un bouquin.

— Oh, il a fait, eh bien moi, justement, je vais bientôt en écrire un. J'ai toute l'histoire dans la tête, vieux, et dans les moindres détails...

— Et alors, qu'est-ce que t'attends ? j'ai fait.

— Hein ?

— Ouais, tu crois que ça va te tomber du ciel ?

Il a rigolé bêtement et s'est empressé de changer de sujet, il nous a annoncé qu'il venait de s'inscrire à un cours d'expression corporelle.

Au retour, il m'avait tellement lessivé que j'ai proposé de prendre un taxi. On a fumé une cigarette devant une station et la nuit était fraîche et le quartier assez désert. On a attendu un petit moment sans dire un mot, je me balançais sur place, les mains enfoncées dans les poches, le bout filtre serré entre les dents et j'essayais de penser à rien.

Un taxi est arrivé. Je me suis penché sur le type pour lui balancer l'adresse et j'ai empoigné la portière arrière. Elle était bloquée de l'intérieur. J'ai tiré un peu dessus.

— Ça va... vous fatiguez pas, a fait le chauffeur.

– Faut faire le tour ? j'ai demandé.

– Non, c'est pas la peine de faire le tour.

– Hé, qu'est-ce qui vous arrive ?

– Rien, seulement c'est pas sur mon chemin.

– Ouais, je m'en doute, mais vous êtes pas en train de conduire un tramway.

– Je fais ce que je veux. Et puis, t'as l'air jeune, t'as qu'à marcher un peu.

Je tenais encore la poignée de la porte dans la main et j'ai pensé mon petit pote, quand je vais être assis à l'arrière de ton taxi à la con, ça m'étonnerait que t'arrives à me déloger avant qu'on soit arrivé à l'hôtel et alors seulement après tu pourras changer de boulot. J'avais repéré le bouton de fermeture de la porte. Il suffisait que je passe une main à travers le carreau du type pour débloquer le système et avant qu'il ait eu le temps de comprendre quoi que ce soit, il allait me voir sourire dans le rétro, bien installé sur la banquette arrière.

J'ai donc plongé le bras à l'intérieur de la bagnole mais au même moment j'ai vu une couverture s'envoler à côté du mec et pousser un grondement effroyable. J'ai retiré mon bras à la vitesse d'un éclair.

Le type a caressé la tête du dogue qui se tenait maintenant entre ses jambes, j'avais fait un bond d'au moins deux mètres en arrière et je crois que ça lui avait vraiment plu, il me regardait en souriant.

– Tu te croyais peut-être plus malin que les autres ? il a fait.

– Ça va, tu peux aller te faire foutre, j'ai dit.

– T'as cru que t'allais pouvoir m'enculer mais tu fais pas le poids, petit. Cette bagnole est une vraie forteresse… Personne peut s'y attaquer, je fais monter qui je veux.

– L'important, c'est d'avoir essayé, j'ai dit.

– Tu crois vraiment ça ?

– Non, bien sûr.

Il a démarré et j'ai regardé les feux arrière remonter la rue et disparaître en silence. C'était pas ce qu'on avait fait de mieux dans le genre journée de repos.

Il m'a fallu encore huit jours pour finir mon roman et sans doute que j'aurais pas pu tenir une minute de plus, je suis arrivé sur les genoux avec des tremblements dans les mains, la bière, l'émotion, les cafés, que sais-je... ? La dernière page était la meilleure page, elle était d'une pureté céleste et le point final ressemblait au bout du monde, je suis resté encore quelques heures sans bouger derrière ma machine et ensuite je suis allé me coucher.

Avant de partir, je suis allé dire au revoir à ma copine. J'ai frappé à sa porte. Elle est venue m'ouvrir en peignoir avec une serviette blanche sur la tête.

– Tu te lavais les cheveux... ? j'ai fait.

– Oh oui... entre, assieds-toi.

– Je suis venu te dire au revoir. J'ai fini mon bouquin.

Elle a fait glisser la serviette de sa tête pour s'essuyer les mains. Elle paraissait plus jeune avec les cheveux tirés en arrière.

– Oh, bon sang, c'est complètement idiot mais j'ai même pas un truc à boire...

– Ça fait rien, j'ai dit.

Elle a continué de se frotter les mains pendant que je regardais ailleurs.

– Eh bien, je crois que je vais perdre un gentil voisin, elle a fait.

– Tu devrais essayer d'avoir ma chambre, la vue est plus chouette.

– Mince, c'est vrai, t'as raison.

Elle a penché la tête de côté pour faire tomber l'eau qu'elle avait dans l'oreille et j'ai regardé toutes les fringues qui s'entassaient sur le lit.

— Fais pas attention à ça. Je suis en plein bordel, elle a fait.

— Je te verrais bien dans un super appart, j'ai dit.

Elle a roulé la serviette autour de son cou comme un type qui revient de l'entraînement et elle a donné un petit coup de poing contre la porte. Elle a souri.

— Ouais, avec des fleurs aux rideaux, elle a fait. Et des baies de trois mètres cinquante.

— Je me fais pas de souci pour toi, j'ai dit.

Elle a baissé la tête et a repris la serviette pour s'essuyer à nouveau les mains.

— Je suis encore fichue d'arriver en retard aujourd'hui. Mon séchoir est détraqué. Ce sont des choses qui arrivent.

On est resté silencieux quelques secondes et ensuite elle m'a regardé.

— Tu sais ce que ça me fait... ? Tu sais pas quel effet ça me fait... ? Eh bien j'ai l'impression qu'on m'a enfermée dans une cage et qu'on m'a oubliée. Mais c'est pas de ta faute, elle a ajouté. Ce matin on dirait que tout va de travers.

Un type a branché un rasoir électrique dans une chambre à côté et il s'est mis à chanter.

— Bon, j'ai dit, qu'est-ce qu'on fait, on s'embrasse... ?

Elle a été d'accord.

24

– PUTAIN, j'ai fait, ET ÇA, TU TROUVES PAS QUE
C'EST UN BEAU COIN... ??!! QU'EST-CE QUE TU VEUX
DE PLUS... ??!!

Le guide m'avait pris en grippe dès le début
et il essayait de me faire mourir de faim. On
marchait depuis cinq heures du matin et j'avais
juste un café et deux bières dans le ventre. Vers
midi, j'avais commencé à faire quelques propositions raisonnables mais il secouait chaque fois
la tête, non, suivez-moi, il disait, on va choisir
un coin vraiment agréable pour s'arrêter, il faut
que ces deux jours soient placés sous le signe
de la Beauté. Toute la bande de tarés qui sui-
vaient était aux anges.

Cette fois-ci, on était arrivé dans une sorte
de clairière avec un tapis de feuilles rouges et
on surplombait la vallée. Le guide s'est arrêté
et voyant que j'avais déjà jeté mon sac par terre
et qu'un gros type à lunettes avait viré au bleu,
il a hoché la tête.

– Bon, il a fait, mais on restera pas trop
longtemps. Il faut qu'on arrive au refuge avant
la nuit.

Je me suis écroulé dans l'herbe sèche à côté
de Lucie. Elle semblait en pleine forme. Le
soleil avait grimpé doucement dans le ciel et on
s'était tous rapidement retrouvés en tee-shirt, je
pouvais à peine détacher mes yeux de la poitrine
de Lucie. Ça faisait trois jours que je tirais la
langue derrière elle. J'ai jeté un œil entre ses
jambes en ayant l'air de regarder dans le vague
et ça m'a fichu un sacré coup, son short était

276

beaucoup trop petit pour elle, j'ai dû serrer les dents pour éviter de faire une connerie, j'ai attendu que ça passe en préparant des sandwiches au jambon.

– Alors, elle a demandé, ça te plaît ? T'es content... ?

– C'est royal, j'ai dit. Je me sens renaître.

– L'homme d'aujourd'hui est tellement éloigné de la Nature, elle a fait.

– Ça me fiche la chair de poule, j'ai dit.

La dernière fois que j'avais baisé me semblait quelque chose de très lointain. J'avais repéré cette fille qui courait depuis plusieurs jours en survêtement sur la plage, à l'heure où je me levais et je m'asseyais pour la regarder. Je me branlais en soupirant et les journées s'écoulaient tristement, je passais mon temps à recopier mon roman et l'image de cette fille qui fonçait sur la plage me poursuivait un peu partout, ça tournait à l'idée fixe. Un matin, je lui avais fait un petit signe de la main, elle avait souri et quelques jours plus tard elle s'arrêtait devant ma fenêtre et on échangeait deux ou trois mots sur le temps ou les bienfaits du sport.

Trois jours avant cette balade en montagne, elle avait lancé l'idée folle de plonger dans les vagues glacées et je m'étais défilé. Je m'étais retrouvé avec son survêtement dans les bras pendant qu'elle piquait un crawl vers le large. Quand elle était revenue vers moi en roulant des hanches dans un bikini rouge sang, j'étais plus le même homme.

Et le lendemain, j'avais plongé avec elle en souriant dans l'eau mortelle et froide. J'étais à moitié cinglé et le soir je l'avais accompagnée à une conférence sur le thème « Prenez votre corps en main ». J'avais essayé de pas trop fumer pendant les débats.

Enfin, hier, elle m'avait proposé cette randonnée de deux jours en pleine nature et je m'étais montré très enthousiaste. De toute façon, je pouvais plus la lâcher d'une semelle. J'étais comme un type tombé de cheval et traîné par les étriers.

Je m'étais acheté un sac jaune citron que j'avais rempli de canettes ainsi qu'un duvet bon marché que j'ai étalé sur le sol, je me suis allongé dessus. Les autres gambadaient autour de moi et se taillaient des rondelles de pain complet en buvant de l'eau de source. Mais j'avais l'esprit trop préoccupé pour me joindre à eux et m'extasier devant la beauté sans nom d'une feuille morte. Lucie faisait jouer ses cheveux dans le soleil.

— Quelle chance incroyable d'avoir un temps pareil ! elle a fait.

— Oui, c'est formidable. Si je me retenais pas, je laisserais tomber les autres. Je passerais le restant de la journée sur le dos à respirer l'air pur et je dormirais à la belle étoile... Qu'est-ce que t'en penses... ?

— Oh non, elle a fait, tu vas voir le refuge, c'est un endroit fantastique... Mais il faut le mériter. Tu es pas fatigué, j'espère... ?

— Tu rigoles, cette balade m'a plutôt mis en forme.

Je sais plus, mais ça faisait peut-être deux mois que j'avais pas touché une fille de mes mains. Lucie avait une peau très lisse et dorée et le moins qu'on puisse dire c'était qu'elle respirait la santé, c'était le genre de fille qu'on aurait prise dans une pub pour de l'eau minérale. Je la buvais des yeux, je trouvais que le plus infime de ses gestes avait un prolongement sexuel et quand par hasard je l'effleurais j'en prenais pour mon compte, je piétinais devant les portes du Paradis. Mais j'avais encore rien tenté de précis, je voulais mettre toutes les chances de mon côté. En fait, j'étais dans un état tellement fiévreux que j'étais incapable de me faire une idée précise sur ce qu'elle pensait de moi. Pour l'instant, on jouait aux grands copains, on était au-dessus de ça, deux petits anges animés par la passion commune de la Nature, du Vrai et du Beau.

Juste avant de partir, une femme a distribué des petits gâteaux mielleux qu'elle avait préparés EXPRÈS pour le voyage, bon sang tout le truc baignait, on formait une bonne équipe, on s'aimait bien, je me suis mis le gâteau en entier dans la bouche pour pas me salir les mains. Ça avait pas dû être facile de faire un machin aussi collant que ça, j'en avais plein les dents et j'ai mis un petit moment avant de pouvoir m'en débarrasser. Tout le monde levait les yeux au ciel et commentait la subtilité de ce pur délice. Je me suis approché discrètement de Lucie.

— Dis donc, j'ai demandé, t'as pas un couteau... ?

— Mais si, bien sûr...

— Faut que je me taille un cure-dent.

— Mais j'ai les mains sales, elle a fait. Tiens, prends-le, il est dans ma poche...

Elle s'est tournée et j'ai vu le couteau. Le truc saillait sur sa fesse gauche, assez bas. C'était à ce genre de détails que vous pouviez vous apercevoir qu'elle portait un short. Bon Dieu, j'ai pensé, si tu plonges ta main là-dedans, t'es un homme mort !

— Qu'est-ce qu'il y a ? elle a fait. Tu le vois pas... ?

— Si, si, j'ai dit.

— Eh bien, vas-y, prends-le.

Je suis allé chercher ce sacré couteau et ma main a glissé le long de sa fesse. Elle a eu un petit mouvement nerveux quand elle a senti que je m'éternisais et quand j'ai enfin sorti le truc de sa poche, elle m'a regardé en souriant.

J'ai attrapé mes affaires et je les ai balancées sur mon dos.

– Bon alors, merde, j'ai fait, on y va à ce refuge… ?

On s'est remis en marche. Il faisait bon. Les autres avançaient par groupes de deux ou trois et discutaient mais j'ai préféré rester à l'arrière pour secouer les traînards, j'étais dans un état d'excitation avancé.

C'était la première fois que j'éprouvais quelque chose d'un peu intense depuis que j'avais terminé mon roman, ça me faisait du bien, je trouve même que c'était pas volé. Malgré ce qu'on peut penser, finir un bouquin n'est pas une libération, pour moi c'était le contraire, je me sentais inutile et abandonné et j'étais plutôt d'humeur orageuse. Je m'étais jeté dans cette histoire avec Lucie pour respirer un peu, ça faisait une bonne quinzaine que je travaillais sur mon manuscrit et je baignais dans une sensation désagréable, j'étais comme le type vaincu qui aide la fille qu'il aime à préparer ses valises parce qu'il y a plus rien d'autre à faire.

Le soleil a disparu derrière une colline et tout le monde a trouvé ça très chouette, moi le premier, c'était une lumière jaune et frémissante qui glissait sous les feuilles mortes et soulevait une odeur de terre sucrée, Lucie était juste devant moi et je regardais ses cuisses se frotter l'une contre l'autre, j'aurais voulu avoir un poignard dans les mains et l'enfoncer jusqu'à la garde dans un tronc d'arbre. La fatigue de la marche me remplissait d'énergie.

On a atteint le refuge à la tombée du soir. J'ai trouvé ça formidable, sans blague, c'était vraiment un coin merveilleux et j'étais d'excellente humeur, je trouvais le moindre truc réellement divin. Il y avait une grande cabane avec un torrent et un emplacement pour le feu de bois, tout était parfait dans les moindres détails, j'ai cru un moment que j'allais ressentir l'appel de la forêt.

On a rangé les sacs dans la cabane et je me suis débrouillé pour rester un peu à la traîne avec Lucie, j'ai fait semblant de vérifier la fermeture de mon sac de couchage. Je l'ai regardée enfiler un pull à la lumière d'une lampe-tempête. Ensuite elle s'est tortillée pour enlever son short et là j'ai cru mourir, je me serais même pas retourné si un ours gris avait surgi dans mon dos, le monde venait de s'effondrer et je me retrouvais seul avec une petite culotte de soie bleue tendue comme une bulle de chewing-gum et scintillant dans la lumière.

Le guide a passé la tête par l'encadrement de la porte.

— Corvée de bois ! il a fait.

— On arrive, elle a fait.

Elle a enfilé un jean à toute allure et j'ai balancé mon duvet dans un coin comme un sauvage.

— Allez, viens... prends ta lampe électrique, elle a fait.

— Je savais bien que j'oubliais quelque chose, j'ai dit.

— Bon, c'est pas grave, t'as qu'à venir avec moi.

— Bien sûr, mais quand même, c'est idiot.

On est sorti et j'ai vu toute la bande s'éloigner vers la droite avec des petites lumières dans les mains, il faisait presque complètement nuit et des longs nuages violacés s'étiraient dans le ciel. J'ai entraîné Lucie vers la gauche.

– Ils vont ratisser tout le coin, j'ai dit. On a plus de chances de ce côté-là.

– Oui, on va faire un feu de tous les diables ! J'adore ça !

On s'est enfoncé un peu sous les arbres et j'étais tellement nerveux que j'avais pas besoin de lampe pour y voir clair, c'était un phénomène très étrange mais ça m'inquiétait pas, j'étais comme un chat-huant survolant son territoire de chasse.

– Éclaire-moi, elle a dit, je vais ramasser des brindilles.

Sa voix m'a fait sursauter. J'ai attrapé la lampe et j'ai braqué la lumière sur elle, je me suis mis à siffler *I'll Be Your Baby Tonight* pour échapper au silence mais je me sentais de plus en plus étourdi et j'avais la gorge sèche. Je me suis approché d'elle pendant qu'elle cassait quelques branches mortes, je me suis arrêté quand j'ai pu sentir son odeur. J'avais l'impression de me tenir au bord du vide.

Elle s'est tournée vers moi les bras chargés de petit bois et m'a dévisagé en souriant :

– Qu'est-ce qu'il y a ? T'en fais une tête ! !

Je me suis senti balayé par une lame de fond, je suis tombé à genoux.

– Oh Lucie, j'ai fait. Putain, Lucie...

J'ai refermé mes bras autour d'elle et j'ai enfoncé ma figure entre ses jambes. Les boutons du jean me labouraient le front.

– Oh Seigneur ! elle a fait.

À ce moment-là, elle m'a lâché le tas de fagots sur la tête et s'est appuyée contre un arbre. J'ai frotté mes joues sur ses cuisses.

– Oh bon sang de bon sang... je disais.

Je faisais courir mes mains à toute vitesse sur

ses jambes et je lui attrapais les fesses, on aurait dit un type qui tourne en rond au milieu d'un incendie.

— Oh défais ce truc, elle a fait. Défais-moi ce truc...

Elle avait empoigné ma tête par les cheveux et l'écrasait entre ses jambes. Une odeur folle traversait le tissu et j'étais déjà à moitié K.-O. À moitié seulement. J'ai fait sauter tous les boutons.

— Oh ! l'air est tellement pur... Cette nuit me rend folle ! ! elle a soupiré.

Je parle pas dans ces moments-là, j'essaie de pas trop me dissiper. Mais je sais reconnaître la Grâce quand elle arrive et si j'avais eu le temps, je me serais allongé sur le sol les bras en croix et j'aurais enfoui mon nez dans les feuilles mortes pour embrasser la terre. J'ai tiré sur le jean et le slip est venu avec, je lui ai descendu jusqu'au milieu des jambes.

— Jésus, on est tellement bien, elle a murmuré. Je suis une herbe caressée par le vent.

J'ai levé les bras pour lui attraper les nichons et j'ai glissé ma langue dans sa fente. Elle a lâché mes cheveux en poussant un léger soupir et elle s'est accrochée à l'arbre en joignant ses mains derrière elle, légèrement au-dessus de sa tête. J'étais pas jaloux de l'arbre et avant de poursuivre, je me suis écarté un peu d'elle pour la regarder. Quelle vision miraculeuse que cette fille frémissante ligotée au poteau avec les jambes habillées jusqu'aux genoux, quelle image sereine. J'ai attrapé son paquet de poils comme un scalp encore fumant et je l'ai approché de mes lèvres. Ça m'a rappelé le bon vieux temps, ça m'a rempli la cervelle, l'espace d'une seconde, de vieux souvenirs fanés.

On était sur le point de se laisser aller quand

on a entendu des craquements autour de nous et j'ai repéré une petite lumière qui s'approchait dangereusement. J'ai poussé une sorte de hurlement intérieur pendant que Lucie remontait sa culotte en quatrième et un oiseau de nuit s'est envolé au-dessus de nos têtes en claquant des ailes. J'avais cru toucher au but mais je refermais mes mains sur du vide, qu'est-ce que c'était que cette vie qui envoyait des coups de latte dans les verres d'eau quand vous veniez de traverser un désert infernal... ? Et l'autre, qu'est-ce qu'il pouvait bien vouloir encore, j'étais persuadé que c'était lui, je le savais, c'était ce putain de guide, le type en short avec un bonnet de laine sur la tête. Il est arrivé jusqu'à nous.

— Ah, je vous cherchais, il a dit. Ça ira pour le bois.

— On s'est spécialisé dans la brindille et les petites branches, j'ai fait. On était en train de faire un tas.

— Non, ça ira, les autres ont fait du bon boulot. Occupez-vous plutôt de la corvée d'eau.

— Mais oui, Vincent... Avec plaisir, a fait Lucie.

— Vieux, on fait comme tu veux, j'ai dit.

J'ai gardé le goût de Lucie dans la bouche jusqu'à ce qu'on soit retourné au campement, j'ai essayé de me persuader que c'était simplement une question de temps, j'y suis presque arrivé. Pendant que les autres préparaient le feu, Lucie et moi on a attrapé ces espèces de seaux en toile ridicules et on s'est dirigé vers le torrent. L'eau filait avec un sifflement nerveux entre les pierres, on s'est mis à genoux et on a plongé les seaux dans le courant glacé. J'en ai profité pour glisser une main sous son pull mais elle l'a retirée.

— Non, elle a dit, ils peuvent nous voir d'ici...

– On est pas en train de cambrioler une banque, j'imagine...

– Peut-être, mais on va s'énerver pour rien. Et puis c'est pas désagréable d'attendre un peu... La nuit est tellement belle, on a tout le temps.

On a fait quelques allers et retours avec les seaux et pendant le dernier voyage, le feu s'est mis à crépiter et à inonder les alentours d'une lumière assez infernale. Les autres avaient préparé la bouffe et j'ai fait circuler quelques bières, tout le monde avait l'air réjoui.

Au bout d'un petit moment, Vincent m'a pris un peu à l'écart, il paraissait ennuyé.

– Il faut que tu saches que ça me plaît pas beaucoup, il a fait.

– T'as peur qu'on mette le feu à la montagne ? j'ai demandé.

– Non, il s'agit pas de ça. Mais tu fais partie des nouveaux, il y a sûrement une chose que tu as pas très bien comprise.

– Je t'écoute, vieux.

– Bien. Vois-tu, cette marche en pleine nature a pour but de nous purifier, elle doit nous aider à renouer avec une pureté oubliée, il faut que nous prenions conscience de nos corps. Je crois que j'ai bien expliqué tout ça avant de partir mais j'ai eu l'impression que tu écoutais pas.

– C'était rien qu'une impression, je t'assure.

– Écoute, je trouve pas que ce soit un effort épouvantable que d'oublier la civilisation pendant quarante-huit heures. T'es pas de mon avis ?

– Ouais, y'a rien de plus facile, vieux.

Il s'est gratté la tête et a levé les yeux vers le croissant de lune qui venait de sortir au-dessus des arbres.

– Bon, alors dis-moi une chose, il a fait. D'où est-ce qu'elles sortent toutes ces saloperies de

285

canettes... ? D'où vient tout cet alcool, hein, dis-moi... ?

– Hé, tu plaisantes, c'est pas vraiment de l'alcool !

– Bien sûr. Et tu vas sans doute nous sortir quelques joints dans un moment, ou une cochonnerie de ce genre...

– Là, vieux, tu me fais de la peine.

Il a réfléchi un instant puis il m'a regardé des pieds à la tête.

– Bon, il a fait, je crois que je vais tirer un trait sur cet incident mais tâche de t'intégrer un peu plus à l'esprit du groupe à l'avenir. Ça peut te faire que du bien.

– Je sais pas ce qui m'a pris, j'ai fait.

On a rejoint les autres et on a mangé un morceau assis autour du feu. Je me suis perdu dans la contemplation des flammes jusqu'à la fin du repas, je les entendais à peine discuter près de moi et je me suis carrément bouché les oreilles quand Vincent nous a fait son petit speech à la con sur la Nature, il y a des types qui réussiraient à vous rendre n'importe quoi ridicule, des types qui abîment tout, se passionner pour quelque chose rend pas forcément plus intelligent, contrairement à ce qu'on pourrait croire.

J'ai cru que leur truc finirait jamais, mais au moment où je perdais tout espoir, j'ai été désigné avec quelques autres pour éteindre le feu. Ça a pas traîné. Pendant ce temps-là, deux ou trois types courageux ont dressé des tentes en un temps record, ce qui fait qu'on s'est retrouvé seulement une poignée pour partager la cabane, ça faisait encore beaucoup à mon avis mais c'était ça ou rien, c'était ça ou se faire dévorer par les moustiques et se faire doucher par la rosée du petit matin.

La baraque était assez grande et il y avait en plus une sorte de mezzanine où l'on pouvait grimper par une échelle de meunier. J'ai tout de suite compris ce que j'avais à faire. Pendant que les autres tergiversaient et se faisaient des politesses, j'ai pris Lucie par un bras et j'ai balancé nos deux duvets là-haut.

– C'est notre seule chance, j'ai dit.

Une fois arrivé en haut, je me suis presque frotté les mains, le coin était charmant, avec une petite fenêtre et la lune en plein dedans. Lucie était en train d'arranger les sacs de couchage quand j'ai vu une tête émerger au ras du plancher, une tête de cinquante ans avec des lunettes et des nattes qui pendaient de chaque côté. J'ai failli m'étrangler mais il était trop tard, la bonne femme a gravi les derniers échelons et s'est pointée en pyjama avec un duvet enroulé dans les bras.

– Je crois qu'on sera mieux ici, elle a fait.

– On va être serré, j'ai dit.

Encore une qui était sourde mais j'ai pas eu le temps d'insister, j'ai vu l'échelle trembler à nouveau. Je me suis jeté en avant et j'ai secoué le truc jusqu'à ce que le type abandonne tout en bas, c'est complet, c'est de la folie, j'ai dit et j'ai hissé l'échelle avec la rage au cœur.

Ensuite je me suis allongé à côté de Lucie et la bonne femme était pas très loin de nous, elle nous souriait, je lui ai envoyé un regard assassin.

Comme je m'y attendais, Lucie a refusé d'entreprendre quoi que ce soit avant que notre voisine s'endorme. J'étais au supplice. Ceux d'en bas avaient soufflé la lampe mais nous en haut, on avait gardé un rayon de lune et je voyais la bonne femme lutter bêtement contre le sommeil, la bouche à moitié ouverte et tripotant une de ses nattes.

Ce petit manège a bien duré une demi-heure,

ensuite sa tête a roulé sur le côté et j'ai fait signe à Lucie que l'emmerdeuse venait de s'endormir et que maintenant on était tranquilles jusqu'au petit jour.

Elle a enlevé son pull et j'ai pu jouer avec ses nichons, je lui ai mordu les bouts.

Elle a enlevé ce truc serré et j'ai pu jouer avec ses jambes, surtout l'intérieur des cuisses.

Elle a voulu faire glisser sa culotte de soie bleue mais là, je l'ai arrêtée, je voulais jouer aussi avec ça, ET COMMENT ! Ce petit morceau de tissu était une pure merveille et il me frappait droit au cœur, sa matière semblait réellement vivante. J'ai mis Lucie à genoux. Elle a appuyé sa tête dans ses bras et je suis resté un moment sans bouger, j'étais vraiment fasciné. Un rayon de lune cognait en plein là-dessus et dérapait sur la soie, je me mordillais les lèvres, bon sang ce truc allait m'engloutir d'une seconde à l'autre mais je voulais voir ça, c'était comme une soudure à l'arc, je tenais à rester conscient au maximum, quelle peau magnifique elle avait. J'ai posé une main moite sur le slip et j'ai commencé à refermer doucement les doigts. La soie s'est tendue comme un spinnaker défoncé par le vent, j'entendais Lucie respirer et ensuite j'ai fermé mon poing, j'ai tiré dessus de manière à ce que le truc lui rentre entre les fesses. C'était vraiment fantastique, sa fente s'est mise à mousser et je me suis occupé de ça rapidement, j'ai commencé à voir des petits points lumineux un peu partout.

Je faisais comme si le slip existait pas, Lucie poussait des petits grognements et j'étais en train de devenir à moitié cinglé quand la bonne femme s'est réveillée à côté. Elle a regardé ce que je faisais et elle a ouvert des yeux ronds. Je me suis redressé avec un filet de salive lumineux qui pendait encore de ma bouche, heureusement

Lucie s'était aperçue de rien et j'ai fait signe à la nana de la boucler en écrasant un doigt sur mes lèvres. Elle a gémi puis elle a rabattu le duvet sur sa tête pendant que je reprenais mon hymne à la Nature dans un rayon de lune argenté.

Au petit matin, j'ai senti une main qui me secouait. J'ai ouvert un œil et j'ai vu les nattes qui dansaient sous mon nez, je me suis tourné de l'autre côté. Elle m'a secoué de plus belle.

— Bon Dieu, j'ai dit, je suis mort. Qu'est-ce que vous voulez... ?

— Je dois descendre, elle a fait.

— D'accord, faites ce que vous voulez, je vous retiens pas.

— Je peux pas remettre l'échelle toute seule, c'est beaucoup trop lourd pour moi...

— Ouais, mais pourquoi vous dormez pas ? Vous allez réveiller tout le monde !

— Je dois faire pipi... Tout de suite.

J'ai poussé un soupir qui en finissait plus et je me suis levé. Je tenais pas la forme, j'avais les jambes un peu molles et les yeux gonflés, j'avais pas dû dormir plus de deux heures et j'étais l'ombre de moi-même. J'ai soulevé l'échelle, je l'ai trouvée plus lourde que la veille, je me suis approché du vide en grimaçant et je l'ai laissée glisser jusqu'en bas. La femme m'a remercié, puis elle m'a envoyé un sourire étrange avant de poser un pied sur le premier barreau. Je sais pas comment elle s'est démerdée mais son pied a dérapé et elle a failli partir en arrière. Je l'ai rattrapée par un bras in extremis.

— Nom de Dieu, faites un peu attention, vous m'avez fichu une sacrée trouille, j'ai fait.

— Oh je vous remercie... vous êtes bien aimable, elle a dit.

— C'est rien, j'ai fait.

– C'est ridicule... l'échelle a glissé...

– Non, c'est pas l'échelle qui a glissé. Allez-y doucement.

– Je vous assure, je l'ai sentie partir sur le côté.

– Mais non, y'a pas de danger.

Elle était pas rassurée et moi je dormais presque debout. Elle a remué un peu pour voir si ça tenait bien et effectivement, cette putain d'échelle a ripé sur le bord. J'avais mon pied nu juste à cet endroit-là. J'ai cru que je l'avais posé sur un rail et qu'une locomotive venait de passer dessus en sifflant. La douleur a zigzagué sous mon crâne. J'ai eu comme un étourdissement. Je suis parti en avant et je suis descendu directement jusqu'en bas, je me suis écrasé sur la table.

C'est comme ça que je me suis pété le bras.

25

Après quelques essais, j'ai envoyé une claque sur mon manuscrit et j'ai téléphoné à mon éditeur.

– Mon roman est terminé, j'ai dit... Mais impossible de le taper à la machine avec un bras dans le plâtre.

– Je vous envoie quelqu'un, il a fait.

J'ai raccroché et j'ai fumé un cigare à la fenêtre en clignant des yeux dans le soleil.

En début d'après-midi, une femme s'est pointée, les cheveux tirés en arrière dans un tailleur bleu marine et poudrée à mort. J'ai voulu lui proposer une bière mais je me suis retenu. Elle avait pas de lèvres. Elle traînait un courant d'air glacé derrière elle. Je lui ai expliqué le problème en deux mots et elle a écouté en silence. Puis elle a posé son sac sur la table et m'a regardé droit dans les yeux en joignant les mains comme si elle allait plonger.

— Bon, elle a fait, avant tout mettons les choses au point. J'ai lu un de vos livres et franchement je n'ai pas du tout aimé. Mais nous essaierons quand même de faire du bon travail...

— Le plus dur est fait, j'ai dit.

— J'ai travaillé avec les plus grands, elle a enchaîné, et j'ai remarqué que la meilleure méthode était d'avoir des horaires précis. Je vous propose huit heures-midi deux heures-six heures, du lundi matin au vendredi soir et si vous le voulez, je préparerai du thé dans l'après-midi. Je me prénomme Gladys.

— Eh bien, Gladys, c'est parfait. Quand voulez-vous commencer ?

— Tout de suite, elle a fait. Mais vous avez le temps de passer quelque chose.

— Pardon... ?

— Oui, je ne sais pas... Peut-être une chemise et un pantalon... ?

J'ai eu toutes les peines du monde à m'habiller mais elle a pas fait un geste pour m'aider, ça m'a pris au moins dix bonnes minutes. Elle m'a regardé en silence puis s'est installée derrière la machine.

— Vous savez, elle a dit, c'est la première fois que je travaille avec un homme aussi jeune que vous. Surtout dans une chambre.

— Je pense qu'ils ont tous commencé comme ça. Le bureau vient avec les cheveux blancs.

Elle a rien répondu. J'ai pris mon manuscrit et je suis allé m'allonger sur le lit. J'ai commencé à dicter.

À la fin de la semaine, on avait abattu un boulot formidable et le vendredi soir j'ai sorti deux verres pour fêter ça. Elle a commencé par refuser mais j'ai insisté. On a levé nos verres.

– C'est quand même étrange, ce que vous faites, elle a dit. C'est dommage que ce soit si mal écrit.

– J'ai travaillé comme un sourd pour arriver à ça.

– Mais pourquoi toutes ces choses si vulgaires ?

– J'y peux rien, l'émotion peut se cacher n'importe où. Je vous jure qu'il y a rien de gratuit. On en boit un autre... ?

– Oh non, je vous remercie, mais il faut que je me sauve. Alors on se revoit lundi matin, n'est-ce pas... ?

– Je vais passer le week-end à errer sans but, j'ai dit.

J'ai refermé la porte derrière elle et juste à ce moment-là, le téléphone a sonné. C'était Lucie, ça faisait quelques jours que je l'avais pas vue.

– Alors, elle a fait, comment va ton bras... ?

– Mal, j'ai dit, je le sens raide.

– Je suis désolée de pas t'avoir appelé plus tôt mais j'ai rencontré des types importants toute la semaine et je crois que j'ai décroché un truc intéressant.

– Je suis content pour toi. J'ai pas mal bossé moi aussi.

– Écoute, c'est vraiment idiot qu'on puisse pas se revoir avant mon départ, mais je dois saisir cette chance au vol, tu comprends...

– J'étais justement en train de dire à quelqu'un que j'allais passer un week-end épouvantable.

– Tu sais, sans parler de ton accident, j'ai passé deux jours formidables.

– Moi aussi, ça nous fait un chouette souvenir.

– On sait jamais, après tout peut-être qu'on se reverra...

– D'accord, je suis partant.

– Je t'embrasse très fort.

– Oui, bonne chance, j'ai dit.

J'ai raccroché et je suis allé me servir un verre. Ce plâtre me faisait vraiment chier, il me maintenait tout le bras à angle droit et me recouvrait la moitié de la main, me laissant juste les doigts libres. J'avais l'impression de me tenir debout dans le métro, cramponné à la barre. Le plus dingue c'était pour conduire, je m'en tirais de justesse, je devais passer les vitesses avec la main gauche. Putain, quand je pense que Cendrars roulait ses clopes d'une seule main...

J'ai regardé la nuit arriver dans un silence pesant. C'est pas toujours facile d'être seul, par moments c'est même abominable. Tant que j'avais eu ce roman sur les bras, c'était pas la même chose, je pouvais faire le malin sans trop de risques, il y avait toujours ce truc pour me rattraper. Maintenant qu'il était fini, j'avais intérêt à être prudent, je me trouvais en terrain découvert.

Quand j'ai vu comment le vent allait tourner, j'ai préféré changer d'air. J'ai sauté dans la bagnole et je suis allé manger une pizza dans un endroit où il y avait un peu de monde, je suis resté une heure dans mon coin à regarder les gens et les lampions qui pendaient du plafond. Bien sûr, en sortant, la nuit était toujours là et moi aussi. J'ai marché un peu, ensuite j'ai téléphoné à la boîte pour savoir ce que foutait Yan mais ça répondait pas. J'ai récupéré ma pièce et j'ai appelé chez lui. C'était occupé. Je suis retourné à la voiture et j'ai mis le cap sur sa baraque. C'est toujours quand on reste assis sans rien faire qu'on est le plus vulnérable, c'est à ce moment-là que l'esprit commence à divaguer et franchement, j'avais pas besoin de ça, on était seulement vendredi soir et j'avais pas spéciale-ment envie de passer deux jours et trois nuits en train d'agoniser sur un radeau en compagnie des mouettes.

Je suis arrivé vers dix heures, je me suis garé juste devant et j'ai cogné à la porte. C'est lui qui est venu m'ouvrir, il avait l'air furieux.

– Putain, c'est toi ? il a fait. Tu tombes bien. Tirons-nous d'ici !

J'ai entendu un bruit d'engueulade au premier, le bruit d'un objet en verre qu'on brisait.

– Qu'est-ce qui se passe ? j'ai demandé.

– Rien de nouveau. Ils sont toujours aussi cinglés tous les deux. Ils sont en train de se disputer la salle de bains, si tu veux savoir ! J'EN AI PLUS QUE MARRE ! !

Ensuite il s'est aperçu que j'avais un plâtre.

– Merde, qu'est-ce qu'il t'est encore arrivé ? Où t'étais passé ?

– Eh bien, vois-tu...

– Ça va, il m'a coupé, tu m'expliqueras ça dehors. Si je reste encore une seconde ici, je deviens complètement dingue ! !

Le temps qu'il attrape son blouson et un autre truc a volé en éclats au-dessus, suivi d'un long hurlement.

– Peut-être qu'on devrait aller voir... ? j'ai proposé.

– Non, qu'ils se démerdent. Je les ai assez vus !

Il a claqué la porte et on a grimpé dans la voiture.

– Où on va ? j'ai demandé.

– T'arrives à conduire avec un truc pareil... ?

– Aucun problème dans les lignes droites.

– Bon, roule un peu, on verra bien.

J'ai démarré pendant qu'il croisait ses mains

derrière la tête et envoyait un soupir au plafond. On est resté cinq minutes sans dire un mot et ensuite je lui ai expliqué rapidement ce qui m'était arrivé. Ça l'a fait rire. Il m'a allumé une cigarette et on a discuté encore un moment pendant qu'on sortait de la ville.

On a pris des petites routes et je savais pas très bien où j'allais mais la nuit était claire et on était vraiment détendus. Ça faisait longtemps qu'on avait pas été seuls tous les deux, ça faisait longtemps qu'on s'était pas payé une virée de ce genre, ça devait remonter à l'époque où j'avais commencé mon roman. On a mis un peu de musique et Yan a renversé la tête en arrière en tenant le col de son blouson à deux mains.

– Voilà ce que j'aime, il a fait. Pas la peine de chercher plus loin.

Je me sentais presque joyeux, je me suis mis à rouler plus vite.

– Mais ça veut pas dire que je tienne pas à la vie, il a ajouté.

– Hé, t'as pas confiance en moi... ?

– Oublie pas que t'as un bras dans le plâtre.

– T'en fais pas, j'ai dit.

La bagnole filait sous le ciel étoilé comme une luciole dévorée par la rage. Il faisait juste bon, c'était agréable de se laisser aspirer. On a baissé le son pendant qu'un type annonçait les températures de la journée.

– Tu sais, j'ai dit, je crois que je commence à me faire vieux. J'arrête pas de penser à Nina.

Il a rien répondu.

– T'as entendu... ?

– Ouais. Il y a des personnes dont on peut jamais se débarrasser. Il faut se faire une raison.

– Mais j'ai besoin d'être seul aussi, tu comprends... ? Et je suis déjà allé la chercher une fois.

– Ouais, seulement y'a pas de raison que tu t'en tires mieux qu'un autre.

– Ha ha, j'ai fait.

On se trouvait sur une belle ligne droite bordée d'arbres quand j'ai aperçu des lumières sur le bord de la route. C'était un genre de snack, avec des pompes à essence, un truc comme il y en avait des milliers et qui reste ouvert toute la nuit, une vraie bénédiction... J'ai jeté un coup d'œil à Yan.

– Ouais, si tu veux, il a fait.

Je me suis garé sur le parking désert et j'ai coupé le contact. Il devait être une heure du matin, ça faisait du bien de s'arrêter un peu. Il faisait plutôt frais dehors, on a marché vers l'entrée en envoyant des petits jets de vapeur dans tous les sens.

Un type était en train de distribuer des cendriers sur les tables d'un air absent. On s'est installé dans un coin et on a commandé deux gins pour se réchauffer. Le type s'est pointé avec les verres et une carafe d'eau. Il y avait pas un chat dans la salle, rien que des tables vides et des reflets glacés, c'était un de ces endroits un peu irréels où vous pouviez tomber en pleine nuit. J'ai posé mon plâtre sur la table, j'ai étendu les jambes et je me suis envoyé un verre.

– En réalité, le monde est transparent, j'ai dit.

Yan s'est contenté de hocher la tête. Il a attrapé une paille et a soufflé l'emballage à travers la salle. Le truc a filé tout droit puis a capoté comme s'il avait heurté une muraille invisible.

– On va en boire un deuxième, il a fait. Et ensuite on file.

Il a ramassé les deux verres sans attendre et s'est dirigé vers le bar. Je l'ai regardé grimper sur un tabouret, ce salaud était doué d'une grâce

296

naturelle, presque animale, son corps semblait chargé d'électricité et par-dessus le marché il portait un pantalon de cuir et quelques bricoles un peu voyantes, il avait du mal à passer inaperçu.

Pendant que le serveur attrapait la bouteille de gin, quatre types sont entrés en gesticulant et se sont installés au bar. J'y ai pas fait bien attention parce qu'une rafale de vent venait de faire claquer une poignée de graviers contre la vitre et je me suis mis à regarder une enseigne lumineuse qui se balançait dangereusement. Un sacré coup de vent. Les petits drapeaux publicitaires à moitié dévorés étaient remontés en première ligne. J'étais en train de profiter du spectacle quand j'ai entendu ça :

– Merde, qu'est-ce que t'as à me regarder comme un con... ? !

C'était un des quatre types qui s'adressait à Yan, un jeune mec assez pâle qui avait dégringolé de son siège pendant que les autres regardaient la scène avec un sourire aux lèvres. J'ai ramené mes jambes sous la chaise.

Mais Yan a rien répondu, il a simplement regardé le type d'un œil glacé. Ensuite il a pris les verres et il est revenu à la table. Il s'est assis sans dire un mot, les mâchoires serrées.

L'autre a continué son cirque, difficile de savoir s'il avait bu ou s'il était dans son état normal mais ça changeait pas grand-chose.

– Je supporte pas ce genre de pédé, a grogné le type. Je sais pas s'il a bien compris...

Yan le regardait pas mais quand l'autre a fait un pas en avant, Yan a attrapé la carafe par le goulot et l'a brisée sur la table. L'eau a giclé dans tous les sens et les morceaux de verre ont claqué sur le sol comme des pièces de monnaie balancées du sixième étage. Son geste avait été rapide et brutal, et l'autre s'y attendait pas du tout, il est resté cloué sur place. Ça a duré dix bonnes secondes. Ensuite un de ses copains s'est penché sur son tabouret et l'a pris par l'épaule pour le ramener dans la chaleur du clan.

Il régnait une tension épouvantable dans ce trou perdu, j'avais l'impression que les lumières avaient monté d'un cran et que le climatiseur s'était détraqué. Yan tenait toujours son tesson dans la main comme une fleur translucide et il avait pas bougé d'un poil. Le barman s'était reculé dans un coin, il essuyait des verres à toute allure. Pourtant les types ont paru se désintéresser de nous, ils nous ont tourné le dos et au bout de trois minutes ils sont descendus de leurs sièges et ils se sont tirés sans nous lancer un seul regard, comme si on avait pas existé.

J'ai été le premier à faire un geste. Je me suis occupé de mon verre.

– On dirait que le vent s'est levé, j'ai dit.

Yan a posé son morceau de verre sur la table puis s'est balancé sur sa chaise en passant le bout de sa langue sur ses lèvres.

– Bon sang, j'ai bien cru que ça y était ! il a fait.

– J'espère qu'ils auraient pas frappé un type avec un bras dans le plâtre.

Il m'a regardé en souriant :

– Je les aurais empêchés de faire un truc pareil, il a dit.

Le type est venu avec une serpillière et il a ramassé les éclats de verre en soupirant. Yan a commandé un sandwich au poulet en déclarant que cette histoire lui avait ouvert l'appétit et j'en ai profité pour mettre quelques pièces dans la boîte à musique, il y avait quelques trucs de bons en cherchant bien, rien de tel que la musique pour balayer les cendres.

298

On est resté encore un bon quart d'heure avant de se décider à partir parce qu'en fait Yan a eu besoin d'un deuxième sandwich pour se sentir tout à fait bien et j'avais encore quelques morceaux à écouter. Pendant ce temps-là, le type continuait à essuyer des verres, peut-être que c'était dur au début et qu'à la fin on finissait par aimer ça, peut-être qu'il avait trouvé les portes du Paradis ?

On est sorti et on est resté un moment le dos à la porte, en plein vent, pour s'habituer à la nuit. On devinait une petite chaîne montagneuse au loin et le parking était bordé d'arbres sur la droite, il y avait plus une seule feuille sur les branches et le sifflement du vent était presque douloureux. On s'est avancé sans se presser vers la voiture, en clignant des yeux à cause de la poussière qui tournoyait dans l'air, la nuit en avait encore pour un bon moment et un peu d'air frais nous aiderait à tenir jusqu'au bout.

J'ai enfoncé ma seule main libre dans ma poche pour prendre les clés et juste à ce moment-là j'ai reçu un coup formidable dans le dos et je suis parti en avant la tête la première, impossible de me retenir avec les mains, je me suis étalé de tout mon long sur la terre battue et j'ai senti une violente brûlure sur la joue. Avant que j'aie pu réaliser quoi que ce soit, un type m'a sauté sur le dos et m'a plaqué la tête sur le sol en m'attrapant les cheveux. Ça m'a coupé le souffle. Ensuite, j'ai entendu Yan qui gueulait comme un sourd et ce truc-là m'a fichu la chair de poule, c'était des cris vraiment terribles et je pouvais pas bouger d'un poil, j'avais toujours une main coincée dans la poche et j'étais allongé dessus, le type avait posé un genou sur mon plâtre, je savais même plus dans quelle position était mon bras.

Mon esprit baignait dans la confusion la plus totale, je braillais et le type me cognait la tête contre le sol en me disant de la boucler mais ça me faisait pas mal et je braillais de plus belle, je me demande si je faisais pas ça pour couvrir les hurlements de Yan, j'en sais rien mais c'était la violence de ses cris qui me faisait trembler des pieds à la tête et je sais pas comment je m'étais démerdé pour avoir toute cette terre dans la bouche, mes dents crissaient l'une contre l'autre et j'essayais de me mettre à genoux mais c'était impossible, ce qui était le plus terrible c'était cette sensation d'impuissance totale et d'une chute sans fin.

J'ai eu l'impression de faire un saut incroyable dans le temps et ensuite une espèce de silence relatif est revenu, je crois que j'entendais des types respirer et un autre s'est mis à tousser. J'ai senti que le type sur moi se relevait et j'ai reçu un coup derrière la tête mais tout mon corps était tellement dur que ça m'a rien fait. Je les ai entendus se tirer en cavalant.

La première chose que j'ai faite, c'est de retirer ma main de ma poche et je suis arrivé à me mettre à genoux. Je me suis essuyé la bouche en regardant autour de moi et je me suis accroché à la portière de la Jaguar. J'ai réussi à me mettre debout. Un tremblement nerveux me faisait sauter la paupière droite.

J'ai contourné la voiture et je voulais appeler Yan mais aucun son ne sortait de ma bouche. Ses cris résonnaient encore dans ma tête comme un écho lointain. Au moment où je l'ai aperçu, j'ai failli trébucher à cause d'une rafale un peu plus forte que les autres. Tout le coin baignait dans une lumière bleutée et Yan était allongé sur le sol, tourné de l'autre côté et il bougeait pas, j'ai crié son nom de toutes mes forces pour descendre le ciel en morceaux mais Yan a pas bougé d'un millimètre. Je me suis avancé vers lui alors qu'une répulsion formidable m'envahissait et je me suis laissé tomber à genoux près de lui. Je l'ai attrapé par une épaule et je l'ai tourné vers moi, sa tête a roulé sur le côté.

Mon premier mouvement a été de retirer ma main de son épaule. Je me suis encore essuyé la bouche en regardant le ciel mais j'ai pas vu autre chose qu'un visage couvert de sang et un croissant de lune. J'ai reniflé bruyamment. Le plus dur, c'est quand j'ai jeté un œil sur ses jambes, j'ai mis un moment avant de comprendre et je me suis mis à transpirer abondamment. Le sang n'était rien et les blessures semblaient pas très profondes mais il se dégageait de tout ça un tel relent de folie que je me suis plié en deux et j'ai frissonné. Les types lui avaient lacéré son pantalon de cuir dans tous les sens, ils avaient dû se servir d'une petite lame ou d'un cutter et on aurait pu croire que ses jambes avaient littéralement explosé ou qu'il était passé entre les dents d'une bande de requins, je me suis souvenu la manière dont il avait hurlé et y'avait vraiment de quoi.

Je me suis balancé pendant une minute d'avant en arrière, sans pouvoir faire un seul geste et ensuite j'ai senti le vent à nouveau et la nuit et j'ai eu mal un peu partout et je l'ai pris contre moi et je crois que je l'ai bercé comme un con. Il était mou dans mes bras, tellement mou que j'ai pensé qu'il s'était noyé, j'ai toujours pensé que les types qu'on repêchait étaient mous comme des saucisses. Ensuite j'ai réalisé que c'était les lumières du snack que je voyais là-bas et ça voulait dire que la nuit nous avait pas engloutis pour de bon, ça voulait dire qu'on était pas si loin que ça de la surface et je me suis pas du tout demandé si j'allais y arriver, si j'aurais la force de le soulever d'un seul bras et comment j'allais m'y prendre. Je me suis relevé, je l'ai pratiquement arraché du sol et je me suis mis à courir avec ses bras qui cognaient dans mes reins.

Je me suis pas occupé de la porte, je me suis jeté dessus et les deux battants ont claqué de chaque côté comme la foudre. Je me suis arrêté au milieu de la salle, complètement ébloui et après une seconde, j'ai repéré la banquette dans le fond. J'ai allongé Yan dessus le plus doucement que j'ai pu, comme si j'avais peur qu'il se déchire en mille morceaux.

Sur le moment, je me suis plus rappelé comment on pouvait faire pour savoir si un type était mort ou vivant, je suis resté penché au-dessus de lui à transpirer, avec la cervelle aussi vide qu'une balle de ping-pong. J'ai sursauté quand je me suis rendu compte que le serveur se tenait debout derrière moi et nous lançait un regard horrifié.

— BON DIEU, FAUT FAIRE QUELQUE CHOSE !!! j'ai hurlé.

Le type avait l'air paralysé.

— ET VITE, SINON JE VAIS TOUT CASSER ICI !!! ATTRAPE CE PUTAIN DE TÉLÉPHONE !!

Il a laissé tomber son torchon par terre et il est parti en courant. J'ai regardé Yan, c'était incroyable la manière dont ils l'avaient arrangé, je le reconnaissais pratiquement pas tellement son visage était enflé. Je me suis penché sur lui et j'ai mis au moins cinq minutes avant d'être certain qu'il respirait. Ce truc aurait dû me remplir de joie mais bizarrement j'ai senti ma fureur augmenter, j'ai pensé que j'allais me trouver mal si je faisais pas quelque chose. Alors j'ai attrapé une chaise et je suis sorti dehors en courant, je la tenais au bout de mon bras et j'ai cavalé jusqu'au milieu du parking en poussant un long cri de cinglé mais j'ai pas rencontré autre chose que la nuit, le silence et tout restait immobile autour de moi.

Je me suis arrêté à bout de souffle. J'étais tellement ridicule avec mon plâtre et ma chaise au-dessus de la tête que c'en était touchant. Mais qu'est-ce que j'avais espéré ? Qu'un de ces connards s'approche de moi avec le sourire aux lèvres et qu'il se laisse gentiment défoncer le crâne pour mes beaux yeux ? Je me suis senti vidé. J'ai posé la chaise par terre et je me suis assis dessus. Je me suis reposé un instant, les yeux fermés, me forçant à respirer calmement et tout doucement j'ai commencé à me sentir mieux, je suis redescendu sur terre. Je suis même allé pisser pour faire passer tout ce poison qui s'était accumulé en moi.

Quand je suis retourné près de Yan, j'avais pris vingt ans. Je crois que ça sera pas tout rose quand j'en aurai cinquante-quatre, j'espère que je me traînerai pas comme ça. Je me suis assis à côté de lui et juste à ce moment-là ce salaud a essayé d'ouvrir un œil mais les cils étaient collés par le sang et il a abandonné. Je lui ai pris la main et j'ai regardé ailleurs. Le type m'a proposé un verre. Je l'ai refusé, parfois je sais m'arrêter quand j'ai mon compte.

— J'ai appelé les flics, il a fait.

J'ai hoché doucement la tête, j'étais à bout de forces.

— Oui, j'ai dit. Mais tu crois que c'est des flics qu'il a besoin ?

— Vous inquiétez pas, ils connaissent leur boulot. Bon Dieu, c'est la première fois que je vois un truc pareil !

— Tu les connais, ces types... ?

— Non, je les avais encore jamais vus. Je crois

qu'ils ont dû se planquer dehors et vous attendre.

– Ouais, je vois que t'as tout compris.

Yan s'est mis à gémir. En attendant les flics, j'ai demandé au type de trouver une couverture pour qu'il prenne pas froid. J'avais vu faire ça dans les films.

– Bon Dieu, il a fait, mais j'ai pas ça ici… ! !

– Ça fait rien, prends n'importe quoi.

Il a disparu dans l'arrière-salle et au bout d'un moment je l'ai vu revenir avec une toile de parasol ORANGINA.

26

L'infirmière a plongé une petite spatule de bois dans un pot de crème verte et m'en a badigeonné la joue. Le truc avait fini par me cuire sérieusement. Je tendais la tête en arrière en regardant les lumières du plafond quand un type en blouse blanche s'est ramené et s'est arrêté devant moi. Il a rigolé.

– Bon, il a fait, j'ai fini de recoudre votre copain. Rien de grave, sauf que j'en ai attrapé une ampoule au doigt.

– Je peux le voir ?

– Il doit être en train de dormir en ce moment.

– Je peux rester avec lui… ?

– Si ça vous amuse.

– Il m'en faut pas beaucoup, j'ai dit.

La bonne femme m'a accompagné jusqu'à sa chambre. Je suis entré et elle a refermé la porte derrière moi. Ils avaient laissé une petite veilleuse allumée au-dessus de son lit, je me suis approché.

Yan semblait dormir profondément et son visage avait beau être encore tuméfié, rien de comparable avec ce que j'avais vu un peu plus tôt. Les types avaient nettoyé le sang et il avait juste un pansement au-dessus de l'œil et un coin de la lèvre éclaté, il était presque présentable. J'ai soulevé le drap, ses jambes étaient couvertes de pansements blancs et ça n'avait plus rien d'effrayant, espèce d'enculé j'ai pensé, et moi qui croyais que t'étais à moitié mort !

Il y avait juste assez de place au pied de son lit pour que je puisse m'allonger un peu, c'est vrai qu'un type a pas besoin de grand-chose au fond.

Le lendemain, il a fait quelques pas dans le couloir avec la grimace, accroché à mon épaule et le dimanche, après avoir rempli des paperasses et signé quelques chèques, on nous a laissés partir. Yan était de mauvais poil. Ils avaient pas trouvé le moyen, dans ce foutu hôpital, de lui trouver un pantalon ou quoi que ce soit et même un bas de pyjama aurait fait l'affaire mais il a grimpé dans la bagnole avec son blouson noué autour des hanches et des pansements dans tous les sens. C'était difficile aussi de trouver un magasin d'ouvert le dimanche et puis je lui ai dit, de toute façon on va pas s'arrêter trente-six fois, on a que 250 bornes à se farcir, une vraie chierie.

On a donc démarré en début d'après-midi et il y avait du monde sur la route, c'était vraiment pénible, il fallait doubler des files de voitures avec des vélos sur les toits et des mômes grimaçants à la vitre arrière, le ciel était d'un bleu consternant et ils passaient que des trucs épouvantables à la radio. Mais qu'est-ce qu'il peut y avoir de plus mortel qu'un dimanche après-midi quand vous êtes pris dans sa toile ?

Il devait être six ou sept heures quand je me suis garé devant chez Yan. Ce salaud s'était endormi et la nuit tombait. Je l'ai réveillé en poussant un braillement formidable. On s'est avancés tous les deux devant la porte et on a cogné, on devait avoir l'air de deux types qu'on vient d'évacuer du front.

Annie est venue nous ouvrir. Elle a froncé les sourcils en nous voyant.

– Hé, c'est une blague… ? elle a demandé. Je trouve pas ça drôle du tout !

Mais avant qu'on ait eu le temps de répondre, elle a porté la main à sa bouche en blêmissant.

– Bon Dieu, elle a fait, mais qu'est-ce qui vous est arrivé… ?

On est entré et Yan s'est écroulé sur le divan du salon. C'était miraculeux de pouvoir souffler enfin. Pendant que Yan lui racontait l'histoire, j'ai sauté sur le bar et j'ai préparé un merveilleux cocktail de manchot, j'ai rempli trois grands verres d'un œil brillant.

– Et toi, elle a fait, t'as le bras cassé ?

– Oui, j'ai dit, mais ça c'est une autre histoire. C'est une aventure sexuelle.

– Merde, mais quelle idée, aussi, de se tirer comme ça sans prévenir pour atterrir n'importe où… Hey, vous êtes quand même plus des mômes. Je croyais que ça allait finir par vous passer.

– Les bonnes choses se comptent sur les doigts de la main, j'ai dit.

J'ai bu une petite gorgée en fermant les yeux, je sentais la douceur de la pièce m'envahir. Dans le désordre, j'aurais pu dire à Annie : baiser, dormir, écrire, rêvasser et oublier tout ça de temps en temps. Mais j'ai préféré continuer à descendre mon verre.

– Dis donc, où est Jean-Paul ? a demandé Yan.

– Il est parti faire un tour. Mais malheureusement il va revenir.

306

– Oh, écoute, Annie, je t'en prie, arrête ça pour ce soir... a soupiré Yan.

– Bon, ça vous dirait de manger quelque chose, tous les deux ? elle a fait.

– Je peux t'aider, si tu veux, j'ai proposé.

– Non, je crois que tu pourrais pas servir à grand-chose.

En attendant, Yan a roulé un joint et on l'a fumé tranquillement pendant que des trucs grésillaient dans la cuisine. Je me suis retrouvé dans un fauteuil géant avec le sourire aux lèvres et un verre à la main.

– Une fois de plus, j'ai fait, je suis heureux de constater que le plaisir et la douleur s'équilibrent.

– Bon, alors tout va bien. Je suis pas encore au bout du compte, il a fait.

– Merde, j'ai dit, faut que je me lève avant que ce fauteuil me digère complètement.

Je suis allé retrouver Annie dans la cuisine, je me suis occupé de sortir les couverts et de les empiler sur un plateau. Elle avait préparé une salade formidable ainsi que des œufs frits et des saucisses grillées, je me sentais euphorique.

– N'empêche que ça aurait pu se terminer vachement mal, elle a fait.

J'ai attrapé une bouteille de piment sur l'étagère.

– Parlons plus de ça, j'ai dit. Nous laisse pas mourir de faim.

Juste à ce moment-là, on a entendu Jean-Paul qui rentrait. Annie a soupiré en levant les yeux au plafond.

– Ah, celui-là, il faut toujours qu'il soit dans nos jambes.

J'ai pris Annie par les épaules.

– Écoute, c'est peut-être vrai qu'il est chiant et tout ce que tu voudras, mais je t'en prie, fais un effort pour une fois. On est quand même un peu crevés, tu sais, je vais pas te faire un dessin. Ça doit pas être si terrible que ça de le supporter une soirée, essaie de pas t'occuper de lui, j'ai envie qu'on passe une soirée tranquille... T'es d'accord, on va pas perdre une occasion de passer un moment agréable à cause de cet emmerdeur, tu veux bien... ?

Elle a rien répondu mais elle a souri et j'ai ajouté un couvert. Je l'aimais bien, Annie.

On s'est pointé dans le salon avec les plats et Jean-Paul était agenouillé aux côtés de Yan et le tenait enlacé.

– Salut, j'ai lancé. T'as vu ? Je lui en ai fait voir de toutes les couleurs !

– Quelle horreur, ce truc, il a fait. Ça me rend malade...

– À table ! j'ai dit.

En fait, on a pris nos assiettes sur les genoux, j'ai laissé le fauteuil à Annie et je me suis assis par terre. On a mangé rapidement en discutant de choses et d'autres comme si rien s'était passé et à la fin du repas j'ai fait circuler quelques joints dans tous les sens pour maintenir une bonne ambiance et je suis arrivé à ce que je voulais. Les choses ont commencé à flotter tout doucement.

J'ai mis un peu de musique et j'ai aidé Annie à débarrasser et c'est vrai que l'autre a pas fait un seul geste pour soulever une assiette, il restait accroché à Yan comme un type dont le parachute s'est pas ouvert. Je suis resté avec elle dans la cuisine, j'avais l'esprit serein.

– Tu vois comment il est ? elle a fait. C'est tout le temps comme ça. Voilà le genre de trou du cul qu'il est allé dénicher.

– D'accord, mais il est jeune. C'est normal qu'il fasse pas attention aux autres. Il faut lui laisser le temps.

– Ouais, seulement c'est pas toi qui vis avec lui !

Elle a fait couler de l'eau dans l'évier et j'ai vu le truc se mettre à mousser d'une façon étrange. Elle a plongé la vaisselle dedans.

– Tu me connais, je suis pas une emmerdeuse.

– Bien sûr que si t'es une emmerdeuse, t'es comme les autres.

– Oh, et puis je sais pas, je suis fatiguée en ce moment, le moindre truc me tape sur les nerfs.

Elle a lavé quelques bidules et les a passés sous le robinet.

– Et là, maintenant, tu te sens énervée ?

Elle s'est marrée.

– Non, ce soir ça va bien. Ça me fait plaisir de discuter avec toi.

J'ai posé une fesse sur le coin de la table.

– Tu dois être complètement raide, j'ai dit.

– Non, je plaisante pas, je suis plutôt de bonne humeur. Mais je devrais pas, ça fait déjà un bon moment que je suis au point mort. J'ai pas touché une bille en amour depuis des siècles.

– T'en fais pas, tout le monde connaît ça.

– Oui, peut-être bien.

On était en train de remettre un peu d'ordre quand Yan s'est planté devant la porte.

– Désolé, il a fait, mais je tiens plus debout. On monte se coucher.

Il nous a fait un signe de la main avant de disparaître avec Jean-Paul sur les talons. Annie et moi, on est retourné dans l'autre pièce. Elle a empoigné une bouteille et l'a levée dans ma direction.

– On reste encore un moment ? elle a demandé.

– Je m'occupe des glaçons.

Je suis allé chercher les glaçons. Quand je suis revenu, elle était allongée sur le divan. Je me suis assis par terre, près d'elle, et j'ai rempli les verres.

— Et ton bouquin, elle a demandé, ça avance ?

— Il est terminé.

— Oh, alors on peut boire à quelque chose !

— On peut boire à des tas d'autres choses, si tu veux.

— On va d'abord boire à ton bouquin. J'espère que ça sera un grand truc.

— J'en sais rien. Parfois j'en sais plus rien du tout. Par moments, ça m'arrive de plus savoir ce que j'ai voulu dire. Il y a des choses qui restent cachées, même pour moi. J'ai l'impression de revivre une histoire qui remonte dans la nuit des temps.

— Alors, buvons à ce qui est caché.

— D'accord, j'ai dit.

On a vidé nos verres. Je connaissais Annie depuis au moins une vingtaine d'années et je crois que je me suis jamais senti aussi proche d'elle que ce soir-là et pourtant j'avais eu souvent l'occasion de la prendre dans mes bras ou de l'embrasser ou ce genre de chose pendant toutes ces années mais j'avais encore jamais éprouvé ça avec elle, je voyais presque ces liens lumineux et sensibles qui vous unissent à une personne. Ça m'a vraiment fait plaisir, j'ai eu l'impression que le ciel me récompensait. Quand ce genre de chose m'arrive, je me demande toujours ce que j'ai pu faire de formidable pour mériter ça.

On a encore bu, fumé, parlé pendant un bon moment, mais on a pris tout notre temps et nos silences avaient la même couleur que le reste, ils avaient un parfum sauvage. Quel dommage qu'elle aime que les filles, j'ai pensé, quelle connerie abominable pour un type aussi imaginatif que moi. C'était d'autant plus dur que j'avais la tête appuyée sur un coin du divan et je pouvais respirer son odeur, je pouvais me concentrer là-dessus les yeux mi-clos tout en essayant de remplir la pièce d'une ambiance sexuelle irrésistible mais j'y croyais pas trop, c'était juste un petit exercice cérébral produisant des images comme une fille s'ouvrant les cuisses à deux mains.

Vers deux heures, elle s'est levée en soupirant et m'a souhaité une bonne nuit. O.K., je lui ai dit, il faut pas que je me lève tard demain matin et pendant qu'elle grimpait à l'étage je me suis étiré comme j'ai pu, j'ai réussi à soulever mon plâtre de trois centimètres.

J'ai tourné en rond dans la pièce avant de me décider à déplier le divan, j'avais la flemme et je me sentais la tête un peu lourde. J'ai pensé que ce serait une bonne chose de me faire couler un peu d'eau sur la tête avant de me coucher, peut-être que ça me changerait les idées. Je suis donc monté vers la fraîcheur.

J'ai ouvert le robinet et je me suis vu dans la glace. J'avais vraiment une sale gueule. Je me suis pas attardé, je me suis plongé la tête au moins cinq minutes sous l'eau froide pour essayer d'effacer tout ça. Ensuite je me suis redressé et j'ai attrapé une serviette. J'ai jeté un nouveau coup d'œil dans la glace et j'ai vu Annie qui se tenait debout dans mon dos. Elle portait un tee-shirt blanc qui lui arrivait au-dessus des genoux. Je me suis essuyé la tête.

— T'es un salaud, elle a fait. Mais est-ce que je peux te faire confiance ?

— J'en sais rien. Ça dépend.

— J'ai pas envie de rester toute seule. Je sens que j'arriverai pas à dormir. Je t'ai toujours considéré comme une sorte de frère, elle a ajouté.

— Bien sûr, j'ai dit.

– Tu crois que tu pourrais passer la nuit à côté de moi sans faire l'idiot ?

– Je suis trop crevé pour faire quoi que ce soit, j'ai répondu.

Elle a hoché lentement la tête en me regardant puis elle est retournée dans sa chambre.

Je l'ai suivie. On s'est allongé sur le lit. Je suis peut-être un salaud mais j'ai gardé mon pantalon. Il y avait une petite lampe allumée par terre, une petite lumière douce.

– Ça te gêne pas si je laisse allumé ?

– Non, ça me dérange pas, j'ai dit.

J'ai glissé mon bras valide derrière ma tête, l'autre devait traîner quelque part sur le bord du lit. On a regardé le plafond. On est resté un long moment comme ça et je crois que j'avais réussi à plus penser à rien quand elle s'est tournée contre moi brusquement et a posé sa tête sur mon épaule. J'ai rien dit. J'ai retenu mon souffle.

– C'est pas ce que tu penses, elle a dit.

– Je sais.

En fait, je savais rien du tout sauf qu'une fille vivante était collée contre moi. J'ai déplié lentement mon bras et je l'ai serrée doucement, j'imagine qu'un frère aurait fait un truc dans ce goût-là. Elle s'est laissé faire. On est resté un moment immobile et puis je me suis mis à bouger imperceptiblement, on se serait cru sur une petite barque par temps calme, j'ai commencé à sentir sérieusement ses nichons s'écraser contre moi. J'ai continué encore, et encore et encore et ça a duré comme ça pendant des siècles et je crois qu'on savait plus très bien ni l'un ni l'autre où on était et à la fin j'y allais franchement, je frottais sa poitrine sur moi sans qu'il pût y avoir le moindre doute sur ce que j'étais en train de faire. Elle semblait assez excitée elle aussi mais elle me touchait pas, elle tenait ses deux mains

serrées l'une contre l'autre. On était complètement déglingués tous les deux, l'alcool, la fatigue,
la solitude, le temps n'avançait plus et le courant
nous avait abandonnés un moment sur la rive.
Ça devait forcément dégénérer, j'y pouvais rien,
je me suis jamais cru assez balèze pour aller
contre la volonté des dieux.

J'ai remonté son tee-shirt et elle a replié un
bras sur ses yeux. Elle avait un slip blanc. Elle
tenait ses jambes serrées.

– Je pourrai pas, elle a murmuré. Tu sais très
bien que je pourrai pas...

J'ai embrassé ses nichons un par un. Elle les
tendait vers moi en poussant des petits gémisse-
ments. J'aspirais les bouts, je les mordillais, je
les serrais entre mes lèvres, je les ai léchés et
sucés comme un dingue et, le plus doucement
que j'ai pu, j'ai glissé une main sur son ventre,
il fallait que j'arrive à lui casser la cervelle en
mille miettes pour parvenir à quelque chose, il
fallait qu'elle oublie que c'était un type qui était
là, un type qui faisait cavaler des doigts nerveux
sur sa peau. J'ai glissé une main sous l'élastique
mais impossible de lui faire ouvrir les jambes.
J'étais à genoux et mon plâtre me gênait, je
commençais à transpirer, sa poitrine scintillait
sous la salive et sa bouche était ouverte. Tout
en essayant de faufiler un doigt dans le haut de
sa fente, je me suis penché à son oreille :

– Pourquoi ? j'ai fait à voix basse.

– Je peux pas t'expliquer.

J'ai réussi à glisser mon doigt et à caresser le
bouton deux ou trois fois. Elle a pas écarté les
jambes mais j'ai senti qu'elle les desserrait. Je
l'ai caressée doucement. Au bout d'une minute,
elle a attrapé ma main. Elle a placé mon doigt
comme il fallait puis elle a posé sa main sur la
mienne et elle a donné le bon rythme. Pendant

tout ce temps-là, elle a gardé un bras sur ses yeux, d'ailleurs depuis le début elle m'avait pas regardé une seule fois. Mais ça, c'était quelque chose que je pouvais comprendre.

Elle s'est mise à jouir en remontant lentement ses genoux vers son ventre et elle n'a arrêté le mouvement de ma main que lorsqu'elle s'est retrouvée repliée sur elle-même comme un morceau de plastique ratatiné par les flammes. Puis elle s'est tournée de l'autre côté sans un mot. J'étais en sueur. Je lui ai posé une main sur l'épaule et elle s'est contractée.

— N'essaie pas de me le mettre, je t'en prie, elle a murmuré.

— Non, j'ai dit.

— Je suis complètement ivre, elle a ajouté.

— Moi aussi, j'ai dit.

— Je veux qu'on oublie ça, tous les deux.

Son dos était blanc et lisse comme une coquille d'œuf. J'ai enlevé ma main.

— D'accord, dors bien, j'ai dit.

Le lendemain matin, je sais pas par quel miracle, mais je me suis réveillé de bonne heure. Tout le monde dormait. J'ai avalé un café en quatrième et je suis rentré chez moi. À huit heures précises, Gladys frappait à ma porte.

— OOOoohhhh, elle a fait en me voyant.

— C'est ce qu'on appelle mordre la poussière, j'ai dit.

Elle avait l'air de bonne humeur, plus fraîche et plus détendue que la semaine passée. Elle portait une sorte de fuseau à carreaux blancs et noirs, insoutenable, et semblait moins maquillée.

— Vous avez vraiment une drôle d'allure pour un écrivain, elle a fait. Mais je commence à m'y habituer.

J'ai préparé du café dans la cuisine, c'était une belle matinée.

— Si tout se passe bien, on devrait avoir terminé avant la fin de la semaine, j'ai dit.

Elle a allumé une longue cigarette à la menthe, de quoi me soulever le cœur. Je me suis approché de la fenêtre, la plage était tout à fait déserte et il y avait pas une seule mouette dans le ciel, c'était reposant.

— Je peux vous parler franchement ? elle a demandé.

J'ai voulu me tourner vers elle mais impossible de m'arracher à ma contemplation.

— Bien sûr, j'ai dit.

— C'est à propos de votre livre, j'y ai réfléchi pendant le week-end. On a l'impression que vous refusez d'aller au fond des choses.

— Oui, je prends pas mes lecteurs pour des imbéciles. J'ai pas envie de leur donner la main.

Mais j'aurais pu aussi bien cracher en l'air car elle a continué sur sa lancée :

— Je trouve qu'il y a certaines idées que vous auriez pu développer, approfondir certains de vos personnages, dégager quelques thèmes fondamentaux...

J'ai continué à regarder dehors, la sensation de vide qui se dégageait de l'ensemble commençait à m'envahir. C'était toujours la même histoire.

— Écoutez, j'ai dit, je me sens pas investi d'une mission sacrée. Et je suis plus à l'école. Il y a des types qui sont capables de vous faire suivre pendant quatre ou cinq cents pages le lent cheminement d'une âme et qui vous retournent une baraque de fond en comble sans rien laisser au hasard mais j'ai rien à voir avec ça, je m'embarrasse pas avec les détails. Je suis plutôt le genre à tirer dans les projecteurs, à tout ramener dans l'ombre. J'essaie toujours de ravaler mon vomi.

Elle est restée une seconde silencieuse dans mon dos, j'ai cru qu'elle s'était volatilisée.

– Créer, c'est exploser, elle a fait.

– J'en sais rien, je me suis jamais posé la question.

Elle a continué un moment à dérailler sur la création, citant quelques auteurs que j'avais plutôt rangés dans le coin des psychiatres et des emmerdeurs mais je l'écoutais plus vraiment, j'ai jamais pu soutenir ce genre de conversation plus de cinq minutes, et encore, quand je me sens en forme... Ça doit être pour ça que je me suis pas fait beaucoup d'amis dans le Monde des Lettres, j'ai jamais très bien compris où la plupart de ces types voulaient en venir, alors que moi au moins c'était clair, je voulais aller nulle part. Je suis le seul écrivain qui demande à ses lecteurs de garder les yeux bandés.

J'ai attendu qu'elle se calme un peu et j'ai bu tranquillement mon café. J'ai soupiré à l'idée du boulot qui nous attendait. Je pensais qu'elle avait fini de vider son sac mais elle a fait une dernière remarque sur mon style. Et j'ai horreur de ça.

– Écoutez, j'ai dit, je connais rien à l'argot, c'est tout juste si j'en ai entendu parler. Et j'emploie pas non plus toutes ces expressions à la mode et tout le vocabulaire à la con qui va avec. Je suis sûrement un des derniers auteurs classiques vivants.

– Holà, comme vous y allez... !

– Ouais, c'est comme ça, j'ai dit. Vous êtes pas forcée de me croire.

– Inutile de vous énerver, elle a fait.

– Je suis pas énervé. Mais j'ai passé une nuit à moitié blanche et je me suis pas vraiment reposé pendant ces deux jours.

– Je vois.

– Si vous voulez bien, on va essayer de s'y mettre, j'ai dit.

Je me suis encore pressé le citron jusqu'à la tombée du jour. Après son départ, j'ai fait mon petit numéro de clown sous la douche avec ce putain de plâtre qu'il fallait éviter de mouiller à tout prix et la savonnette qui partait dans tous les sens. Ensuite je me suis rasé, ça m'a pris des heures avec une seule main et le résultat était pas terrible. Je suis sorti pour aller faire quelques courses et en rentrant je me suis installé devant la télé, j'ai regardé un documentaire sur la vie à l'intérieur d'une goutte d'eau. Terrifiant. Je suis allé me servir un bourbon-coca.

En rangeant quelques trucs, je suis tombé sur un tee-shirt de Nina. Ça m'a pas retourné mais j'ai quand même découpé une manche au ciseau et je l'ai enfilé. C'était un petit machin rose à paillettes qui me serrait un peu mais je voulais pas me refuser ce petit plaisir, je me sentais détendu, l'esprit clair comme une source crachant dans le soleil et bien dans ma peau.

C'était presque la pleine lune, on y voyait encore pas mal dans la pièce, même avec toutes les lumières éteintes. Je me suis allongé sur le lit pour fumer une cigarette, c'était un moment de paix très agréable et le silence était parfait. Dans ces moments-là, on est vraiment intouchable.

– Hé, Djian, j'ai murmuré, t'es toujours là, Orphée de mes deux... ?

27

– Hhhhooooo… a fait Gladys.

– Qu'est'ce qu'y a ? j'ai demandé.

– J'ai l'impression de plus pouvoir respirer.

– C'est normal. C'est ce que j'ai cherché. J'ai eu envie de piquer un sprint sur la fin. Ça vous a plu ?

Elle s'est écartée de la machine en croisant ses mains derrière la tête. Elle avait les joues roses.

– Je reconnais que ça manque pas de souffle, elle a fait.

– Merci, j'ai dit.

Je suis allé dans la cuisine et j'ai décapsulé deux bières. Je lui en ai tendu une.

– J'ai été ravi de bosser avec vous, j'ai fait.

– Moi aussi. J'ai apprécié, elle a répondu.

On a levé nos verres. J'étais pas du tout certain de lui avoir apporté quelque chose en tant qu'écrivain mais en tant que buveur de bière, j'avais fait du bon boulot. J'ai emballé le manuscrit dans une boîte en carton et j'ai fait trois fois le tour avec du scotch. J'ai refusé son aide pour faire ça, je tenais à m'en occuper moi-même pour des raisons sentimentales. C'était pas un beau paquet mais c'était ce qu'on pouvait faire de mieux avec une seule main. Je lui ai remis le machin d'une manière un peu solennelle :

– Voilà, j'ai dit. Et soyez prudente. N'allez pas vous faire embarquer par un ouragan.

Elle a souri. Je l'ai accompagnée jusqu'à la porte et je l'ai regardée s'éloigner avec son paquet sous le bras. Ciao baby, j'ai murmuré et le temps d'un éclair, je me suis senti un homme libre.

Pendant les quelques jours qui suivirent, j'ai tourné complètement à vide. Mais ça me faisait ça à chaque fois que je terminais un bouquin, je me suis pas inquiété. Je me laissais embarquer dans n'importe quel coup, des sorties à la con ou des soirées minables. Parfois j'avais l'impression de me réveiller en sursaut et je me retrouvais chez truc ou machin avec un sourire idiot au coin des lèvres et je me demandais comment j'''étais arrivé là et ce que j'étais en train de faire. Mais je me cassais pas trop la tête, il suffisait que je reconnaisse deux ou trois visages familiers pour me laisser reglisser à nouveau dans l'indifférence la plus complète. Surtout vis-à-vis de moi-même, j'arrivais plus à m'intéresser à moi. Je me sentais aussi digne d'attention qu'une poupée gonflable. Pourtant cette constatation me plongeait pas dans des délires morbides ou dans des états particulièrement dépressifs. Non, ça se passait même plutôt bien, en fait je m'en foutais complètement, je vivais, respirais, fonctionnais comme n'importe qui d'autre et ça m'était tout à fait égal de penser que j'étais plus rien. Le contraire m'avait jamais rendu plus heureux. Plus vivant, d'accord, mais pas plus heureux. Et puis je savais bien que tout ça n'allait pas durer, à force de se laisser flotter, on finit toujours par arriver quelque part. C'était normal de plus rien y voir du tout quand la rivière s'enfonçait dans le sol, mais on pouvait s'attendre à gicler en pleine lumière d'une seconde à l'autre.

Un matin, j'étais en train de trifouiller dans mon plâtre avec une règle en plastique quand j'ai entendu un concert de klaxons et des coups violents frappés à ma porte. Je suis allé ouvrir.

C'était Marc. En jetant un coup d'œil par-dessus son épaule, j'ai vu une dizaine de bagnoles alignées le long du trottoir, en double file, avec des gens qui s'agitaient à l'intérieur. Il faisait un temps nuageux.

— Ben alors, il a fait, t'es pas encore prêt... ?
— Comment ça ?
— Bon sang, grouille-toi, on attend plus que toi !
— Mais qu'est-ce que c'est que ce bordel ? j'ai demandé.

Il m'a regardé en fronçant les sourcils :
— Mais tu sais bien, il a fait. On va chez Z. Me dis pas que t'avais oublié ?
— Bien sûr que non, j'ai dit.

Toute cette histoire m'est revenue dans la tête d'un seul coup, oui, oui, ce sacré Z., je pouvais vraiment pas l'encaisser mais je me souvenais maintenant, on avait mis cette affaire au point deux jours auparavant, oui bien sûr, je devais être à moitié sonné quand j'avais accepté ça, ce vieux Z., ce trou du cul sans âme qui pondait des romans en trois semaines et qui tirait régulièrement à trois cent cinquante mille, je me souvenais qu'il était question de passer la journée chez lui et qu'il nous réservait une surprise. Tout en enfilant une chemise, je me suis traité de tous les noms. Peut-être qu'à ce moment-là je trouvais que la vie n'avait plus aucun goût et que j'étais indifférent à tout, mais quand même, y'avait des limites. Z. c'était le type qui rendait nerveux au bout d'une seconde.

En sortant dehors, j'ai fait signe aux dix bagnoles qui attendaient, tout le monde avait l'air d'être là. Il faisait pas très chaud, j'ai jeté mon blouson sur mes épaules avant de grimper dans ma voiture et ensuite la grande saucisse multicolore s'est mise en branle.

Z. habitait une grande baraque du même style que ses bouquins, d'une lourdeur épouvantable et sans le moindre intérêt, mais il y avait quand même ces 80 ou 90 hectares tout autour qui étaient pas négligeables, Z. avait un public formidable.

Il nous attendait debout sur le perron, avec son sourire inimitable. À l'intérieur, il y avait de quoi boire et quelques trucs à grignoter, je me suis tenu le plus loin possible de ce type, j'ai discuté un peu avec Yan et quelques autres jusqu'au moment où quelqu'un a demandé le silence. J'ai pas eu besoin de me retourner pour savoir qui c'était.

— Écoutez, il a fait, je vous avais promis une surprise... Eh bien voilà, j'ai préparé une sorte de petit jeu par équipes...

Je me suis caché la bouche derrière la main.

— Formidable ! j'ai gueulé.

— Bon, Djian, je t'en prie... Écoutez, mon dernier roman sort dans une semaine, j'offre une caisse de champagne à l'équipe gagnante !

Tout le monde s'est précipité dehors tandis que moi je me suis attardé un peu près du buffet et quand j'ai dégringolé les marches, toutes les équipes étaient constituées. Il restait juste une fille de quatre-vingts kilos qui dansait d'un pied sur l'autre. Je me suis avancé vers elle.

— Qu'est-ce qu'il faut faire au juste ? je lui ai demandé.

— Ben il va distribuer une enveloppe à chaque équipe et dedans y'a des indications permettant de trouver le point de ralliement. Je crois qu'on devra passer des petites épreuves à chaque fois...

— Ce type est vraiment génial, j'ai fait.

Z. se tenait à cheval sur une petite moto tout terrain. Il a regardé toute la bande avec un sourire démoniaque et il a démarré en trombe.

Chaque équipe a ouvert fiévreusement son enveloppe. Ma copine allait faire pareil mais je l'ai arrêtée.

– Comment tu t'appelles ? j'ai fait.

– Élise.

– Bon, écoute-moi, Élise, on va pas se faire chier avec ses charades à la con. Rien qu'au bruit du moteur, j'imagine qu'il est par là. Suis-moi.

On s'est dirigé vers un petit bois pendant que les autres partaient dans tous les sens. Résultat, on est arrivé les derniers, tout le monde nous attendait avec le sourire. De toute façon, j'étais pas un dingue du champagne.

– Alors, Djian, a fait Z., qu'est-ce qu'il t'est arrivé... ?

J'ai rien répondu. Il a griffonné des trucs sur un petit carnet.

– Y'a une petite épreuve de rattrapage, il a enchaîné. Je te retire cinq minutes si tu parviens à enfiler trois aiguilles en moins de trente secondes.

– Et si j'y arrive pas ? j'ai demandé.

Il a regardé mon plâtre d'un air ravi et son œil a brillé :

– Dix minutes de pénalité !

– Vas-y, ajoute-moi dix minutes. C'est marrant ton truc !

Il a failli ouvrir la bouche mais il s'est retenu au dernier moment. Il m'a collé les dix minutes d'un coup de crayon rageur.

Ensuite il a fait une nouvelle distribution d'enveloppes et il s'est barré. Au bout d'un moment, je me suis retrouvé seul avec Élise. J'ai mâchouillé un brin d'herbe en regardant filer les nuages.

– Allez, en avant, j'ai dit.

– On regarde même pas ce qu'il y a dans l'enveloppe ? elle a demandé.

– J'ai jamais réussi à lire une seule ligne de ce type, j'ai dit.

Comme elle avait froid, je lui ai prêté mon blouson. On s'est baladé un moment à travers la campagne et on a eu un coup de pot, on est tombé sur les autres.

– Y'a longtemps que vous êtes là ? j'ai demandé.

Z. avait pas envie de rigoler.

– Bon, il a fait. T'as trente secondes pour répondre à cette question : Qu'est-ce que le zéro absolu ?

Je me suis massé la nuque en souriant :

– Je suis obligé de répondre ? j'ai demandé.

Il a regardé ses pieds en blêmissant.

– T'es encore pénalisé, il a fait.

Bon, ce genre de conneries a duré une partie de l'après-midi et ça nous a permis de prendre un petit bol d'air, c'était quand même mieux que de rester enfermé, je veux dire rester enfermé AVEC LUI ! N'empêche que je suis arrivé le premier à la dernière étape, j'en avais marre et j'avais proposé à Élise de rentrer à la baraque pour attendre tranquillement la fin du jeu. En arrivant dans la cour, on avait trouvé Z. assis sur sa bécane et en train de se limer les ongles. Il avait eu l'air étonné de nous voir.

– Ben ça alors... Comment vous avez fait, tous les deux ?

– Question de flair, j'ai dit.

Il était visiblement gêné de se retrouver en tête à tête avec moi. C'était plutôt marrant parce qu'en fait c'était lui l'écrivain célèbre, le type qui signait des trucs dans la rue, qui déjeunait avec son banquier et qui livrait ses états d'âme dans les magazines, c'était lui le type dont on parlait, l'auteur le plus intéressant de ces dix dernières années. Mais il se sentait pas à l'aise avec moi et je le comprenais, il se trouvait un peu dans la position du type en smoking blanc à qui l'on demande de décharger des sacs de charbon, il se sentait pas dans son élément.

Comme il trouvait le silence un peu trop épais à son goût, il s'est mis à feuilleter son petit carnet nerveusement.

— T'as quand même trop de retard, il a fait. T'as pas une seule chance.

Juste à ce moment-là, les autres se sont mis à arriver. Ça lui a redonné le sourire.

— Non, tu vois, il a ajouté, tu t'y es pris un peu trop tard...

Il a sauté de sa machine pour faire passer la dernière série d'épreuves. À la fin, il s'est tourné vers moi :

— C'est pour l'honneur, il a fait.

— D'accord, je rigole pas avec ça, j'ai dit.

Les autres se tenaient autour de nous et discutaient. Z. s'est mis à parler un peu plus fort :

— Au fait, il a dit, j'ai appris que ton truc allait bientôt sortir... ?

— Oui, j'ai dit.

— Et tu as toujours ce style un peu... comment dire... un peu spécial... ?

Son sourire allait d'une oreille à l'autre.

— Bon alors, qu'est-ce que c'est ton épreuve ? j'ai demandé.

— N'aie pas peur. C'est une chose que tu peux faire facilement. Je ne vais pas te demander d'écrire une phrase correctement. Je ne demande pas des choses impossibles.

Il prenait visiblement un plaisir extrême à dire ça, il venait sans doute de se rappeler que c'était lui qui pouvait faire la pluie et le beau temps. Il a posé un petit seau par terre, à une dizaine de mètres de moi et il m'a donné une boule en bois assez lourde, comme un truc de croquet.

— Tu essaies de viser le seau, il a fait.

— De la main gauche ? j'ai dit.

— Oh d'accord... Attends, il faudrait quelque chose qui soit un peu plus dans tes cordes.

Il est rentré une seconde puis il est ressorti avec une bassine en plastique de presque un mètre de large. Il l'a posée à la place du seau en jubilant.

— Tu crois que ça ira ? il a demandé.

— J'en sais rien, j'ai dit.

— T'es un marrant, il a fait. Tu m'as toujours fait marrer, surtout avec tes bouquins.

J'ai visé tranquillement la bassine mais je suis très maladroit de la main gauche et j'ai loupé mon coup, la balle a roulé plus loin. Il a rigolé nerveusement et il était plus grand que moi aussi, il m'a pris par l'épaule.

— Eh bien, mon petit vieux, tu as fait ce que tu as pu, j'ai l'impression. Mais tu vois... c'était pas suffisant.

À ce moment-là, il faisait pas du tout attention, il rigolait en regardant les arbres et j'ai pu le prendre par surprise. Je l'ai attrapé par le cou, je l'ai tiré vers moi et je l'ai embrassé furieusement sur la bouche. Il a fait un tel bond qu'il a failli s'étaler dans le petit gravier blanc, il s'est rattrapé de justesse, un véritable acrobate ce Z.

Je me suis barré. J'arrivais presque à ma voiture quand je l'ai entendu brailler dans mon dos :

— Putain, mais ce type est complètement ravagé ! !

Je me suis essuyé méthodiquement la bouche et je me suis installé au volant. J'allais démarrer quand j'ai vu Élise arriver en courant.

— Oh, elle a fait, tu allais oublier ton blouson !

J'ai pris le truc à travers le carreau.

— Merci, j'ai dit. J'espère que tu m'en veux pas de t'avoir fait perdre une caisse de champagne.

– Non, bien sûr que non… On faisait pas une équipe formidable, tous les deux. Pas vrai… ?

Je l'ai regardée s'éloigner avant de mettre le contact.

– C'est vrai, j'ai murmuré, on faisait pas une équipe formidable.

Dès que je me suis retrouvé seul sur la route, j'ai ressenti une impression étrange, comme si la bagnole se remplissait d'un gaz très subtil et légèrement enivrant, comme si mon corps savait parfaitement ce qu'il avait à faire et poussait mon âme dehors. En plus de ça, je filais droit vers un coucher de soleil et des feuilles d'or se collaient sur le pare-brise et frissonnaient sous le vent, de quoi vous mettre un type à peu près normal sur les genoux, des bleus tendres et des lanières de framboises écrasées, de quoi se sentir prêt à tout vouloir réapprendre et j'avais qu'à jeter un coup d'œil sur mon ventre pour voir que je trempais déjà dans un bain d'or liquide.

Je connaissais ce genre d'état. Ça m'arrivait fréquemment quand je me mettais à écrire. Je passais d'abord par un stade d'idiotie totale, puis cette chaleur s'estompait et je sentais mon esprit libéré, c'était seulement à ce moment-là que je pouvais commencer à m'y mettre, c'était comme si je me réveillais au milieu d'un désert brûlant. J'ai bien cramponné le volant et je me suis laissé aller en levant un peu le pied de l'accélérateur. Chouette fin de journée, j'ai pensé et le second truc qui m'est venu à l'esprit, c'est la dernière phrase qu'avait prononcée Élise, elle avait dit qu'on formait pas une bonne équipe et ces mots me résonnaient dans la tête comme un machin rayé ON FORME PAS UNE ÉQUIPE FORMIDABLE, ON FORME PAS UNE ÉQUIPE FORMIDABLE…!! ÇA POUVAIT PAS COLLER!!!

Maintenant, mon roman était fini. J'étais un

peu comme un type qui a été rejeté sur une plage et qui cligne des yeux dans la clarté du matin. Qu'est-ce qu'il fallait faire maintenant ? Comment reconnaître quoi que ce soit dans ce brouillard et pourquoi je m'étais arrêté sur le chemin ? Il m'a fallu un petit moment avant de comprendre et j'étais bien obligé de reconnaître que je devais à Nina les meilleurs coups de ma vie, j'arrivais à un âge où l'on commence à regarder derrière soi, à se sentir nerveux à l'idée d'avoir oublié quelque chose et tant pis si c'était une connerie. Je me souvenais de certains moments avec Nina où sa seule présence me faisait le même effet que de me retrouver dans une fumerie d'opium avec des rayons de soleil plantés comme des lances à travers les volets fermés.

Pendant tout le chemin du retour, j'ai pensé plus ou moins à elle. Je me suis presque laissé convaincre qu'il était temps de faire quelque chose, mais les dés avaient déjà roulé dans l'ombre. J'ai mangé dans un self en cours de route, le truc était illuminé d'une manière invraisemblable et j'avais conscience du moindre objet qui se trouvait dans la salle et sûrement que personne avait remarqué ma présence, j'ai bouffé un truc délicieux arrosé de sauce tomate.

Quand je suis rentré chez moi, je tenais une forme éblouissante. J'ai ouvert la porte de ce petit bungalow miteux comme si je venais d'apprendre que j'avais raflé tous les prix de la rentrée et que des types se bousculaient pour me signer des chèques. Je me suis couché mais j'ai pas pu fermer l'œil avant le petit matin. Je me sentais excité comme à la veille d'un départ. Impossible de me fourrer dans la tête que j'étais déjà en route et je tirais les draps dans tous les sens. C'était tordant.

Le lendemain matin, j'ai sauté dans la voiture et j'ai foncé chez elle. J'avais beau passer en revue tous les trucs possibles, j'étais incapable de savoir ce que j'allais bien pouvoir lui raconter. L'idée qu'elle puisse me claquer la porte au nez ne m'effleurait même pas ou alors je chassais cette idée en vitesse et je lui glissais aussitôt un sourire entre les lèvres.

Quand une voisine m'a annoncé que Nina avait quitté son appart depuis belle lurette, je suis resté planté comme un con devant la porte avec le doigt replié. Ensuite j'ai cavalé jusqu'au bar le plus proche et j'ai envoyé des coups de téléphone un peu partout, je coinçais les pages de l'annuaire avec mon plâtre.

Son ancien mari était au courant de rien, il a raccroché en soupirant. J'ai appelé tous ceux qui de près ou de loin avaient pu rester en contact avec elle mais j'ai pas appris la moindre chose, c'était comme si elle avait jamais existé. J'ai mis Yan dans le coup aussi et il m'a dit qu'il allait en parler autour de lui.

— T'aurais pu penser à ça un peu plus tôt, il a fait.

— Hé, c'est quand même pas une question de vie ou de mort, j'ai dit. Je suis pas sur le point de m'ouvrir les veines.

— Alors ça va, il a fait.

— Bon, mais dépêche-toi quand même, j'ai dit.

— Au fait, inutile de te dire que Z. t'en veut à mort.

— Je suis content de voir que je laisse pas insensible ce fils de garce.

Au retour, je me suis arrêté devant chez l'Italien. J'ai acheté deux portions de lasagne et malgré l'air frais, je me suis payé une glace en sortant, une glace au fruit de la passion. Je me suis assis sur un banc avec le paquet huileux posé sur les genoux, j'ai sucé mon truc d'un air songeur, le dos tourné aux rafales de vent.

Je suis resté pendant trois jours dans le silence le plus total. J'ai reçu les épreuves de mon bouquin et j'ai pu faire quelques corrections dans un calme écœurant, j'avais presque le sentiment que ce truc avait été écrit par un autre, ça me paraissait lointain.

Un matin, le téléphone a sonné d'une manière inhabituelle. C'était Yan, il tenait enfin quelque chose de précis. Je me suis installé dans le fauteuil.

— Vas-y, accouche, j'ai dit.

— Ouais, c'est une fille qui vient de temps en temps à la boîte, il a fait. Nina serait chez une copine à elle, dans une baraque à une centaine de bornes en suivant la côte...

— Où ça ? j'ai demandé.

— Tu ferais mieux de prendre un crayon, il a fait.

J'ai pris ce qu'il fallait et il m'a aidé à tracer un plan avec les noms de bleds, le numéro des routes et quelques trucs folkloriques sur lesquels je devrais me repérer. Ça ressemblait à un message codé conduisant à la Chambre des Morts.

— Tu peux pas te tromper ou alors faut le faire exprès.

— T'as des détails ? j'ai ajouté.

— Je crois que la fille en question tient une boutique de fringues et Nina doit lui donner un coup de main. T'as l'intention d'y aller ? il a demandé.

— Non, je vais sûrement rester couché dans le noir à me tourner les pouces...

— Et ton plâtre ?

— Il saute à la fin de la semaine, j'ai dit.

Après ce coup de téléphone, je suis retourné au lit. Je pensais juste y rester une petite heure mais en fait je me suis rendormi, j'avais les yeux fermés et j'écoutais le chant des mouettes dehors, je pensais à rien d'autre et je suis parti à dame sans m'en rendre compte. Qu'est-ce que c'est, trente-quatre ans ? C'est rien, c'est vraiment que dalle, j'étais jeune, c'était normal que je dorme beaucoup, j'étais encore une sorte de bébé, je suis désolé, je suis sûr que j'aurais pu prendre un type de vingt ans au bras de fer ou à n'importe quel truc qui demande pas trop de souffle. Enfin, quoi qu'il en soit, quand je me suis réveillé, il faisait nuit.

C'était limite, on pouvait encore voir de gros nuages sombres glisser rapidement dans le ciel comme des sous-marins atomiques. Je me suis redressé d'un bloc, j'avais froid. J'ai allumé toutes les lumières et j'ai enfilé mon blouson, ce putain d'appart allait devenir une glacière féroce en hiver. J'ai mangé quelques trucs en avalant deux ou trois cafés brûlants, j'avais l'impression que le jour allait se lever alors que la nuit venait juste de tomber, en fait je crois que j'aurais préféré que le jour se lève mais je devais prendre les cartes qu'on m'avait données, ça m'a fichu envie de bâiller.

Le temps de tourner un peu en rond, d'avaler une bière et de mettre quelques trucs en ordre même si c'est une bataille perdue d'avance parce que certaines choses ne trouveront JAMAIS leur vraie place, le temps que les haut-parleurs annoncent le signal du départ et enclenchent mon cerveau, il était déjà neuf heures du soir. J'ai vérifié le gaz avant de sortir et j'ai claqué la porte. Il y avait encore un gros morceau de lune, il faisait bon, vent dominant d'est-ouest, force 5.

28

J'ai donc pris cette fameuse route qui longeait la côte. Depuis qu'ils avaient fait des travaux, c'était devenu une belle ligne droite, large comme un aérodrome et filant sans fin sur un sol poudreux. Par moments, la mer venait tout près, glissait une main noire entre les dunes puis laissait une empreinte brillante sur le sable. J'avais mis la radio et un type braillait là-dedans avec un fort accent pour annoncer que Paul Simon et Art Garfunkel venaient d'arriver sur scène, ces deux salauds ont failli me faire pleurer vingt ans après en chantant *At the Zoo*, c'était l'époque où je prenais mon premier acide, ha ha, on savait rigoler dans ce temps-là, on serrait un peu moins les fesses, je me suis envoyé le concert pendant tout le voyage, j'ai passé un excellent moment, entre deux eaux.

J'ai commencé à ouvrir un œil en quittant le dernier point marqué sur la carte, ensuite je devais prendre un chemin sur la droite, je devais faire gaffe.

Je me suis retrouvé pratiquement au bord de l'eau, sur une petite route qui longeait les dunes et j'ai aperçu quelques lumières de baraques au loin, ça ressemblait à un petit coin paradisiaque à deux ou trois kilomètres de la ville.

La baraque que Yan m'avait indiquée était la deuxième, justement celle qui paraissait être le rendez-vous de toutes les bagnoles des environs et je m'attendais pas du tout à ça, j'ai pas été foutu de savoir si c'était une bonne ou une mauvaise chose que de tomber au beau milieu d'une petite soirée. N'empêche que c'était un coin où on pouvait respirer, les maisons se tenaient à deux ou trois cents mètres les unes des autres. Je me suis garé le plus près possible, j'ai coupé le contact et j'ai pris le temps de fumer une cigarette.

J'entendais des gens qui discutaient dehors et quelques bribes de musique, surtout les basses, la baraque était éclairée jusqu'au premier étage et la lumière scintillait à travers les branches de tamaris.

Je connais un truc radical pour se faufiler au milieu d'une soirée où l'on vous a pas invité, un truc qui marche à tous les coups, il suffit d'avoir un minimum de matériel et ça tient dans la boîte à gants. Je me suis donc penché et j'ai attrapé la paire de lunettes sombres et un verre pouvant contenir une dose assez sérieuse de n'importe quoi.

Bien sûr, je voyais pas grand-chose mais ça allait dans les grandes lignes et je me suis avancé avec mon verre à la main en direction des premiers groupes. J'ai tout de suite ressenti l'ambiance très snob malgré quelques levi's crasseux et certaines allures décontractées, c'était facile de voir que les abrutis étaient en majorité. J'ai pas eu de mal à passer inaperçu au milieu de ce petit monde et des types que j'avais jamais vus levaient leurs verres dans ma direction et je leur répondais en m'éloignant.

Dans le salon, il y avait une fille qui s'occupait des bouteilles. J'ai attendu mon tour dans un coin en jetant des coups d'œil dans tous les sens pour essayer de repérer Nina mais j'ai pas eu cette chance. J'ai tendu mon verre à la fille, les mecs avaient foutu la musique pratiquement à fond.

— Je me demande où est passée Nina, j'ai fait.

Elle était en train de me servir, elle m'a fait signe qu'elle entendait rien.

— NINA, OÙ EST-ELLE ? j'ai gueulé.

La fille m'a regardé en gonflant les joues, ce truc l'a pas embellie. Elle a secoué la tête.

— Bon, ça fait rien, j'ai dit.

J'ai pris mon verre et j'ai regagné la sortie. Je me suis mis à fouiller le coin de fond en comble, je suis même retourné dans la baraque et j'ai grimpé dans les étages. J'ai visité toutes les chambres, celles où l'on baisait et les autres, celles où on allait s'y mettre mais j'ai pas trouvé la plus petite trace de Nina, je suis redescendu doucement.

En passant, j'ai tendu mon verre à la fille.

— Alors, tu l'as pas trouvée ? elle a demandé.

— Non, impossible.

— Il y en a qui sont partis pour faire des photos, elle a ajouté. Peut-être qu'elle était avec eux... ?

Je me suis senti fatigué, j'ai tendu la main vers mon verre.

— Bon, alors cherche pas, j'ai dit. Je suis vraiment un type veinard. Ils ont dû partir faire un truc sur les couchers de soleil au Groenland.

— J'en sais rien, mais pour le moment, ça se passe dans la baraque à côté.

— Ouais... ?

— Oui, c'est la première un peu plus loin, celle avec des volets rouges.

Je suis remonté sur la route avec mon verre à la main et je me suis mis à marcher en direction de la fameuse baraque. J'entendais simplement le bruit de mes pas sur le goudron et j'éprouvais une sensation d'espace infini et de légèreté insouciante, la lumière était superbe, juste un rayon de lune bleuté qui accrochait quelques trucs dans un style très dépouillé et du coup j'ai retiré mes lunettes. Je respirais doucement car j'avais l'impression que l'air me saoulait et ce petit bout de chemin ressemblait à un rêve, j'aurais pas été étonné que tout ce bazar explose et qu'un décor géant bascule dans la poussière avec un craquement infernal.

Mais ce truc-là tenait bon et j'étais parti pour vivre ce fameux merdier une nouvelle fois. Je me suis retrouvé devant ce genre de villa en bois avec des baies et des zones de peinture écaillée et celle-là avait carrément les pieds dans l'eau, il y avait juste une sorte de galerie en planches qui courait tout autour, à environ deux mètres du sol, l'ensemble reposait sur quatre piliers en béton, une espèce de baraque de timbré. Il y avait deux bagnoles garées devant l'entrée et on pouvait voir de la lumière à l'intérieur, malgré les rideaux tirés. Je me suis avancé vers la porte mais au moment de sonner j'ai changé d'idée et je me suis engagé sur la galerie, on entendait rien sauf le claquement des petites vagues minuscules qui s'éclataient contre les piliers, j'ai longé tout un côté de la maison, je suis passé devant des volets fermés, des rouges, et quand j'ai tourné tout au bout, sur la partie qui faisait face à la mer, je me suis retrouvé nez à nez avec Nina, je suis tombé en plein sur elle.

Elle était appuyée sur la balustrade, légèrement penchée au-dessus de l'eau. Elle a relevé lentement la tête pour me regarder et j'ai vu qu'elle avait presque son compte. Elle a hoché la tête puis elle a regardé ailleurs. Je me suis accoudé à côté d'elle, j'ai laissé filer encore un peu de silence avant de balancer quelques mots.

– Je me suis fait chier pour te retrouver, j'ai dit. Je connaissais pas du tout ce coin, les baraques sont pas mal...

– Bon, qu'est-ce que tu veux encore ? elle a demandé.

Ça, c'est une bonne question, je me suis dit, mais comment trouver la réponse… ?

– J'en sais rien. Je pensais pas te trouver dans cet état-là.

– Qu'est-ce qu'il y a… ? Tu me trouves pas en pleine forme, t'as fait tout ce voyage jusqu'ici pour me dire ça… ? !

Elle s'est redressée et elle a enfoncé ses mains dans ses poches. Je la trouvais formidable et tout le reste me dépassait.

– J'en ai assez de tout ce gâchis avec toi, elle a fait. Il vaudrait mieux que tu t'en ailles.

– C'est pas si simple que ça, j'ai dit.

Elle m'a regardé fixement et ses narines se sont légèrement pincées sous l'effet de la colère, sa voix m'a paru plus grave tout d'un coup.

– Ouais, tu as raison de dire que c'est pas si simple. Mais toi tu arrives comme ça, au beau milieu de la nuit, sans prévenir… Bon Dieu, qu'est-ce que tu crois… ?

J'ai rien répondu, je pensais c'est comme ça, on y peut rien. Elle a retiré ses mains de ses poches et elle a cramponné la balustrade, le regard dans le vide.

– Oui, merde alors… qu'est-ce que tu crois ? elle a répété.

Le plus drôle, c'est que pas un mot sortait de ma bouche, je sais pas pourquoi, je crois que si elle avait pris n'importe quoi pour me taper dessus, je me serais laissé faire, peut-être même que j'aurais aimé ça mais j'ai pas eu le temps d'y réfléchir parce qu'elle s'est mise à rire d'un seul coup, d'une manière assez brutale :

– Bon sang, elle a fait, mais tu rêves ou quoi… ? Il faudrait que je sois complètement cinglée pour retourner avec un type comme toi.

Y'a pas de place pour moi dans ta vie, y'a de la place pour personne, il y a rien que toi et tes putains de bouquins !!

— Non, tu te trompes, j'ai dit.

— T'as besoin de personne, t'as pas encore compris ça ?

— Arrête de déconner, j'ai dit, regarde-moi, est-ce que j'ai l'air d'un type qui a besoin de personne ?

— Ouais ! T'es le plus beau spécimen que j'aie jamais vu !

— Bon Dieu, écoute-moi, tu crois que je ferais tout ce cirque si j'avais pas besoin de toi ?

Je crois que pendant une seconde, tout l'alcool a filé de son cerveau, elle a posé sur moi un regard brillant, peut-être que je lui avais touché un nerf ou quelque chose de sensible, j'ai senti qu'un truc se passait.

— Hhhhhooouuuuuuu... elle a soufflé. On dirait bien que tu as fait des progrès. Normalement, ce truc aurait dû te rester en travers de la gorge. Qu'est-ce qu'il t'est arrivé ?

— Rien, j'ai dit.

À ce moment-là, j'avais les muscles entièrement tétanisés, comme si j'avais fait une overdose de quelque chose et je savais plus si c'était de la glace ou du feu qui coulait dans mes veines ou un peu des deux, c'était en même temps atroce et délicieux, j'ai retiré ma main de la rampe avant de la faire exploser dans mes doigts.

Bon sang, Djian, tu paraissais barré vers le grand plongeon, mon petit pote, je sentais bien que t'étais prêt à miser ton tapis, oui, tu la voulais cette fille, hein... ? t'avais empoisonné ton cerveau avec son image et maintenant il fallait payer, tu m'as pas écouté, Djian, t'es resté devant elle, les yeux baissés comme un pauvre type.

– Merde... mais qu'est-ce que tu as... ? ! Pourquoi t'es venu comme ça... ? elle a fait.

Elle me regardait pas, elle regardait je sais pas quoi au loin ou la lune et j'aurais bien aimé faire une photo de l'ensemble, j'aurais voulu pouvoir garder quelque chose de cet instant-là et me le coller dans le fond du crâne pour faire joli.

– Ce que tu veux, c'est nous rendre cinglés tous les deux, c'est ça... ? elle a murmuré.

J'allais continuer dans le style mais un type a surgi entre nous d'une manière surnaturelle, je l'ai reconnu, c'était Paul Newman, il a pris Nina par la taille, d'une façon désinvolte.

– Je te présente Charles, elle m'a annoncé. Il est photographe.

Le type m'a fait un clin d'œil.

– B'soir, j'ai dit.

Je me suis mis à descendre en vol plané et j'en voyais pas la fin, j'ai mis un moment avant de comprendre d'où pouvait sortir cet enfoiré, en plus de ça cette ressemblance avec Paul Newman était chiante, j'avais toujours vu ce type-là dans des films où il rendait n'importe quelle nana à moitié dingue et c'était la même chose dans la salle.

Bref, ce connard a tout foutu par terre en un millième de seconde et je me suis mis à décompresser le plus calmement possible pendant qu'ils discutaient.

– Alors, a demandé Nina, c'est terminé... ?

– Oui, Harold est en train de ranger les appareils. On va pouvoir souffler un peu.

Merde alors ! j'ai pensé, ils étaient encore toute une colonie là-dedans... ? Hé, Djian, reviens, laisse tomber ce petit îlot désert et oublié sur les cartes, ne rêve pas mon vieux, il va falloir que tu te comportes en être humain, t'as pas le choix alors sois beau joueur, bordel sois un peu plus relax ! Même si la main de cet enculé s'enfonce un peu trop à ton goût dans la taille de Nina, balance-leur un sourire, Djian, fais-le pour moi !

J'ai grimacé en regardant vers le large, j'ai pris n'importe quelle carte au hasard :

– Il fait encore bon, mais on sent l'hiver, j'ai dit.

Ils ont rien répondu, d'ailleurs le type s'occupait déjà plus de moi depuis un bon moment, il dévorait Nina des yeux, il lui disait des trucs que j'entendais pas. Le pire, c'est que ça semblait pas la gêner, il la serrait contre lui assez franchement et elle se laissait faire, ah quel salaud quelle ordure, il avait pas de mal avec ses yeux délavés et ses tempes grisonnantes, il avait pas trop à se fatiguer pour embarquer une fille un peu saoule dans sa tanière... Même si je m'étais pointé avec le Prix Nobel de Littérature dans la poche, j'aurais eu aucune chance devant un type comme ça. Pourtant, quand ils ont fait demi-tour pour rentrer dans la baraque, je les ai suivis. Si ce type-là avait réfléchi cinq minutes, il aurait compris qu'il valait mieux qu'il me tue sur place plutôt que d'espérer me voir lâcher prise. Une paix étrange s'est installée en moi comme si je descendais la colline dans le petit matin après avoir passé ma vie à méditer au fond d'une grotte.

Il y avait juste deux filles dans la baraque et un type taillé comme une montagne avec un visage de bébé, j'ai été soulagé de voir que ça faisait pas trop de monde, on allait pas se déguiser en flocons au milieu d'une tornade.

Personne a paru étonné de me voir arriver, bien sûr que non, c'était des gens au parfum, c'est une des premières règles à appliquer quand on veut être vraiment à la coule, oui, surtout

338

ne s'étonner de rien et regarder le monde turbulent cogner derrière la vitre d'un œil indifférent, c'est bien, contrôle tes émotions baby, le monde entier a les yeux braqués sur toi. Moi je suis incapable de faire un truc comme ça, je suis plutôt l'idiot qui pousse des OH et des AH.

Il y avait deux canapés et un fauteuil, je me suis retrouvé dans le fauteuil mais assis sur la pointe des fesses et le dos bien droit et juste après, j'ai vu des bouteilles sortir de tous les coins, incroyable, le temps d'un éclair et on s'est tous retrouvés avec une dose mortelle entre les doigts.

Charles paraissait vraiment tenir la forme, il restait pas en place sur le canapé mais il lâchait pas Nina, il en faisait même de plus en plus et les trois autres en face s'agitaient silencieusement. Moi je faisais rien et parfois ma vue se troublait, j'avais l'impression qu'ils avaient diminué de taille ou qu'ils s'étaient reculés au fond de la pièce.

Après ce petit échauffement, Charles a de nouveau rempli les verres et celui de Nina à ras bord alors qu'elle éprouvait déjà certaines difficultés pour garder la tête droite, qu'elle raconte pas d'histoires. Si elle avale ce verre, je me suis dit, elle sera complètement larguée, je pourrai plus rien empêcher. Je me suis penché en avant et j'ai tapé sur l'épaule de Charles en souriant :

– Hé, c'est pas raisonnable, j'ai dit. Je la connais, elle va être malade...

Il a regardé Nina d'un air étonné :

– C'est vrai... ? Tu vas être malade ?

Mais ce qu'elle a trouvé de malin à faire, c'est de renverser la tête en arrière et de pousser un gloussement. Charles s'est cru autorisé à m'envoyer une claque sur la cuisse :

– Te casse pas, il a fait. Détends-toi...

Elle a bu une longue gorgée puis elle a posé son verre sur l'accoudoir en me regardant fixement. J'avais la bouche sèche. De l'autre côté, le géant sirotait son verre calmement, les yeux mi-clos et une fille coincée sous chaque bras. Ces deux salauds avaient vraiment l'air de professionnels, ils avaient l'air aussi sûrs de leur coup que tous ces types qui écrivent encore comme au début du siècle et qui sont imbattables sur le plan des vers rimés et du baisemain. Maintenant, Charles avait passé une jambe pardessus celles de Nina et il l'embrassait furieusement dans le cou. Ça m'a coupé le souffle, j'avais beau regarder en l'air ou dans le fond de mon verre, je savais qu'elle avait toujours les yeux posés sur moi, je trouvais ça insupportable, même si elle donnait l'impression de pas être tout à fait là, c'était terrible. Je me suis tortillé sur mon siège :

– Bon sang, j'ai dit, il est pas très tard, les gars. Ça serait pas une bonne idée de faire une petite balade sur la plage, d'aller respirer un peu... ?

– Si, si, bien sûr que si, a fait Charles, te gêne pas, mon vieux. Je te promets que personne va toucher à ton verre pendant ton absence. Te casse pas, vieux...

J'ai allumé une cigarette et je me suis enfoncé dans le fauteuil les jambes croisées. Charles a dû penser qu'il y avait trop de lumière ou trop de monde ou qu'il y avait pas assez de place ou j'en sais rien mais à la fin il s'est levé. Il a attrapé Nina par un bras et l'a entraînée vers la chambre du fond. Elle semblait pas tellement décidée, elle traînait un peu les jambes et juste au moment de passer la porte, elle s'est tournée vers moi. L'autre a même pas pris la peine de fermer derrière eux, ils se sont avancés jusqu'au lit et j'ai vu Nina tomber dessus à la renverse.

Je me suis pincé le nez avant de me lever. Les autres m'avaient rayé du monde, le géant avait une fille dans chaque main. Quand je suis arrivé dans la chambre, Charles frétillait comme un poisson sur le lit, il était en train de dégrafer sa ceinture, ça faisait un petit bruit de clochettes. Je me suis approché.

– Hé, j'ai dit, tu vas quand même pas faire ça... Pas dans l'état où elle est !

Il s'est tourné lentement vers moi. Il m'a regardé puis il s'est mis à sourire. J'ai souri aussi. Ensuite il s'est levé, il m'a pris par l'épaule et m'a entraîné doucement hors de la chambre.

On est resté debout dans un coin et sa main a glissé de mon épaule. Il m'a attrapé la nuque de façon amicale, j'ai même cru qu'il était en train de me faire un massage tranquillisant, il faisait des trucs avec ses doigts. Il a approché son visage tout près du mien, toujours avec le même sourire.

– Écoute-moi, il a fait, pourquoi on serait pas bons copains tous les deux, hein ? Pourquoi tu t'assois pas sagement dans le fauteuil en attendant ? Bois un coup, mon vieux, j'en ai pas pour longtemps et après si tu veux, on en boira un autre ensemble, d'accord... ? Mais tu comprends que j'aie besoin qu'on me laisse un peu tranquille, tu comprends ça, hein, t'es pas idiot... Non, je vois que t'es pas idiot, te casse pas, tu peux d'ores et déjà me servir un verre, ça sera pas très long...

Il a fait demi-tour et il est retourné dans la chambre. Cette fois, il a fermé la porte. J'ai plus rien entendu. Ensuite j'ai entendu la voix de Nina. J'ai rouvert la porte. Le type était sur elle, une main sous ses jupes et elle essayait de le virer, j'en suis sûr. Il tenait bon. Je me suis avancé dans son dos, je l'ai attrapé par la ceinture et je l'ai fait dégringoler du lit en le tirant en arrière.

– Je crois qu'elle a pas envie, j'ai dit.

Il s'est redressé sur un coude en soupirant puis il a appelé son copain mais comme si ça le contrariait de devoir faire une chose pareille et quand l'espèce d'armoire à glace s'est découpée dans l'encadrement, il lui a parlé d'une voix assez calme :

– Harold, il a fait, je suis désolé mais ce type-là veut rien comprendre. Sors-le d'ici, sors-le d'ici tout de suite.

Nina s'est dressée sur le lit, elle a ramené ses jambes sous elle et m'a jeté un coup d'œil angoissé, comme si elle sortait d'un cauchemar délirant. Ce truc-là m'a complètement électrisé, j'ai senti une bouffée d'air chaud descendre dans mon ventre et le géant m'a facilement soulevé dans ses bras mais il aurait fallu qu'il trouve autre chose pour que je m'intéresse à ce qu'il était en train de me faire. NINA ! j'ai gueulé pendant qu'il me sortait de la chambre. Il a traversé le salon en me portant comme une plume mais mon âme était restée accrochée au pied du lit.

– Je te mérite pas, j'ai braillé, Nina je te mérite pas.

L'autre a ouvert la porte, j'ai senti l'air frais qui venait de la mer. Il a hésité une seconde puis il a fait quelques pas et m'a balancé par-dessus bord.

J'ai simplement eu le temps de fermer les yeux et l'eau glacée m'a transi des pieds à la tête. Je suis mort, je suis vivant, j'ai pensé. Je me suis sorti de là-dessous comme si le soleil lui-même m'avait arraché à la nuit la plus profonde, j'ai poussé le même cri qu'un nouveau-né et j'ai été traversé d'un violent frisson qui n'avait rien à voir avec la température. Personne me croirait si je disais que j'éprouvais ce genre de chose quand je glissais une feuille dans ma machine et pourtant c'est presque ça, cette sorte de plaisir animal qui laisse entrevoir l'objet convoité. Je me suis aussitôt relevé, j'avais de l'eau jusqu'à la taille. J'ai levé la tête vers la baraque mais je voyais personne. Tout paraissait incroyablement calme, la lune qui scintillait autour de moi et le léger clapotis des vagues, de quoi vous transformer en simple d'esprit.

Sur le côté, j'ai repéré une sorte d'escalier de bois qui plongeait dans l'eau et qui grimpait jusqu'à la galerie. Je me suis engagé là-dessus comme une locomotive sortie des rails, j'ai fait une belle embardée et je me suis arrêté là-haut le souffle court, dégoulinant de partout et des paquets de vase noire collés aux pieds.

Je devais avoir l'air assez monstrueux, comme un type qui approche vraiment du but, je sentais la peau de mon visage tendue à mort comme si j'étais en train de remonter le temps, je sentais venir le moment de ma rédemption.

Le géant m'attendait devant la porte. Il s'est marré en me voyant, il avait pas remarqué que mes yeux brillaient d'une lueur démente, il savait pas que j'avais été choisi entre tous et il s'est mis en travers de mon chemin, ce pauvre taré. Ma force, c'est que j'avais l'air bon à envoyer à la casse, trempé et affublé de ce bras monstrueux et ce type devait peser vingt ou trente kilos de plus que moi et me dépassait d'une bonne tête. Il s'est avancé vers moi sans se méfier alors que j'étais en train de me remonter comme une lame de ressort traversée d'éclairs bleus.

– T'es pas un marrant, comme mec, il a fait.

Il a tendu doucement une main vers moi et à ce moment-là je l'ai soulevé du sol en lui balançant un coup de pied délirant dans le ventre, j'avais fait un tel bond qu'on est tombés tous les deux à la renverse. Sauf que moi je me suis relevé alors qu'il se tordait encore sur le plancher en bafouillant. J'ai eu un petit rire nerveux et j'ai enjambé le colosse. J'ai fait irruption dans la baraque comme une machine folle, les deux filles étaient cul nu mais elles ont pas levé la tête vers moi, elles fumaient des clopes à bouts dorés en glissant sur les canapés.

J'ai fait un seul bond jusqu'à la chambre et j'ai arraché la porte. J'ai été aveuglé, il y avait une drôle de lumière là-dedans. Mais j'ai quand même repéré Charles. Il avait réussi à se débarrasser de son froc. Il se tenait à cheval sur Nina, il lui avait remonté la jupe et tirait sur le slip comme sur un accordéon. Elle se débattait mollement.

J'ai poussé une sorte de couinement et Charles s'est retourné. La sueur dégoulinait sur ses deux joues. Il a compris avant moi ce que j'allais faire, il a jeté un œil rempli de crainte et de dégoût sur mon plâtre, l'imbécile, il venait de me donner la corde pour le pendre. De ma main libre, je l'ai empoigné à la gorge, il a gargouillé et ensuite je lui ai fait exploser mon plâtre sur le coin de la tête, les morceaux ont crépité sur les murs. Moi aussi j'ai eu mal, un petit éclair de feu au niveau de la cassure, j'ai lâché machin-chose en grimaçant.

– Nom de Dieu, foutons le camp d'ici en vitesse, j'ai dit.

J'avais à peine terminé ma phrase que je me suis mis à trembler comme une feuille morte, je me suis mis à claquer des dents. Je me suis passé une main sur le visage, maintenant j'avais la sensation d'être un rat pris au piège. Je me suis précipité à la fenêtre et je l'ai ouverte en grand. Sur le moment, j'ai vu qu'un trou noir et sans fond, il a fallu que je plisse les yeux pour apercevoir quelque chose.

Je me suis retourné vers Nina. Elle était assise sur le bord du lit et regardait ses pieds sans bouger. Je l'ai secouée :

— T'attends que ces deux abrutis se réveillent ? j'ai demandé.

On a enjambé la fenêtre, on a cavalé sur la galerie et on est remonté sur la route sans encombre. J'ai commencé à courir mais je me suis vite rendu compte qu'elle arrivait pas à suivre. Elle zigzaguait d'un côté à l'autre de la route. Je me suis arrêté en soufflant, je l'ai attendue en jetant des coups d'œil anxieux derrière elle, je m'attendais à voir les deux enragés surgir d'une seconde à l'autre.

Arrivée à ma hauteur, elle s'est accrochée à moi et m'a secoué dans tous les sens.

— Je t'ai rien demandé, elle a fait. Merde, je t'ai rien demandé, tu entends... ? ? ! !

Elle a essayé de me frapper au visage mais j'ai réussi à esquiver, elle était trop saoule pour me cueillir par surprise. Je l'ai attrapée par une main et j'ai essayé de l'entraîner.

— T'es encore pire que lui, elle a fait. Lâche-moi ! ! !

Les sons de sa voix s'envolaient dans les airs comme des grains de verre Securit et restaient suspendus au-dessus de ma tête, le moindre bruit avait une netteté terrifiante, tout le coin frissonnait au clair de lune. Je l'ai lâchée. Elle s'est mordu le dos de la main en me regardant, elle respirait à toute vitesse. Je me suis senti vidé.

– Mais bon Dieu, qu'est-ce que tu voulais que je fasse... ? j'ai demandé.

Elle a secoué la tête et son corps s'est mis à tressauter sous l'effet d'un sanglot nerveux qui arrivait pas à atteindre la gorge. Elle a tourné la paume de ses mains vers moi et ses yeux cherchaient à s'enfoncer dans mon crâne.

– Mais je voulais rien, elle a dit, je voulais rien du tout.

J'ai commencé à danser d'un pied sur l'autre, je voulais lui expliquer pourquoi j'avais fait tout ça mais tout ce qui me passait par la tête tombait aussitôt en poussière, c'était une sensation infernale, comme si je me réveillais au milieu d'un champ de mines.

– Je sais pas quoi te dire, j'ai fait.

On est resté silencieux et ensuite j'ai reniflé un grand coup et on s'est mis à avancer doucement vers la voiture, l'un à côté de l'autre mais sans se toucher. On pouvait pas dire qu'on marchait ensemble, on allait simplement dans la même direction et pendant ce petit bout de chemin j'ai éprouvé ni joie ni peine, j'ai rien senti du tout, j'écoutais simplement le moindre bruit qui venait d'elle et je le dévorais vivant.

On s'est installé dans la voiture sans dire un seul mot. On s'est regardé mais j'ai pas tenu trois secondes, j'ai mis le contact.

– T'en fais une tête, j'ai dit.

Elle s'est penchée pour mettre la radio. Ensuite elle a attrapé le rétro et l'a tordu vers moi :

– Regarde la tienne, elle a fait.

Juste au moment où je déboîtais, le type a envoyé *Sweat Dreams* dans le poste.

29

On était assis dans la cuisine. On venait de s'envoyer un grand saladier plein de pâtes avec une sauce au gorgonzola, il en restait pas une miette. Il faisait nuit. On avait tout allumé. Elle m'écoutait raconter des conneries, les coudes appuyés sur la table et le menton dans les mains. J'avais un public épatant et une super nénette au premier rang. On se la coulait douce. Je faisais plus rien. J'avais eu quelques bonnes critiques pour mon bouquin, d'autres m'avaient chié dessus et ça faisait déjà un petit moment de tout ça. Il avait neigé depuis.

Je l'ai regardée longuement, c'est vrai que c'était la plus belle fille que j'aie jamais eue. Je lui ai quand même annoncé la nouvelle :

— Tu sais, je sens le truc venir, j'ai dit. Je crois que je vais bientôt me remettre à écrire.

Elle avait une beauté sereine. Elle m'a pas quitté des yeux et elle souriait comme un ange. Elle a gardé son menton appuyé dans une main et de l'autre, elle a attrapé le saladier.

Elle l'a tenu deux ou trois secondes au-dessus du vide. Ensuite elle l'a lâché et le truc a explosé sur le carrelage avec un bruit d'enfer.

— Bien sûr, elle a fait. Quand est-ce que tu recommences... ?

Humour

ARTHUR
Arthur censuré
3698/5
De la radio à la télé, rien n'arrête Arthur. Et maintenant un livre, pour retrouver son humour décapant !

BERTRAND Jacques A.
Tristesse de la Balance...
2711/1

BRAVO Christine
Les bêtes, petites ou grosses, sont aussi compliquées que nous et leurs amours sont bien difficiles ! C'est ce que révèle la présentatrice vedette de Frou-Frou. Rigoureusement scientifiques, ces romances animales sont irrésistibles.

Les petites bêtes
3104/2
Les grosses bêtes
(un érotisme inattendu)
3770/3

DE BURON Nicole
Les saintes chéries
248/3
Les mésaventures d'une femme en butte à la fatalité quotidienne, ou comment prendre la vie avec bonne humeur quand rien ne va comme vous l'auriez voulu.

Vas-y maman
1031/2
Dix-jours-de-rêve
1481/3
Qui c'est, ce garçon ?
2043/3
C'est quoi, ce petit boulot ?
2880/4
Où sont mes lunettes ?
3297/4
Arrêtez de piquer mes sous !
3652/5
Impôts, cotisations, taxes, prélèvements, vignettes, TVA... c'est trop ! Le ras-le-bol d'une contribuable excédée mais d'un humour à toute épreuve.

COLUCHE
Coluche Président
3750/4

DUROY Lionel
Priez pour nous
3138/4

HAUSER Régis
Les murs se marrent
3632/4

LAFESSE Jean-Yves
Petit précis
de l'imposture
3253/4 (Avril 95)

LAGAF'
Eclats de rire
3537/3

LEEB Michel
Le meilleur de l'humour
français
3516/3

LEFEBVRE Jean
Pourquoi ça n'arrive
qu'à moi ?
3193/4 Illustré
Mais qu'est-ce qu'elles
me trouvent ?
3507/3

PIEM
Bonne santé mode
d'emploi
3609/1
Un abécédaire complet et illustré des maux et tracasseries de la vie quotidienne. Maïs Piem a su trouver leurs remèdes.

Petits enfants grands
parents... mode d'emploi
3834/2

ROUCAS Jean
Les roucasseries
**3230/4, 3440/4
& 3693/4
3915/4 (Mai 95)**

SARRAUTE Claude
Allô Lolotte, c'est Coco
2422/1
Maman coq
2823/3

SIM
Elle est chouette,
ma gueule !
1696/3
Tout le monde n'a pas la chance d'avoir la gueule de Sim.

Pour l'humour de Dieu
2001/4
Elles sont chouettes,
mes femmes
2264/3
Le Président Balta
2804/4
Ma médecine hilarante
3213/3
Elle était chouette ma
France
3586/5
Le penseur
3937/2 (Juin 95)
Drôles ou graves, des maximes qui prouvent, s'il en était besoin, que Sim reste bien le plus chouette de nos humoristes.

TALLEYRAND & GARY
Testez et développez votre
stupidité sans peine
3790/3 (Mars 95)

XENAKIS Françoise
Moi j'aime pas la mer
491/1
Zut, on a encore oublié
madame Freud...
2045/2
Mouche-toi, Cléopâtre...
2359/3
La vie exemplaire
de Rita Capuchon
2585/3
Chéri, tu viens pour la photo
3040/4

Classiques

La plupart des ouvrages sont précédés d'un cahier inédit et illustré sur la vie et l'œuvre de l'auteur.

BALZAC HONORÉ DE
Le père Goriot
1988/2
Le colonel Chabert
3235/1
Colonel de la Grande Armée, le comte Chabert a officiellement trouvé la mort à Eylau et sa veuve s'est remariée...
La cousine Bette
3856/4 (Février 95)

BAUDELAIRE CHARLES
Les Fleurs du mal
1939/2

DAUDET ALPHONSE
Tartarin de Tarascon
34/1
Lettres de mon moulin
844/1
Le Petit Chose
3339/2

DICKENS CHARLES
Oliver Twist
3442/7

DIDEROT DENIS
Jacques le fataliste
2023/3

DUMAS ALEXANDRE
La reine Margot
3279/1
Les Trois Mousquetaires
3461/7

ERCKMANN-CHATRIAN
Histoire d'un conscrit de 1813
3826/2

FÉVAL PAUL
Le Bossu
3296/3 (Mai 95)

FLAUBERT GUSTAVE
Madame Bovary
103/3
L'éducation sentimentale
3695/4

HAGGARD H. RIDER
Les mines du roi Salomon
3607/1

LONDON JACK
Croc-Blanc
2887/3
Martin Eden
3553/5

LOTI PIERRE
Le roman d'un spahi
2793/3

MALOT HECTOR
Sans famille
3588/5

DE MAUPASSANT GUY
Une vie
1952/2
L'ami Maupassant
2047/2
Le Horla
2187/1
Bel-Ami
3366/3
Apparition
3514/1
Pierre et Jean
3784/1   (Avril 95)

POE EDGAR ALLAN
Le chat noir
2004/3
Arthur Gordon Pym
3675/3

POUCHKINE ALEXANDRE
Eugène Onéguine
2095/2

RENARD JULES
Poil de carotte
11/1

RIMBAUD
Une saison en enfer...
3153/3

ROSTAND EDMOND
Cyrano de Bergerac
3137/3

SAND GEORGE
La mare au diable
3194/1
Leone Leoni...
3410/3

SHELLEY MARY W.
Frankenstein
3567/3

STENDHAL
Le rouge et le noir
1927/3
La Chartreuse de Parme
2755/5

STEVENSON ROBERT LOUIS
Les trafiquants d'épaves
3718/4

STOKER BRAM
Dracula
3402/6

TWAIN MARK
Tom Sawyer
3030/3
Huckleberry Finn
3570/5

VALLES JULES
L'enfant
3833/3

VERLAINE
Poésies
3212/2

ZOLA ÉMILE
Germinal
901/3
Thérèse Raquin
1018/2

ANTHOLOGIES
La poésie des Romantiques
par B. Vargaftig
3535/2
Poésie de Résistance
par B. Vargaftig
3767/2

Aventures et témoignages

Des aventures, des drames, des découvertes, racontés par ceux qui les ont vécus ou des témoins passionnés.

BARRON JUDY & SEAN
Moi, l'enfant autiste
3900/4 (Avril 95)

BELLEMARE PIERRE
Les dossiers d'Interpol
2844/4 & 2845/4
Le crime ne connaît pas de frontière et l'imagination des criminels semble sans limite. A travers une cinquantaine de courts récits, les auteurs démontrent que la justice finit cependant par triompher.

BELLEMARE P. ET ANTOINE J.
Les dossiers extraordinaires
2820/4 & 2821/4
Les affaires criminelles les plus extraordinaires du siècle.

CABROL LAURENT
Dieu que la mort est belle !
3940/3 (Juin 95)

CERF MURIEL
L'antivoyage
3883/3 (Mars 95)
Des rêves plein la tête, refusant les valeurs imposées par la société de consommation, portant le même blue-jeans et partageant la marijuana, ils sont des milliers, à la fin des années 60, à avoir pris la route des Indes et de Katmandou. Muriel Cerf était de ceux-là.

CHOW CHING LEE
Le palanquin des larmes
859/4
Le concerto du fleuve Jaune
1202/3

CLÉMENT CATHERINE
Pour l'amour de l'Inde
3896/8 (Avril 95)
Le roman vrai des amours de Nehru et de Lady Edwina Mountbatten, l'une des plus grandes dames de l'aristocratie anglaise, femme du dernier des vice-rois des Indes britanniques.

CLOSTERMANN PIERRE
Le Grand Cirque
2710/5

COUSTEAU COMMANDANT
Nos amies les baleines
2853/7 Illustré
Les dauphins et la liberté
2854/7 Illustré
Un trésor englouti
2967/7 Illustré
Compagnons de plongée
3031/7 Illustré

DERLICH DIDIER
Intuitions
3334/4

DURIEUX EVELYN
Princesse aux pieds nus
3556/3
L'histoire commence comme un conte de fées : Evelyn, une jolie métisse, épouse un prince africain richissime. Mais ce prince n'est autre que le fils aîné des cinquante-cinq enfants de Jean-Bedel Bokassa et le rêve tourne vite au cauchemar...

DR ETIENNE J.-L.
Transantarctica
3232/5
6 300 km dans un désert glacé, avec trois traîneaux et quarante chiens. Un pari insensé.

FAVIER SOPHIE
L'accroche-cœurs
3673/4 Illustré
Petit guide du savoir-plaire au féminin.

GARRISON JIM
JFK
3267/5 Inédit

GEORGY GUY
La folle avoine
3391/4
Le petit soldat de l'Empire
3696/4
Souvenirs irrésistibles d'une Afrique aujourd'hui disparue, par un petit périgourdin qui devint gouverneur de la France d'Outre-mer.

L'oiseau sorcier
3805/4
Devenu ambassadeur en Bolivie, l'ancien gouverneur des colonies capture, en visitant une tribu indienne, un oiseau-sorcier doté de pouvoirs étranges.

GLASER & PALMER
En l'absence des anges
3318/6

GOTLIB
J'existe
Je me suis rencontré
3719/4

GRAY MARTIN
Le livre de la vie
839/2
Les forces de la vie
840/2

HAMEL FRANÇOISE
Ida
3881/3 (Mars 95)

Aventures et témoignages

Achevé d'imprimer en Europe (France)
par Brodard et Taupin à La Flèche (Sarthe)
le 3 avril 1995. 1677 L-5
Dépôt légal avril 1995. ISBN 2-277-22062-0
1er dépôt légal dans la collection : octobre 1986
Éditions J'ai lu
27, rue Cassette, 75006 Paris
Diffusion France et étranger : Flammarion